Artificial Intelligence
A Guide for
Thinking Humans

教養としての

AI

講義

ビジネスパーソンも
知っておくべき
「人工知能」
の基礎知識

解説 松原仁　翻訳 尼丁千津子

著 メラニー・ミッチェル

日経BP

考える人間になれるよう私を導いてくれて、
ほかにもたくさんのことを教えてくれた
私の両親へ。

To my parents,
who taught me how to be a thinking human,
and so much more

はじめに

恐怖にとらわれる

　コンピューターは驚くべき速さでますます利口になっている
ようだが、そんなコンピューターにもまだ無理なもののひとつ
は、皮肉を察することだ。そう思ったのは、数年前、カリフォ
ルニア州マウンテンビューにあるグーグルの本社「グーグルプ
レックス」で、人工知能について話し合う会議に向かう途中で
迷ってしまったときのことである。グーグルプレックスは、い
わば「検索と発見」の総本山だ。しかも、私が迷子になってし
まったのは、Google マップ部門の建物のなかだったのだ。ま
さに皮肉としか言いようがないではないか。

　Google マップ部門の建物自体はすぐに見つけられた。屋根
から突き出ている赤と黒のサッカーボールのようなカメラを搭
載した、Google ストリートビュー用の大きくて無骨な撮影車
が正面玄関の前に停まっていたからだ。だが、ひとたび建物内
に入ると、警備室で渡されたよく目立つ「来訪者」バッジをつ
けた私は、パーティションで複雑に仕切られたいくつもの仕事
スペースのあいだを、きまり悪い思いをしながらさまよい歩く
ことになった。それぞれの小部屋のなかでは、ヘッドホンをし
たグーグルの社員が、アップルのデスクトップパソコンのキー
を熱心に叩いていた。しばらくのあいだあてもなく（マップも
なく）探し続けると、丸１日行われる会合のために用意された
会議室がようやく見つかり、なかで集まっている出席者たちの
輪に加わることができた。

4

2014年5月に行われたこの会議を主催したのは、若きコンピューター科学者ブレイス・アグエラ・ヤルカスである。彼は当時、グーグルの人工知能開発への取り組みの一端を担うため、技術者として最高位の肩書を与えられていたマイクロソフトをあとにして転職してきたばかりだった。グーグルは1998年にひとつの「製品」で始まった。それはインターネットで検索するための、それまでなかった非常に優れた手法を用いたウェブサイトだった。その後、グーグルは世界で最も重要なテクノロジー企業へと成長し、現在ではGmail、Google ドキュメント、Google 翻訳、YouTube、Android といった製品やサービスを数多く提供している。それらはあなたが毎日使っているものからおそらく耳にしたことがないものまで、実に多岐にわたっている。

　グーグルの創業者ラリー・ペイジとセルゲイ・ブリンは、コンピューターに人工知能を搭載するという野望を長きにわたり抱いていて、その実現への探求がグーグルの最重要課題となった。同社はここ10年のあいだに、AIの専門家を大量に採用した。なかでも注目されたのは、発明家、あるいは議論を呼ぶ未来学者としてよく知られたレイ・カーツワイルだ。彼が提唱している「AIシンギュラリティ」（訳注：「技術的特異点」ともいう）とは、近い将来においてコンピューターが人間より賢くなる時点を指している。グーグルはこの未来像の実現を支援するために、カーツワイルを迎え入れたのだった。2011年、グーグルは「グーグル・ブレイン」と命名されたAI研究の社内グループを設置した。それ以降、同社はアプライド・セマンティクス、ディープマインド、ヴィジョン・ファクトリーといった、グーグル・ブレインと同じくらい楽観的な名前のAIスタート

アップ企業を、見事に次々と買収した。

　つまり、誰の目にも明らかだが、グーグルはもはや単なるウェブ検索用ポータルサイト企業ではない。同社は AI を応用する企業へと急速に成長している。AI こそが、グーグルと親会社アルファベットが提供する多様な製品とサービス、採算を度外視した独自の研究成果をひとつにつなぎ合わせるものだ。グーグルの究極の目標は、ディープマインドの設立当初の使命記述書に示されている「知性を解明して、それをほかのすべての問題の解決に利用する」ことだ。[原注1]

AIと『GEB』

　私はグーグルでの AI 会議に参加するのがとても楽しみだった。1980 年代の大学院時代から AI に関連するさまざまな分野に携わってきた私は、グーグルが成し遂げたことに大きな感銘を受けていた。それに、私も会議に貢献できるよいアイデアを出せると思っていた。だが正直にいうと、私はお供として出席したにすぎなかった。この会議はグーグルの選りすぐりの AI 研究者たちがダグラス・ホフスタッターを招いて話を聞き、彼と対話するために企画されたものだったからだ。ホフスタッターは AI 分野における伝説的な存在であり、『ゲーデル、エッシャー、バッハ　あるいは不思議の環』（1985 年、白揚社）という謎めいた題名がつけられた有名な本の著者でもある（同書の略称は『GEB』）。あなたがコンピューター科学者やコンピューターマニアなら、『GEB』を聞いたことがある、または読んだことがある、あるいは頑張って読もうとしてみたことがあるはずだ。

　1970 年代に書かれた『GEB』は、ホフスタッターの数学、

美術、音楽、言語、ユーモア、言葉遊びといった多彩な分野に対するほとばしるような知的な情熱をすべて合わせることで、人間にごく当たり前のように備わっている知性、意識、自己認識が、知性や意識を持たない生体細胞の基質からどのようにして生まれるのかという深い疑問を解明しようとしたものだ。同書はさらに、いつの日かコンピューターが知性と自己認識を何らかの方法で身につける可能性についても語っている。『GEB』は類まれな著書であり、多少なりとも似ているものさえほかに聞いたことがない。しかも、気軽に読める本ではないにもかかわらずベストセラーになり、ピューリッツァー賞と全米図書賞をともに受賞した。『GEB』はほかのどんな本よりも、より多くの若者にAI分野に進むきっかけを与えたのは間違いない。私もそんな若者たちのひとりだった。

　1980年代の初め、数学の学位を得て大学を卒業した私は、ニューヨーク市に住んで私立高校で数学を教える生活に不満を抱きながら、自分が人生で本当にやりたいことを見つけようとあれこれ考えていた。『GEB』を知ったのは、『サイエンティフィック・アメリカン』誌の書評で大絶賛されているのを読んだときだ。私はすぐさま『GEB』を買いにいった。それから数週間かけて同書をむさぼり読んだ私のなかで、AI研究者になりたいという当初の漠然とした思いが、もっと具体的に、ダグラス・ホフスタッター本人と研究するのだという確信にまで高まっていった。本の内容や進路の選択に対してこれほど強い気持ちを抱いたのは、それまでなかったことだった。

　当時のホフスタッターはインディアナ大学でコンピューター科学の教授を務めていたので、私は同大学のコンピューター科学博士課程に出願して入学し、それからホフスタッターの講座

に受け入れてもらえるよう本人に頼み込むという無謀な計画を立てた。若干気になったのは、私がそれまでコンピューター科学の講座を一度たりとも受けたことがなかった点だ。コンピューター自体は、小さい頃からそばにあった。1960年代に設立されたテクノロジー企業のハードウェア技術者だった父は、趣味で自宅の家族部屋に大型コンピューターを組み立てて設置した。冷蔵庫くらい大きなそのSigma 2機には、「私はFORTRAN言語で祈る」と記された丸いマグネットが貼られていた。当時まだ小さかった私は、家族の一員であるこの大きなコンピューターはほかのみんなが寝ている夜中に密かに祈っているのだろうと、半ば信じていた。1960年代から70年代にかけて、私はFORTRAN、次にBASIC、それからPascalというように、それぞれの時代の人気の言語を少しずつかじりながら育った。とはいえ、専門的なプログラミング技術についてはほとんど知らなかったし、ましてやコンピューター科学専攻の大学院進学予定者が当然身につけておかなければならない知識などゼロに等しかった。

　計画の実現を早めようとした私は、学年度末に教師を辞めてボストンに移り、新たな進路に備えるためにコンピューター科学の入門講座を受け始めた。新しい人生に踏み出してから数カ月後、マサチューセッツ工科大学のキャンパスで授業が始まるのを待っていた私は、なんとこの大学でダグラス・ホフスタッターの講義が2日後に行われるという掲示を目にした。驚きのあまり、案内を思わず二度見した。自分の幸運が信じられなかった。講義に参加したあと、群がっている崇拝者たちのそばで辛抱強く待ち続けると、ようやくホフスタッターと話すことができた。そうしてわかったのは、ホフスタッターは1年間の長

期有給休暇をMITで過ごしている最中で、その後インディア
ナからアナーバーのミシガン大学へ移る予定だということだっ
た。

　細かい話は省略するが、まず夏のあいだ研究助手として働か
せてほしいとホフスタッターを粘り強く説得した私は、その後
大学院生として6年間彼のもとで研究し、コンピューター科学
の博士号を取得してミシガン大学大学院を卒業した。その後も
長年にわたってホフスタッターと頻繁に連絡を取り合い、AI
に関する議論をたびたび行ってきた。私がグーグルのAI研究
に興味を抱いていたのを知っていたホフスタッターは、親切に
も今回の会議に同行者として誘ってくれたのだった。

チェスと第一の疑いの種

　なかなか見つからなかった会議室に集まっていたのは約20
名のグーグルの技術者で（そのほかはダグラス・ホフスタッタ
ーと私）、彼らはみな同社のさまざまなAIチームのメンバー
だった。こうした会議の最初によくやるように、出席者が部屋
のなかを一回りして自己紹介し合った。若いときに読んだ
『GEB』に触発されてAI研究の道に進んだと教えてくれた人
も何名かいた。出席者たちはみな、伝説的な存在であるホフス
タッターがAIについてどんなことを語るのかを想像して、興
奮する気持ちと好奇心を隠せないようだった。ついに、ホフス
タッターが立ち上がって話し始めた。「AI研究全般について、
さらにはより具体的にここグーグルでの研究について、いくつ
か意見を述べたいと思います」。ホフスタッターの口調は真剣
だった。「私は怖いのです。とても」

　ホフスタッターは話を続けた。[原注2]1970年代にAIの研究を始め

たときには AI の可能性にワクワクしたが、その一方で AI の実現はほど遠く思えた。「そのため、差し迫った危険はありませんでしたし、実際に何かが起こっている気もしませんでした」と彼は語った。人間のような知性を持つ機械をつくるのは奥深い知的な冒険であり、実を結ぶまでには少なくとも「ノーベル賞を 100 回受賞しなければならない^{原注3}」と言われていた長期的な研究プロジェクトだった。ホフスタッターは、AI は原理的に実現可能だと信じていた。「『行く手を阻む敵』はジョン・サールやヒューバート・ドレイファスといった、AI の実現は不可能だと主張する懐疑派たちでした。彼らは脳が物理の法則に従う物質の塊であることや、コンピューターがニューロン（訳注：「神経細胞」ともいう）、神経伝達物質といったあらゆるレベルでそれらをモデル化できることを理解できなかったのです。理論的には、そうしたモデル化は可能です」。実際、『GEB』ではニューロンから意識にいたるさまざまなレベルにおける知能のモデル化についてのホフスタッターの考えが詳細に論じられていて、それは彼の研究において何十年にもわたる主要なテーマでもあった。しかし実用面では、ホフスタッターは自分が生きているうち（あるいは子どもの代でさえ）に汎用的な「人間レベル」の AI が実現することは決してないだろうとつい最近まで思っていたため、その危険性をさほど危惧していなかった。

　ホフスタッターは『GEB』の終盤に、人工知能についての「10 の質問とそれについての考察」（訳注：『GEB』20 周年記念版では「10 の質問と臆説」と表記）を載せた。そのひとつ「誰にも負けないチェスプログラムはできるだろうか？」に対するホフスタッターの予測は「ノー」だった。「チェスで誰にも負けな

いプログラムはできるかもしれないが、それはチェス専用のものではなく、汎用型人工知能のプログラムの一部だろう[原注4]」

　2014年のグーグルでの会議で、ホフスタッターは自分が「完全に間違っていた」ことを認めた。1980年代と90年代におけるチェスプログラムの急速な改良によって、ホフスタッターは自身のAI短期予測に第一の疑惑の種をまいた。AIの先駆者ハーバート・サイモンは、「10年以内に」チェスプログラムが世界チャンピオンになるだろうと、1957年に予測していた。しかし実際には、ホフスタッターが『GEB』を執筆していた1970年代半ば時点での最良のコンピューターチェスプログラムは、上手な（だが一流ではない）アマチュアレベルにすぎなかったのだ。ホフスタッターはチェスのチャンピオンにもなった心理学教授エリオット・ハーストと、親交を深めていた。ハーストは人間のチェスの達人たちがコンピューターチェスプログラムとはいかに異なるかを、詳細に論述していた。実験によると、人間のチェスの名人たちはあらゆるチェスプログラムで使われているような次の手をしらみつぶしで調べる戦法をとるのではなく、チェス盤上の局面を即座に認識して考えていた。ゲームのあいだ、最高レベルの人間のプレイヤーは駒の並びを見て、「この種の局面」には「この戦略」が必要だと見抜くことができる。それはつまり、そうしたプレイヤーたちは、目の前の局面と戦略をより高いレベルの概念の一例として素早く認識できるということだ。ハーストは、こうした局面と抽象概念を認識する総合的な能力なしには、チェスプログラムが最も優れた人間のレベルに到達することは決してないと論じた。ホフスタッターは、ハーストの主張を受け入れた。

　しかしながら、1980年代から90年代にかけて、コンピュー

ターチェスは大幅に改良された。その最大の理由は、コンピュ
ーターの処理速度が飛躍的に向上したことだ。最高の能力を誇
るプログラムはどれも総当たり的に調べて次の手を決めるとい
う、人間とはほど遠い戦法をまだ使っていた。1990年代半ば
にはチェス専用のコンピューターであるIBMの「ディープ・
ブルー」がチェス選手最高位の「グランドマスター」レベルに
到達し、1997年には世界チャンピオンタイトル保持者のガル
リ・カスパロフを六番勝負で破った。かつて人間の知性の頂点
とみなされていたチェスの最高級の技能は、しらみつぶし戦法
に屈したのだった。

音楽──人間性のとりで

　ディープ・ブルーの勝利によって、マスメディアは高度な知
能を持つ機械の台頭への不安をさかんに取り上げたが、「真の
AI」の実現はまだはるか先に思われた。ディープ・ブルーは
確かにチェスは指せたが、それ以外のことは何もできなかった
からだ。ホフスタッターはチェスについては読み誤ったが、そ
れでも『GEB』で行ったほかの予測については意見を曲げな
かった。とりわけ、次のひとつ目の質問に対しては主張を固持
した。

　　質問──コンピューターが美しい曲をつくれる日は来るだろ
　　うか？
　　予測──来る。だが、ずっと先のことになるだろう。

　ホフスタッターは以下のように続けている。

音楽は感情の言葉であり、プログラムが人間と同じくらい複雑な感情を持つ日が来るまでは、それが美しい曲を書けることは決してない。既成の曲の構造をうわべだけまねるという「偽造」は可能かもしれないが、たとえ曲の第一印象がどうであろうと、音楽表現とは構造的なルールの枠組みに収まっているだけのものではないのだ……ショパンやバッハがもう少し長く生きていれば書いたかもしれない曲を、創造性を持たない電気回路の部品から生み出すようあらかじめプログラムされた、大量生産品の卓上型「オルゴール」を通信販売で20ドルで買える日がもうすぐ来るかもしれないなどと考えるのは、人間の精神の深遠さに対する滑稽かつ恥ずべき思い違いだ。^{原注5}

　ホフスタッターはこの予測について、「『GEB』で最も重要な主張のひとつであり、自分の命を懸けていると言ってもいい」と語った。

　1990年代半ば、音楽家デイヴィッド・コープによってつくられたプログラムによって、ホフスタッターの自身のAI予測に対する自信はまたしても、しかも今回は非常に大きく揺るがされた。そのプログラムは「音楽的知能による実験」またはEMIと呼ばれるものだった。作曲家で音楽科の教授でもあったコープがEMIをそもそも開発したのは、自身の曲づくりに役立つ、彼独自の作風に沿った楽曲を自動的につくるためだった。だが、EMIが有名になったのは、バッハやショパンといったクラシックの作曲家のような曲もつくることができたからだった。EMIは作品全体の構造を捉えるためにコープが開発した、膨大な数のルールに従って作曲する。そのルールを、対象とする作曲家の一連の作品から選ばれた大量の「手本」に用

いると、「その作曲家風の」新しい曲をつくることができる。

　グーグルでの会議の話に戻ろう。ホフスタッターはEMIとの遭遇について、驚くほど激しい感情を込めて次のように語った。

　　　私はピアノの前に座り、EMIが作曲した「ショパン風」マズルカのひとつを弾いてみました。正真正銘ショパンの曲というふうには聞こえませんでしたが、十分にショパンらしく、しかも初めから終わりまで作風は崩れませんでした。その事実によって、私はただひたすら深く悩まされました。

　　　小さい頃からずっと、音楽は私をワクワクさせるものであり、心の底から感動させてくれるものでした。それに、私が愛するどんな曲からも、それをつくった人間の心から感情がじかに伝わってきます。彼らの心の奥底へ招かれている気がします。この世で音楽による表現よりも人間的なものはないと思えるほどです。ええ、絶対にないと。うわべだけをまねた音符の操作によってできたものが、まるで人間の心から伝わるもののように聞こえるという話には、とても、とても心が痛みます。この事実によって、私は完ぺきなまでに打ちのめされたのです。

　ホフスタッターは次に、ニューヨーク州ロチェスターにある名門校イーストマン音楽学校で講演したときのことを語った。EMIについて説明したあと、ホフスタッターは音楽理論科や作曲科の教員たちも含めた同校の出席者に、ピアニストがここで演奏する二つの作品のどちらがショパンの（あまりよく知られていない）マズルカで、どちらがEMIの作曲によるものかを当ててみてほしいと言った。出席者のひとりは「最初のマズ

ルカは確かに優雅で魅力的でしたが、『真のショパン』級の創造性や壮大な流れがありませんでした……2番目は叙情的な旋律といい、壮大かつ優雅な半音階の転調といい、調和の取れた自然な形式といい、明らかに本物のショパンでした」と後日語っている。教員の大半も同様の意見だったようで、最初の曲がEMIで2曲目が「本物のショパン」だと主張し、ホフスタッターを驚かせた。正解はその逆だったからだ。

ホフスタッターはいったん間を置いて、グーグルの会議室にいる私たちの顔をのぞき込んだ。誰も何も言わなかった。ようやく、彼は先を続けた。「私はEMIが恐ろしくなりました。EMIが嫌でたまらなかったし、大きな脅威に思えました。私が人間性のなかで最も大事にしていたものが、EMIによって破壊されそうで怖かったのです。EMIは私が人工知能に抱いている恐怖の本質を、最も的確に表している例と言えるでしょう」

グーグルとシンギュラリティ

ホフスタッターは次に、自動運転車、音声認識、自然言語理解、言語間翻訳、コンピューターが芸術作品や曲をつくるといった、グーグルがAIで実現しようとしているものに対して、自身のなかで相反する感情が激しく交錯している点について語った。グーグルがレイ・カーツワイルと彼が提唱するシンギュラリティを積極的に受け入れたことで、ホフスタッターの不安はますます高まった。カーツワイルのこの予測では、自分で学んで自身を向上させる能力を身につけたAIが急速に人間レベルの知能に追いついて、その後追い越すとされている。グーグルはこの展望をできるだけ早く実現するために、あらゆる手を

尽くしているように見える。ホフスタッターはシンギュラリティの根拠についてはなはだ疑問に思っているが、それでもなお、カーツワイルの予測に心が乱され続けていると語った。「私はそのシナリオに恐れを抱きました。とうてい信じられないと否定しながらも、同時に『実現の時期は外れているかもしれないが、予想自体は正しいのかもしれない』とも思えたのです。私たちは完全に不意を突かれることになるかもしれません。何事もなく日々が過ぎていると思っていたら、いつのまにかコンピューターが人間より賢くなっていたことを、ある日突然知らされるというわけです」

　こうしたことが実際に起きれば、とホフスタッターは続けた。「私たちはAIに取って代わられます。そして、私たちは過去の遺物になり、AIの後塵を拝することになるでしょう」

「もしかしたら、本当にそうなるかもしれませんが、すぐにはそうなってほしくありません。私は自分の子どもたちがAIの後塵を拝するようなことになってほしくないのです」

　最後に、ホフスタッターは会議室で熱心に話を聞いているグーグルの技術者たち自身について直接触れた。「こうしたものをつくろうと人々がやみくもに突っ走って必死になっていることが、私にはとても恐ろしいのです。とても不安で、残念でたまりません。私の胸のなかでは嫌悪、恐怖、不審、困惑、動揺が渦巻いています」

ホフスタッターは、なぜ恐怖にとらわれているのか？

　私は部屋を見まわした。ホフスタッターの話を聞いていた出席者たちは、不思議そうな顔つきをしていた。当惑している者さえいた。ここにいるグーグルのAI研究者たちにとって、こ

の話題は怖くもなんともなかったからだ。それに、彼らにとっ
てはどれもずっと前から知っている話だった。ディープ・ブル
ーがカスパロフを破り、EMIがショパンのようなマズルカを
つくり始め、カーツワイルがシンギュラリティを扱った第一作
を書いたとき、ここにいる技術者の多くは高校生で、たとえ
『GEB』のAIについての予測が当時の状況と多少ずれていても、
同書を読んで感銘を受けていただろう。彼らがグーグルで働い
ているのは、まさにAIを実現するためだ。しかも、次の100
年以内にどころか、一日でも早く。彼らには、ホフスタッター
が何に対してそこまでストレスを感じているのか理解できなか
った。

　AIの分野に携わっている人は、「超高度な知能を持つ機械が
悪と化す」という、ありがちなSF映画におそらく影響された
一般人が抱いている不安を聞かされることに慣れている。そう
したAI研究者たちは、「ますます高性能化したAIが、一部の
仕事で人間に取って代わる」「ビッグデータの分析にAIが活
用されると、プライバシーが侵害されたり、巧妙な差別が起き
たりする恐れがある」「理解力に欠いたAIシステムに自律的
な判断を任せると、大惨事を招きかねない」といった懸念が世
間にあることもよくわかっている。

　だが、ホフスタッターの恐怖は、まったく違うものに対して
だった。AIが度を超えて賢くなる、侵略的になる、有害化す
るといったことでも、あるいは役に立ちすぎるということにで
もなかった。彼が恐ろしくなったのは、「知性、創造性、感情、
あるいは意識そのものさえ、あまりに簡単につくれるようにな
るのではないか」「自分が人間性で最も大切だと思っていたも
のが、『便利なツール』にすぎなくなってしまうのではない

か」「うわべだけをまねるしらみつぶしのアルゴリズムが、人間の精神を解き明かせるようになるのではないか」ということに対してだった。

『GEB』で極めて明確に記されているとおり、ホフスタッターは精神とそのあらゆる特性はすべて、体と物質的世界との相互作用とともに、脳やそのほかの体の部位の物理的な基質から生まれると確信している。そこに非物質的なものや霊的なものが潜んでいることは決してない、と。ホフスタッターの不安の本当の原因は、ある種の複雑さに関連している。彼は私たちが最も大事だと思っている人間性が、がっかりするほど簡単に機械でつくれることがAIによって示されてしまうかもしれないと恐れているのだ。ホフスタッターは例の会議のあと、ショパン、バッハといった人間性のお手本たちについて、次のように私に語った。「計り知れないほどの緻密さ、複雑さ、感情の深さを有する彼らの精神が、小さな半導体チップによって単純かつ平凡なものにできるのならば、人間性に対する私の認識は損なわれてしまうだろう」

混乱する私

ホフスタッターが会議で意見を述べ終えたあとに簡単な質疑応答が始まると、当惑気味の出席者たちはホフスタッターにAI分野、とりわけグーグルのAI開発に対する恐怖について、さらに詳しく説明してほしいと頼んだ。それでも、互いに共感するまでにはいたらなかった。続いて、プロジェクトを紹介するプレゼンテーション、グループでの討論、コーヒー休憩といった普通の会議と同じようなスケジュールで進んでいき、その間ホフスタッターの先ほどの話に触れられることは特になかっ

た。会議が終わりに近づくと、ホフスタッターは出席者たちに
AIの近い将来についてどう思っているか尋ねた。グーグルの
研究者である彼らの何人かは、「汎用的な人間レベルのAIは、
脳の仕組みから発想を得た『深層学習』（訳注：『ディープラーニ
ング』ともいう）手法におけるグーグル独自の開発が重要な柱と
なって、30年以内に実現する」と予測した。

　私は頭が混乱したまま、会議をあとにした。ホフスタッター
がカーツワイルのシンギュラリティに関する著作を読んで困惑
していたのは知っていたが、あれほど強い感情や不安を抱えて
いたとはまったく予想外だった。その一方で、グーグルがAI
研究を強力に推進していることも知っていたが、AIが汎用的
な「人間レベル」に早期に到達できると語った数名の科学者た
ちの楽観的な見方にも驚かされた。私自身は、AIは特定の狭
い分野では大きく進歩したが、人間の幅広い総合的な知性には
まだほど遠いレベルであり、そこに到達するには30年どころ
か100年以内でも無理だろうと思っていた。しかも、私と違っ
て早期実現を信じている人々は人間の知性の複雑さを非常に甘
く見ている、とも思っていた。私はカーツワイルの本も読んで
いたが、おおむね話にならないというのが感想だった。だが、
自分が尊敬、称賛していた人々の意見をあの会議であれほど多
く耳にして、自身の見解を批判的な目で再検討しなければなら
ない気になった。仮に、あの場にいたAI研究者たちが人間を
甘く見ていたとしても、もしかしたら私のほうも昨今のAIの
能力と可能性を甘く見ていたのだろうか？

　その後の数カ月間で、私はこうした疑問を取り巻く議論にこ
れまで以上に注意を払うようになった。すると、著名人たちが
「『超人的な』AIの危険性について、今すぐにでも危機感を抱

かなければならない」と突如として訴えかけている記事、ブログ投稿、書籍が山ほどあることに気づいた。2014 年には物理学者のスティーヴン・ホーキングが、「完全なる人工知能の開発は、人類の終焉を招きかねない」と警鐘を鳴らしている。[原注7] 同年、テスラやスペース X の創業者である起業家のイーロン・マスクも、人工知能について「人間の存在を脅かす最大の脅威となる恐れがある」「私たちは人工知能で悪魔を召喚している」と語った。[原注8] マイクロソフト共同創業者のビル・ゲイツも同調していて、「私はイーロン・マスクといった人々と同じ意見であり、この問題について関心を持とうとしない人たちのことが理解できない」と述べている。[原注9] 機械が人間よりも賢くなる潜在的な危険性を論じた哲学者ニック・ボストロムの著作『スーパーインテリジェンス』（2017 年、日本経済新聞出版）は、冗長で難解だったにもかかわらず予想外のベストセラーとなった。

　ほかの著名な知識人たちのなかには、反論する者もいた。彼らの言い分は「確かに私たちは AI のプログラムを人間に害を及ぼす恐れのない安全なものにすべきだが、近い将来超人的な AI が実現するという説はどれもあまりに飛躍しすぎている」というものだった。起業家で活動家でもあるミッチェル・ケイパーは、「人間の知性はすばらしいが、謎に包まれた奥深いものであり、その大半が解明されていない。そのためまったく同じものがつくられる恐れは当分ない」と解説している。[原注10] この意見に同意しているロボット研究者（しかも MIT 人工知能研究所の元所長）のロドニー・ブルックスは、「現在そして数十年先までの機械の能力は、著しく過大評価されている」と述べている。[原注11] 心理学者で AI 研究者でもあるゲイリー・マーカスにいたっては、「『強い AI』（人間レベルの汎用的な AI）をつくろ

うという試みにおいては、ほとんど進歩が見られない」と言い切っている。^{原注12}

こうした相反する双方の意見をすべて引用しようとすると、きりがないほどだ。手短にいうと、調べてみてわかったのは「AIの分野は混迷を深めている」ということだ。AIは「大幅に進歩した」のか、それとも「ほとんど進歩していない」のか。「真のAI」の実現は「すぐそこまで来ている」のか、それとも「数百年後」なのか。将来、AIはすべての問題を解決するのか。それとも私たちの職を奪い、人類を滅亡させ、人間性の価値を貶めるのか。AIの開発は「崇高な探求」、あるいは「悪魔の召喚」のどちらなのだろうか。

この本が目指すもの

本書は人工知能分野の本当の状況を知りたいという、私の思いから生まれたものだ。現在のコンピューターには何ができるのか。今後数十年のあいだに登場するコンピューターには、どんなはたらきが期待できるのだろうか。グーグルで行われたあの会議でのホフスタッターの深く考えさせられる意見や、近い将来のAIに対するグーグルの研究者たちの自信に満ちた返答は、私にとってある種の警鐘となった。このあとの章で試みたのは、人工知能がどのように発展してきたのかをまず整理することだ。次に、AIの目標については現状ではあまりに多くの意見があって対立も見られるが、それでも本書はAIが目指す先を明確にしようと試みている。こうした取り組みを行うにあたって、最高レベルのAIシステムの仕組みは実際どんなものなのかを調べ、そういったシステムの成果と限界を検証する。最高レベルの知的水準が求められるゲームで人間を破る、ある

言語を別の言語に翻訳する、複雑な疑問に答える、入り組んだ道路で車を操縦するといった高いレベルの知能が必要とされることを、今日のコンピューターがどの程度こなせるのかも調べていく。さらに、画像内の顔や物体を見分ける、話し言葉や書かれた文章を理解する、最も基本的な常識をはたらかせるといった、私たち人間が日々当たり前のように無意識に取っている行動を、AIがどれほどこなせるのかも検証していく。

さらに、「『汎用的な人間レベル』の知能、さらには『超人的』な知能とは実際にはどういうものを指すのか？」「今のAIはそういったレベルに近いのか？　あるいは少なくとも到達への道を辿っている最中なのか？」「AIの危険性とは、どういうものなのか？」「知性のなかで、私たちが最も大切にしている面は何か？　私たち自身の人間らしさに対する認識を、人間レベルのAIはどの程度まで変えてしまうことができるのか？」「ホフスタッターの言葉を借りると、私たちはAIをどれくらい恐れる必要があるのだろうか？」という、AIが生まれた当初から熱い議論を巻き起こしてきた、より広い範囲の疑問も解き明かそうとしている。

本書は人工知能についての一般的な調査や歴史を扱ったものではない。この本はあなたの人生におそらく影響を与えている、あるいはいずれ影響を与えるであろうAIの手法や、人間の独自性に対する私たちの認識を変えてしまう可能性が最も高いAI開発での取り組みを、深く掘り下げて調べたものだ。私が本書を書いた目的は、この探求の成果をあなたと分かち合うためだ。そしてさらに、この分野でこれまでにどんな成果が達成され、機械が自身の人間性を主張できるようになるまであとどれくらいかかるのかを、私と同じくらいあなたにもよりはっき

りとつかんでもらうためだ。

第1部

予備知識

Background

第**1**章
人工知能が辿ってきた道のり

ダートマス大学での2カ月と10人の男たち

　人間と同じくらいあるいはそれ以上に賢い「高度な知能を持つ機械」をつくる夢は何世紀も追われてきたものだが、デジタルコンピューターの台頭によって現代科学の一分野となった。事実、初の「プログラム可能なコンピューター」の構想が生まれたきっかけは、人間の思考、とりわけ論理を、「記号処理」という機械的な操作で解釈できないかという数学者たちの試みだった。デジタルコンピューターの基本は、記号「0」と「1」の組み合わせを駆使するという記号処理だ。アラン・チューリングやジョン・フォン・ノイマンといったコンピューターの先駆者たちは、コンピューターと人間の脳には強い類似性があるとみなしていて、人間の知能と同じものをコンピュータープログラムでつくれると確信していた。

　人工知能に携わっている者の大半は、この分野が正式にできたのは、1956年にジョン・マッカーシーという若き数学者によってダートマス大学で開催された、小規模な研究会までさかのぼると思っている。

　1955年、28歳のマッカーシーはダートマス大学の数学科教員になった。大学の学部生時代に心理学と、当時できたばかりの分野である「オートマトン理論」（のちのコンピューター科学）を学び、思考する機械をつくるという発想に興味をそそら

れた。その後進学したプリンストン大学大学院の数学科で出会った同級生のマーヴィン・ミンスキーと、高度な知能を持つコンピューターの可能性への情熱をともにするようになった。卒業後、マッカーシーはベル研究所と IBM にほんのわずかな期間在籍した。ベル研究所では情報理論の考案者クロード・シャノンと、IBM では先駆的な電気工学技術者ナサニエル・ロチェスターと共同研究を行った。マッカーシーはダートマス大学に移るや否や、ミンスキー、シャノン、ロチェスターに「1956年の夏に 10 名が 2 カ月かけて行う人工知能の研究会」の実現に手を貸してほしいと頼み込んだ[原注1]。「人工知能」という用語は、マッカーシーによるものだ。こう名づけたのは、関連した研究分野である「サイバネティックス」（訳注：「人工頭脳学」ともいう）と区別したかったからだ[原注2]。マッカーシーは後年、誰もこの名称を大して気に入っていなかったと語っている。なにしろ、目指していたのは「人工」ではなく「本物」の知能だったのだから。「とはいえ、何らかの呼び名をつけなければならなかったので、私が『人工知能』と名づけたのです」[原注3]

　研究会を企画した 4 人はロックフェラー財団に計画書を出して、夏に予定された集まりの財政支援を申し込んだ。計画書には、予定されている研究内容は「学習といった知能のあらゆる特性は、基本的にそのいかなる側面についても、それをモデル化できる機械がつくれるほど正確に特徴づけられるという予想」に基づいたものだという記述が盛り込まれている[原注4]。また、研究会での議題の一覧として計画書に記載された自然言語処理、ニューラルネットワーク、機械学習、抽象概念と推論、創造性は、現在にいたってもなお、この分野を特徴づけるテーマである。

1956 年当時の最先端のコンピューターは今日のスマートフォンのおよそ 100 万倍も処理速度が遅かったが、それでもマッカーシーと研究仲間たちは楽観的で、「厳選された科学者たちがひと夏のあいだ共同研究を行えば、こうした課題のなかのひとつ、あるいはそれ以上で大幅な進歩を示せるだろう」というように、AI の実現はあと一歩のところまで来ていると考えていた。[原注5]

　だがすぐに、今日でも科学関連の研究会を企画するときに誰もが経験する障害が立ちはだかった。ロックフェラー財団が提供してくれた助成金は、希望額の半分しかなかった。それに、招待者に実際に来て滞在してもらうよう説得するのはマッカーシーが思っていたより大変で、ましてや会議で意見がまとまらないのはいうまでもなかった。行われた議論の多くは白熱したが、ほとんどが同意にいたらなかった。こういった会議でよくあるとおり、参加者が「みな異なる考え、大いなる自尊心、自分自身の発想への強いこだわり」を持っていたからだ。[原注6]それでも、ダートマス大学でのひと夏の AI 研究は、非常に重要な成果をもたらした。この分野の名称が決まったし、全体的な目標の概要がまとまった。しかも、じきにこの分野における先駆者の「ビッグフォー」として知られるようになるマッカーシー、ミンスキー、アレン・ニューウェル、ハーバート・サイモンが顔を突き合わせて、将来に向けた計画を練ることができた。それに、会議を終えた 4 人は、どういうわけかこの分野を途方もなく楽観視していた。1960 年代初め、マッカーシーは「10 年以内に完ぺきな知能を持つ機械を実現する」という目標を掲げて、スタンフォード人工知能研究所を設立した。[原注7]同じ頃、のちのノーベル賞受賞者となるハーバート・サイモンは、「機械は

20年以内に、人間ができるどんな仕事もこなせるようになる
だろう」と予想した[原注8]。その直後、MIT人工知能研究所設立者
のマーヴィン・ミンスキーは「一世代のうちに……『人工知
能』の実現にあたっての問題点は、おおむね解決されているだ
ろう」と予測した[原注9]。

定義は曖昧でもとにかく進めていく

　これらの予測された出来事は、まだどれも実現していない。
では、「完ぺきな知能を持つ機械」をつくるという目標が達成
されるまで、あとどれくらいかかるのだろうか？　そうした機
械を完成させるためには、人間の脳を逆行分析（リバースエンジニアリング）しなければな
らないのだろうか？　それとも、完ぺきな知能だと認められる
ものをつくれるような、まだ知られていない一連の優れたアル
ゴリズムという近道が存在しているのだろうか？　そもそも、
「完ぺきな知能」とはどういう意味なのだろうか？
　「あなたの言葉が意味するものを決めてくれなければ……私た
ちは決してわかり合えないだろう」[原注10]。18世紀の哲学者ヴォルテ
ールのこの忠告は、人工知能について語ろうとする誰にとって
も難しい課題だ。なぜなら、その中心的な概念である「知能」
が今なお明確に定義できていないからだ。マーヴィン・ミンス
キー自身も「知能」や、それと関連している「思考」「認知」
「意識」「感情」といった言葉を説明するために、「スーツケー
スワード」という造語を編み出した[原注11]。そのどんな言葉にも、ス
ーツケースのように多様な意味が雑然と詰め込まれているから
だ。そうした事態を受け継いでいる「人工知能」という言葉も、
使われる状況ごとに異なる意味が飛び出してくる。
　人間には知能があるが塵にはないことは、大半の人が認める

はずだ。同様に、人間はミミズより知的だというのが一般的な
見方だ。人間の知能はIQ（知能指数）で測られるが、それは
あくまでひとつの尺度であり、感情、言語、空間認識、論理、
芸術性、社会性といった知能のさまざまな面も重視されている。
つまり、知能は二元的（ある存在に知能があるかないか）でも
あり、連続的（一方が他方よりも知的）、多面的（たとえば言
語性知能は高いが感情的知能は低い）でもある。こうして見る
と「知能」という言葉は、確かにファスナーが今にも壊れそう
なほど中身が詰め込まれすぎたスーツケースだ。

　よくも悪くも、AIの分野はこうしたさまざまな違いをほと
んど無視してきた。代わりに、二つのことに的を絞った取り組
みを行ってきた。そのひとつは科学的、もう一方は実際的なも
のだ。科学の面では、AI研究者たちは「自然」（生物学的とい
う意味）な知能のはたらきを調査するために、それをコンピュ
ーターへ組み込もうとしている。実際面では、AIの支持者た
ちは、とにかく人間と同じくらいまたはそれ以上に作業をうま
くこなせるコンピュータープログラムをただ開発したいと思っ
ていて、そのプログラムが本当に人間と同じように「思考」し
ているかどうかは彼らにとって二の次だ。ちなみに、AI関連
の人々に「あなたの取り組みは科学的、それとも実際的なもの
ですか？」と尋ねれば、大半が「現在の開発資金がどこから提
供されているかによる」と冗談交じりに答えるだろう。

　AIの現状に関する最新の報告書によると、著名な研究者た
ちによる委員会がこの分野を「知能を合成することによって知
能の特性を研究している、コンピューター科学の一分野」と定
義したそうだ。[原注12]多少回りくどいが、同意できる。一方、同委員
会はAIの分野を定義するのは難しいが、それはかえってよい

ことなのかもしれないとも指摘していて、「AIの厳密かつ普遍的な定義が存在しなかったことが、この分野の年々加速する成長、発展、進歩を促した」と述べている。[原注13]そしてさらに、「AIの専門家、研究者、開発者たちは、そうした定義の代わりにざっくりとした方向感覚と『とにかく進め』という強い使命感に突き動かされている」と分析している。

乱立する手法

　1956年のダートマス会議では、AI開発の正しい取り組み方について参加者たちが支持した案は実にさまざまだった。主に数学者たちは、合理的思考を語る手法として数理論理学と演繹法を推奨した。別の者たちは、データを統計的に分析したり確率を用いて不確実性に対処したりできるプログラムを利用する帰納法を支持した。一方、人間の脳のようなプログラムをつくるためには、生物学や心理学から発想を得るべきだと固く信じる者たちもいた。驚くべきことに、こうしたさまざまな方法の各支持者たちによる議論は、現在でもまだ続いている。その間、どの手法も独自の原則や技法を数多く生み出し、そうした専門分科は横の連携がないまま、それぞれ専門的な会議や専門誌によって細分化が進んだ。この現状について、AIに関するある最近の調査論文は「私たちは知能を深く理解してもいなければ、汎用的なAIのつくり方も知らない。それゆえ、確実に進歩するためには探求のどんな手段も断つことなく、AIの『乱立する手法』という状態を受け入れて活用するべきだろう」と総括している。[原注14]

　だが2010年代に入ると、深層学習（深層ニューラルネットワークとも呼ばれている）と総称されるAI手法の一種が、乱

立状態から抜け出して AI の強力なパラダイムとなった。実際、有力なメディアの大半では、「人工知能」という用語自体が「深層学習」の意味で使われるようになった。これは残念な誤りであり、ここで違いをはっきりさせなければならない。AI は知能を持った機械をつくることを目標とする分野であり、そのなかに一連の幅広い手法が含まれている。深層学習はそうした手法のひとつにすぎない。そもそも深層学習は、「機械学習」という AI の一領域のなかに含まれる多くの手法のひとつなのだ。この機械学習とは、コンピューターがデータや自身の「経験」から「学習」する手法である。こうしたさまざまな違いをもっとよく理解するためには、研究初期に AI 研究者たちのあいだで起きた、「記号的 AI」と「非記号的 AI」という二つのあいだの哲学的な分裂について知っておくべきだろう。

記号的AI

まず、「記号的 AI」を説明しよう。記号的 AI プログラムの情報には、通常人間にわかりやすい言葉や句（「記号」とはその総称）とルールが含まれている。プログラムはそのルールに従って記号を組み合わせたり処理したりして、与えられたタスクをこなす。

一例を示そう。名前から開発者たちの自信のほどが伺える「一般問題解決器（G P S）原注15」は、初期の AI プログラムのひとつである（略称がまぎらわしくて混乱してしまうかもしれないが、この一般問題解決器は今日一般的に GPS と呼ばれている「全地球的測位システム」よりも前から存在している）。GPS は、あなたも小さいときに挑戦したかもしれない「宣教師と人食い人種」といった問題を解くことができる。このよく知られた難問

では、3人の宣教師と3人の人食い人種が川を渡らなければならないが、ボートには2人までしか乗れない。川のどちら側の岸でも、（空腹の）人食い人種の数が（美味しそうな）宣教師の数を上回ると……どうなるかは、あなたもおそらく知っているだろう。この6人を無事に向こう側の岸に渡すには、どうすればいいだろうか？

一般問題解決器を開発した認知科学者のハーバート・サイモンとアレン・ニューウェルは、この問題をはじめとする論理パズルを学生たちに「考える過程を口にしながら」解かせて、それを記録した。続いて、2人は学生たちの思考過程を納得がゆくレベルまでモデル化したプログラムを設計した。

GPSの仕組みの詳細は省略するが、その記号的な特徴は、プログラムの指示がエンコード（訳注：元の情報をデータに変換すること。「符号化」ともいう）されている方法に表れている。問題の条件を設定する場合、人間がGPS用に次のようなコードを書けばいい（訳注：灰色文字は参考訳）。

```
CURRENT STATE：  現在の状態
LEFT-BANK = [3 MISSIONARIES, 3 CANNIBALS,
1 BOAT]  左岸＝[3宣教師、3人食い人種、1ボート]
RIGHT-BANK = [EMPTY]  右岸＝[空]


DESIRED STATE：  求められている状態
LEFT-BANK = [EMPTY]  左岸＝[空]
RIGHT-BANK = [3 MISSIONARIES, 3 CANNIBALS,
1 BOAT]  右岸＝[3宣教師、3人食い人種、1ボート]
```

上のコードを普通の言葉にすると、最初の状態では川の左岸に３人の宣教師、３人の人食い人種、ボート一艘が「含まれている」。一方、右岸には何も「含まれていない」。「求められている状態」とはプログラムが目指すゴールで、この場合は全員を川の右岸に渡すことだ。

　手順の各段階において、GPSは「現在の状態」を「求められている状態」により近づけようと試みる。プログラムのコードには、現在の状態を新たな状態に変えることができる「演算子」（サブプログラムの形式になっている）と、タスクの制約をエンコードする「ルール」が含まれている。たとえば、次の演算子は何人かの宣教師と人食い人種を反対側の岸へ移すものだ。

```
MOVE (#MISSIONARIES, #CANNIBALS, FROM-SIDE,
TO-SIDE)
```
移動（＃宣教師、＃人食い人種、元の岸、移った岸）

　丸括弧内の語句は「引数」といい、プログラムが実行されるときには数字やほかの言葉に置き換えられる。たとえば、#MISSIONARIESには動かしたい宣教師の数、#CANNIBALSには動かしたい人食い人種の数が入る。FROM-SIDEとTO-SIDEには、宣教師と人食い人種をどちらの岸から動かすかに合わせて「左岸」または「右岸」が入る。プログラムには、ボートは宣教師と人食い人種といっしょに動くという情報がエンコードされている。

　この演算子に引数に代わる特定の値を入れる前に、プログラムはエンコードされたルールを確認しなければならない。たと

えば、一度に移動できる最大の人数は2人で、川岸で人食い人種の数が宣教師の数を超える場合はこの演算子を用いることはできない。

　こうした記号は「宣教師」「人食い人種」「ボート」「左岸」といった、人間が解釈できる概念を示しているが、このプログラムを実行しているコンピューターは、当然ながらこれらの記号の意味を理解していない。プログラムに出てくる"MISSIONARIES"を、すべて"Z372B"といった無意味な文字列に置き換えても、プログラムはまったく同じように動作する。これが一般問題解決器の「一般」が意味していることだ。コンピューターにとっての記号の「意味」は、それらの記号をどう組み合わせることができるのか、互いにどう関係しているのか、どのように演算できるのかということだ。

　AIへの記号的な取り組みの支持者たちは、コンピューターで知能を実現するうえで、人間の脳をモデル化したプログラムをつくる必要はないと論じた。そして、なぜなら総合的な知性は、適切な記号処理プログラムによって完全にモデル化できるからだと主張した。もしそうだとしたら、そういったプログラムの仕組みは「宣教師と人食い人種」の例よりもはるかに複雑になるが、それでも記号、記号の組み合わせ、記号に対するルールや演算によるものであることには変わりはない。結局、GPSを例にするような記号的AIは、初期の30年間にわたってAI分野を支配した。なかでも最も注目されたのは、医療診断、法的判断といった仕事のタスクで使えるよう、人間の専門家がコンピュータープログラムのルールを定める「エキスパートシステム」（訳注：「専門家システム」ともいう）だ。記号的AIは、いくつかの研究の盛んな分野で引き続き活用されている。具体

例はのちほど紹介するが、とりわけ推論や常識的判断に対する
AIの取り組みで活発な議論が行われている。

非記号的AI──パーセプトロン

　記号的AIはもともと数理論理学や、人が自身の意識的な思
考過程をどんなふうに説明するかという点から発想を得ている。
それに対して、AIへの「非記号的な」取り組みは神経科学に
端を発している。この研究では、顔や話し言葉を認識するとい
った高速認識とも呼ばれるものの根底にあり、ときには「無意
識」で行われる思考過程をモデル化しようとしてきた。非記号
的AIのプログラムは前述の「宣教師と人食い人種」の例とは
違って、人間が理解しやすい言葉は含まれていない。その基本
となっているのは大量の等式で、たいていは解読するのが難し
い複雑に絡み合った数字の操作が続く。追って説明するとおり、
そういったシステムは自身がどのようにタスクをこなせばいい
のかを、データから学習するよう設計されている。

　脳から発想を得た非記号的AIプログラムの初期の例は、
1950年代終盤に心理学者フランク・ローゼンブラットが開発
した「パーセプトロン」[原注16]だ。「パーセプトロン」という名称は、
今日の私たちにはどこか1950年代のSFっぽい響きがする（あ
とで触れるが、続いて「コグニトロン」や「ネオコグニトロ
ン」という名称も登場した）。だが、実はパーセプトロンはAI
開発における重要な一里塚であり、現代のAI分野で最も有力
なツールとなった深層ニューラルネットワークの曽祖父母とし
て大きな影響を与えた。

　ローゼンブラットはニューロンによる情報処理の仕組みから、
パーセプトロンの開発を思いついた。ニューロンは脳内の細胞

で、接続している別のニューロンから電気的、または化学的な入力を受ける。大まかにいうと、ニューロンはほかのニューロンから受け取った入力を足し合わせていて、その合計がある閾値に到達すると、ニューロンが発火する。ここで重要なのは、ニューロンはいくつかのニューロンとつながっているものの、そうしたつながり（シナプス）の強さはそれぞれ異なっている点だ。そして、ニューロンが受け取った入力を足し合わせるとき、弱いつながりからの入力よりも強いつながりからの入力に重みを与える。神経科学者たちは、ニューロン間のつながりの強さに対するそうした調整が、脳内で行われている学習の仕組みの鍵を握る部分だと考えている。

　コンピューター科学者（ローゼンブラットの場合は心理学者だったが）はニューロンによる情報処理を、入力された複数の数値データからひとつのデータを出力するコンピュータープログラムでモデル化できる。その一例がパーセプトロンだ。ニューロンとパーセプトロンの類似性を示したのが**図1**である。図1Aはニューロンで、枝分かれしている樹状突起（入力された情報を細胞内に伝える線維）、細胞体、軸索（出力経路）の

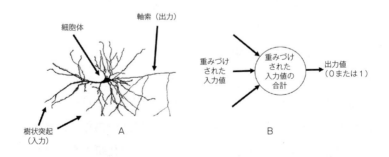

図1　脳内のニューロン（A）と単純パーセプトロン（B）

部分が示されている。図１Ｂは単純パーセプトロンだ。ニューロンと同様、パーセプトロンは入力された情報を足し合わせて、合計がそのパーセプトロンの閾値以上であれば１の値を出力し（「発火する」）、それ以外の場合はゼロの値を出力する（「発火しない」）。ローゼンブラットはニューロンのつながりのさまざまな強さをモデル化するために、パーセプトロンの各入力データに数値的な重みをつけて、各入力値に重みを掛けたものを足し合わせて合計を出すよう提唱した。パーセプトロンの「閾値」は、プログラマーの裁量で設定された数値である（または、のちに触れるが、パーセプトロン自身が学習して設定する場合もある）。

　一言でいえば、パーセプトロンは重みづけされた入力値の合計が閾値に達しているかどうかに基づいて「はい」か「いいえ」（１かゼロ）の判断を行う、単純なプログラムだ。日々の生活のなかで、あなたもそういった判断を行っているはずだ。たとえば、ある映画の感想を何人かの友人から聞いたとき、あなたは自分と映画の趣味が近い友人の評価をより頼りにするのではないだろうか。そして、より信頼できる友人の感想に重みをつけた「友人たちのお勧め度」の合計が十分に高ければ（つまり、自身が無意識に抱いている閾値以上になった場合）、あなたはその映画を観に行こうとするだろう。これがまさに、パーセプトロンが映画を観に行くかどうか決める方法だ。パーセプトロンに友人がいれば、の話だが。

　脳内のニューロンのネットワークに発想を得たローゼンブラットは、パーセプトロンのネットワークは顔や物体の認識といった視覚タスクもこなせると主張した。その仕組みをイメージできるよう、パーセプトロンが**図２**のような手書きの数字を

図2　手書きの数字の例

認識するという視覚タスクの例でどのように活用されるかを見てみよう。

　ここでは「8検出器」、つまり入力された情報が8の画像ならば1を出力し、それ以外の数字の画像ならばゼロを出力するパーセプトロンをつくってみよう。そのような検出器をつくるためには（1）画像を一連の入力用数値データに変換する方法を考え、次に（2）正しい出力結果（8なら1、それ以外ならゼロ）を得るための、パーセプトロンの重みと閾値の数値を決定しなければならない。そのための考え方の多くは、このあとニューラルネットワークとコンピュータービジョンでのその応用について論じるときに再度必要となるため、ここで詳しく説明しておこう。

パーセプトロンの入力データとは

　図3Aは、手書きの8を拡大したものだ。マス目の各正方形は「色彩強度（濃淡）」に基づいた数値を持つピクセル（訳

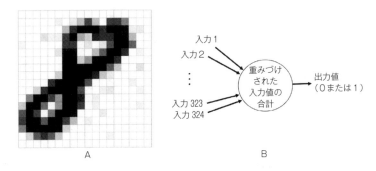

A   B

図3 手書きの8を認識するパーセプトロンの仕組み。18 × 18 ピクセルの画像の各ピクセルは、パーセプトロンのひとつの入力に対応している。つまり、入力されるデータの個数は 324（＝ 18 × 18）個になる

注：「画素」ともいう）で、白い正方形は「強度ゼロ」、黒い正方形は「強度1」、灰色の正方形はその間の数値になる。私たちがつくろうとしているパーセプトロンはこの 18 × 18 ピクセルの大きさに対応しているとしよう。図3Bは8を認識するパーセプトロンの仕組みを表している。このパーセプトロンには 324（つまり 18 × 18）個の入力データがあり、各入力データは 18 × 18 のマス目のピクセルのひとつに一対一で対応している。図3Aのような画像を与えられると、パーセプトロンへの各入力はそれぞれ対応しているピクセルの色彩強度に基づいて行われる。また、この図には示されていないが、入力されたデータにはそれぞれ重みがつけられる。

パーセプトロンの重みと閾値を学習しよう

　先に紹介した一般問題解決器システムとは異なり、パーセプトロンにはタスクを行うための明確なルールはない。パーセプトロンが持っている「知識」は、すべて重みや閾値を設定する数字のなかにエンコードされている。正しい重みと閾値が設定

されれば、図３Ｂのようなパーセプトロンは簡単な手書きの数字を認識するといった知覚タスクをかなりうまくこなせることを、ローゼンブラットはいくつかの論文で示している。とはいえ、与えられたタスクに対する正しい重みと閾値を決めるには、具体的にどうすればいいのだろうか？　この問いへのローゼンブラットの見解は「パーセプトロンが自分で『学習』して、そうした値を決めればいい」というもので、それもまた脳の仕組みから発想を得たものだった。では、パーセプトロンはどのようにして、正しい値を学習すればいいのだろうか？　ローゼンブラットの主張は当時の通説だった行動心理学の理論と同じく、パーセプトロンを「条件づけ」によって学習させるというものだった。ラットやハトに「正の強化」や「負の強化」を与えることで課題をこなすよう訓練した行動心理学者Ｂ・Ｆ・スキナーの影響も受けたローゼンブラットは、「パーセプトロンにもサンプルデータを使って同じように『訓練』を行い、パーセプトロンが正しく発火すれば報酬を、間違えれば罰を与えればいい」と考えた。この条件づけの手法は、現在のAI分野では「教師あり学習」と呼ばれている。訓練では、学習しているシステムがサンプルデータを与えられて結果を出力すると、それが正しい結果とどの程度乖離しているかを知らせる「教師信号」が送られる。システムはその信号を利用して、重みと閾値を調整する。

　教師あり学習の概念は現在の AI で重要な役割を果たしているため、さらに詳しく説明しよう。通常、教師あり学習では例題用に「正のサンプルデータ」（例－異なる人が書いた８の数字の収集データ）と「負のサンプルデータ」（例－異なる人が書いた８以外の数字の収集データ）が大量に必要だ。それぞれ

のサンプルデータは正負のどちらのカテゴリーに属するか（この場合「8」または「8ではない」）に基づいて、人間によって「ラベルづけ」される。このラベルが教師信号として使用される。正と負のサンプルデータの一部はシステムの「訓練」に使われ、それらは「訓練データセット」と呼ばれている。残りは「テストデータセット」として訓練後のシステムの性能を評価するため、つまり訓練を行ったシステムが訓練用のサンプルデータのみならず全般的にどれくらい正しく答えられるよう学習したかを検証するために使われる。

　コンピューター科学で最も重要な用語は、「アルゴリズム」だろう。アルゴリズムとは、コンピューターがある問題を解決するための各段階での「レシピ」である。フランク・ローゼンブラットのAIへの最大の貢献は、「パーセプトロン学習アルゴリズム」と呼ばれるアルゴリズムを設計したことだ。これはパーセプトロンが正しい結果を出せる重みと閾値を設定できるよう、サンプルデータで訓練するためのアルゴリズムである。その仕組みを説明しよう。重みと閾値の初期値は、－1と1のあいだの無作為な値に設定される。つまり、私たちが例としてつくっているパーセプトロンは、「入力1の重み0.2、入力2の重み-0.6（入力3以降も同様）、閾値0.7」と設定することもできる。ちなみに、「乱数生成器」というコンピュータープログラムを使うと、こうした初期値を簡単につくりだせる。

　これで訓練を始める準備が整った。最初の訓練データをパーセプトロンに与えよう。この時点では、パーセプトロンはどれが正しいカテゴリーなのかはわかっていない。パーセプトロンは各入力にそれぞれの重みを掛け、その結果を合計して閾値と比べ、1かゼロを出力する。ここでの例では、出力値1は「8

である」、出力値ゼロは「8ではない」という推測を意味している。訓練のこの段階では、パーセプトロンの出力値と、人間が用意したラベル（「8である」または「8ではない」）に基づいた正解が一致しているかが確認される。パーセプトロンが正解していた場合、重みと閾値はそのままだ。だが、もしパーセプトロンが間違っていたら、パーセプトロンが計算した訓練データの合計が正解を出力できる値に近づくよう、重みと閾値が若干変更される。その際、それぞれの重みが変更される量は、対応している入力値にかかっている。つまり、影響力の強い入力ほど、エラー（不正解）の責任をより多く負うことになる。たとえば、図3Aの数字8の場合、最も色彩強度が高いピクセル（この例では黒）が最も影響力が強く、強度がゼロのピクセル（この例では白）には影響力がない（さらに詳しく知りたい方のために、数学的な解説を巻末の注釈に掲載している[原注17]）。

　次の訓練データでも同様の手順を繰り返す。訓練の過程ではすべての訓練データを複数回利用して、パーセプトロンがエラーを起こすたびに重みと閾値を少しずつ修正していく。心理学者B・F・スキナーがハトの訓練で発見したとおり、試行錯誤を何度も繰り返して少しずつ学習するほうがずっと効果的だ。もし一度の試行で重みや閾値をあまりに大きく変更すると、システムが間違ったことを学習しかねない（たとえば「8の上半分と下半分の大きさは常に同じ」といった過剰な一般化など）。各訓練データを何度も利用することで、やがてシステムはどんな訓練データに対しても正解を出せる重みと閾値を探し当てる（はずだ）。この段階に到達したらパーセプトロンにテストデータセットを与え、訓練で使われなかった画像でどの程度正解を出せるか判定する。

8検出器は、8だけに関心がある人には十分役に立つだろう。だが、ほかの数字も認識させたい場合はどうすればいいだろうか？　おそらく真っ先に思いつくのは、例としてつくったパーセプトロンをひとつの数字につきひとつの出力、計10個の出力を持つよう拡張する方法だろう。それはある手書きの数字のデータを与えられると、その数字に対応している出力の値が1、その他の出力の値はすべてゼロになるというものだ。この拡張されたパーセプトロンもパーセプトロン学習アルゴリズムによって、すべての重みと閾値を学習することができる。ただし、そのためには十分なサンプルデータを集めなければならない。

　ローゼンブラットたちは、パーセプトロンのネットワークが比較的単純な知覚タスクを学習できることを示した。さらにローゼンブラットは、タスクの種類は非常に限られてはいるが、適切な訓練を受けたパーセプトロンがそうしたある種のタスクを基本的には正確にこなせるよう学習できることを、数学的に証明した。はっきりしなかったのは、パーセプトロンがAIとしてのより汎用的なタスクをどの程度こなせるかという点だった。そうした不透明さにもかかわらず、ローゼンブラットと資金提供者の海軍研究事務所は、彼らが開発しているアルゴリズムについて途方もなく楽観的な予測を立てていた。1958年7月にローゼンブラットが行った記者会見を取材した『ニューヨーク・タイムズ』紙は、次のようにまとめた記事を掲載している。

　　本日、海軍は歩く、話す、見る、書く、自己再生する、自身の存在を意識することができるようになると期待されているコンピューターの「胎児」を公開した。この先、パーセプトロン

は人を見分けて名前を呼んだり、ある言語での会話をほかの言語での会話や文書へ瞬時に訳したりすると予測されている。[原注18]

　ご覧のとおり、AIに対して過剰な期待を寄せられるという問題は、初期の頃からすでに起きていた。こうした過剰な期待がもたらした不幸な結果については、このあとすぐに触れる。だが、ここではまずパーセプトロンを例にして、AIにおける記号的、非記号的な手法の大きな違いを明確にしておきたい。

　パーセプトロンの「知識」は学習した重みと閾値という一連の数字からできているため、認識タスクを行う際にパーセプトロンがどんなルールを使っているのかは外からはわかりづらい。パーセプトロンのルールは記号的ではなく、その重みや閾値はLEFT-BANK、#MISSIONARIES、MOVEといった一般問題解決器の記号とは異なり、特定の概念を表しているものではない。そうした数字を人間が理解できるルールに言い換えるのは容易ではない。しかもこういった事態は、数え切れないほどの重みを持つ現代のニューラルネットワークではますます困難になる。

　大まかには、パーセプトロンは人間の脳に似ているかもしれない。もし私があなたの頭を開けて発火している1000億個のニューロンの一部を観察できたとしても、あなたが考えていることや、あなたがある判断をしたときに用いた「ルール」について、何の見識も得られないだろう。だが、人間の脳は言語を生み出している。あなたはその言語によって「自分が何を考えているか」「なぜあの行動を取ったのか」を、記号（語句）で私に伝えることができる（一部始終を完ぺきに伝えるのは難しいが）。そういった意味では、ニューロンの発火は人間の脳が

何らかの方法でつくりだした記号の根底にあるゆえ、非記号的（訳注：この場合「前記号的」ともいえる）なものといえるだろう。パーセプトロンもニューロンをモデル化したより複雑なネットワークも、脳と似ているからこそ「非記号的」（前記号的）と呼ばれるようになったのだ。この取り組みの支持者たちは、人工知能は一般問題解決器のように記号処理を支配する言語のような記号やルールを直接プログラムする方法では、実現不可能だと考えている。そして、人工知能が実現するためにはそうした記号やルールが、高度な記号処理能力が脳から生まれるのに近い方法で、ニューロンのような構造から生み出されなければならないと主張している。

パーセプトロンの限界

　1956 年のダートマス会議以降、記号的 AI 派がこの分野の主流となった。ローゼンブラットがパーセプトロンの開発に熱心に取り組んでいた 1960 年代初め、熱烈な記号的 AI 派だった「AI の父」のビッグフォーたちは、大きな影響力を持つ（しかも潤沢な資金提供を受けた）AI 研究所を、マーヴィン・ミンスキーは MIT、ジョン・マッカーシーはスタンフォード大学、ハーバート・サイモンとアレン・ニューウェルはカーネギー・メロン大学に設立した（特筆すべきは、この三大学は今日もなお AI 研究の最先端を行く拠点であることだ）。特にミンスキーは、ローゼンブラットが行っていた脳に発想を得た AI への取り組みは成功する見込みがなく、しかもより価値のある記号的 AI 開発から研究資金がそれに奪われていると感じていた。[原注19]ミンスキーと MIT の同僚シーモア・パパートは 1969 年に出版した共著書『パーセプトロン』（1971 年、東京大学出版会）[原注20]

で、パーセプトロンが「完ぺき」に解ける問題の種類は非常に限られていて、しかも大量の重みと閾値が必要なタスクにおいては、パーセプトロン学習アルゴリズムをそれに応じて拡張するのが難しいことを数学的に証明した。

　ミンスキーとパパートは、もしパーセプトロンがモデル化したニューロンの「層」を加えるかたちの拡張ができるのであれば、原理上はそのコンピューターで解ける問題の種類はずっと多くなると指摘した。[原注21] こうした層が追加されたパーセプトロンは、「多層ニューラルネットワーク」と呼ばれている。現代のAI分野の基礎は主にこのようなネットワークによって築かれており、この点については次章で詳しく説明する。ただここでは、ミンスキーとパパートの本が出版された当時、多層ニューラルネットワークの研究はさほど広く行われていなかったことを述べておきたい。その主な理由は、パーセプトロン学習アルゴリズムと似たような、重みや閾値を学習するための汎用的なアルゴリズムが存在していなかったからだ。

　ミンスキーとパパートが示した単純パーセプトロンの限界は、この分野の研究者たちにはすでに知られていた。[原注22] フランク・ローゼンブラット自身も多層パーセプトロンについて膨大な研究を行い、その訓練の難しさを実感していた。[原注23] パーセプトロンにとどめを刺したのは、ミンスキーとパパートの数学的な理論ではなく、多層パーセプトロンに対する彼らの次のような推測だった。

　（パーセプトロンには）線形性、興味深い学習原理、並列計算の一種としての明確で模範的な単純さといった、注目すべき多くの特徴がある。だが、そうした長所のどれかが多層版にも受

け継がれると考えられる根拠はどこにもない。とはいえ、そうした拡張は無意味であるという私たちの直観的判断を証明する（あるいは検討したうえで却下する）ことは、私たちにとっての重要な研究課題だと思っている。[原注24]

　これは手厳しい。今日の言葉では、この最後の文は「受動攻撃的」だとされるかもしれない。こうした否定的な推測は、1960年代末にニューラルネットワーク研究の資金が底をついた原因の少なくとも一部を占めた。その一方で、記号的AIの研究には政府から潤沢な助成金が提供されていた。1971年、フランク・ローゼンブラットはボート事故に遭い、43歳で亡くなった。最も卓越した支持者を失い、政府からの助成金の提供もないに等しかったため、パーセプトロンをはじめとする非記号的AIの手法の研究は、独自の道を歩む一部の研究グループを除いた大半で中断された。

AIの冬

　その間、記号的AIの支持者たちは、会話と言語の理解、常識的な推論、ロボット操縦、自動運転車といった領域で近い将来画期的な成果が期待できると主張し、助成金を申請していた。ところが1970年代半ばの時点では、ごく狭い分野に限定されたエキスパートシステムの開発には成功していたが、より汎用的なAI開発での画期的な成果は約束に反して実現していなかった。

　資金提供機関は、その事実に気づいた。イギリスの科学研究評議会とアメリカの国防総省のそれぞれの依頼によって作成された二つの報告書はともに、AI研究の進捗状況と見通しに対

して非常に悲観的な見方をしていた。特にイギリスの報告書は、「高度に専門化された領域における人間の経験と知性の賜物がプログラム開発に存分に活用され、その領域での問題を解決するためにつくられたプログラム」である特化されたエキスパートシステムの分野には期待できる点も指摘していたが、それでもその時点までの成果については「もっと広い分野での人間（の脳）による問題解決能力面をまねようとしている汎用的なプログラムの開発状況には、まったくもって落胆させられる。AI開発の長期的目標であり実現が待ち望まれている、そうした汎用的プログラムが完成する日は相変わらずほど遠いと思われる」と結論づけていた。[原注25]この報告書によって、イギリスにおけるAI研究への政府助成金は急激に減らされた。同じく、アメリカ国防総省も同国でのAI研究への助成金を大幅に削減した。

　これはAI分野でその後何度も繰り返されることになる、「バブルと崩壊」サイクルの初期の例だ。このサイクルには二つの段階がある。（段階１）新しい発想によって研究者たちのあいだで非常に楽観的な見方が広まる。AI開発で画期的な成果がすぐに得られるだろうと見込まれ、しかもそうした期待がたいていはメディアによって過剰に煽られる。政府助成金に加えて、学術研究やスタートアップ企業を対象にした投資家からの資金が大量に流れ込む。（段階２）見込まれていた画期的な成果が得られないか、得られたとしても期待を下回るものになる。政府助成金、投資資金が底をつく。スタートアップ企業が解散し、AI研究に歯止めがかかる。こうした「AIの春」→過剰な期待や、メディアの大々的な煽り→「AIの冬」という流れは、AI研究者たちにとってすっかりおなじみのものとなった。この現

象は程度の差こそあれ、5年から10年の周期で起きている。私が大学院を卒業した1990年はAI分野がちょうど冬の時代に入っていたときで、この分野に対する世間のイメージがあまりにも悪かったため、仕事の応募書類に「人工知能」という言葉を入れないよう助言されたほどだった。

簡単なことは難しい

　開発者たちは、AIの冬の寒さから重要なことを学んだ。最も単純明快な教訓は、ジョン・マッカーシーがつぶやいた「AIは想像していた以上に難しいものだった」というものだ。あの原注26ダートマス会議から、50年後のことだった。マーヴィン・ミンスキーは、AIの研究は「簡単なことは難しい」というパラドックスを露わにしたと指摘した。「自然言語で私たちと会話し、自身のカメラの目で見たことを説明し、いくつかの例を見ただけで新しい概念を学習できるコンピューター」というAIが当初から目指していた行動は、小さい子どもでも簡単にできることばかりだ。だが、意外にもこうした「簡単なこと」は、AIにとって「難しい病気を診断する」「チェスや囲碁で人間のチャンピオンに勝つ」「複雑な代数の問題を解く」よりも習得するのが難しかったのだ。ミンスキーはさらに、「つまり、私たちは自分の頭脳が最も得意とすることをまったくわかっていないのだ」と語っている。原注27少なくとも、人工知能をつくろうという試みは、私たちの脳や精神がいかに複雑で奥深いものであるかを明らかにしてくれた。

第2章
ニューラルネットワークと、台頭する機械学習

　ちょっとネタバレ——パーセプトロンの拡張で、ミンスキーとパパートに「無意味」と却下された多層ニューラルネットワークは、一転して現代の人工知能の主な基盤となった。こうしたネットワークはこのあとの章で取り上げる手法の基礎となるので、本章ではその仕組を説明する。

多層ニューラルネットワーク

「ネットワーク」とは、ただ単に一連の要素をいろいろな方法でつなぎ合わせたものだ。おなじみの「ソーシャルネットワーク」は人、「コンピューターネットワーク」は当然ながらコンピューターがその要素になっている。ニューラルネットワークの要素は前章で取り上げたパーセプトロンのような、モデル化されたニューロンだ。

　図4は、手書きの数字を認識するための単純な多層ニューラルネットワークの略図である。このネットワークには、パーセプトロンのようなモデル化されたニューロン（図のなかの円）が2列（層）ある。説明を簡潔にするため、このネットワークの要素を「モデル化されたニューロン」の代わりに「ユニット」と呼ぶことにする（それに、そのほうが本書を読んでいる神経科学者の方々も心穏やかでいられるだろう）。第1章の

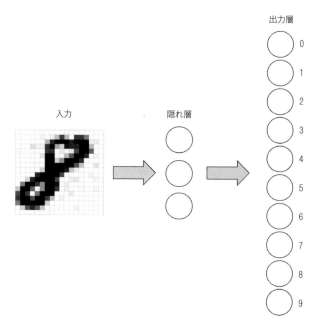

入力　　　　　　隠れ層　　　　　　出力層

0
1
2
3
4
5
6
7
8
9

図4　手書きの数字を認識する2層ニューラルネットワーク

8を検出するパーセプトロンと同じく、図4のネットワークに
は324（18 × 18）個の入力データがある。その各々の設定値は、
入力される画像内の対応しているピクセルの色彩強度だ。だが
パーセプトロンと異なるのは、このネットワークには10個の
「出力ユニット」からなる層と、三つの「隠れユニット」とい
う要素でできた層がある点だ。各出力ユニットは候補となる数
字のカテゴリーに一対一で対応している。

　太い灰色の矢印は、各入力と各隠れユニット、さらに、各隠
れユニットと各出力ユニットとの重みづけされた接続を示して
いる。「隠れユニット」という言い方は何やら秘密めいている
が、これはニューラルネットワーク界での造語で、単に「出力
ではないユニット」という意味だ。「内部ユニット」と呼ぶほ

うが、わかりやすかったのではないかと思われる。

　人間の脳の構造を考えると、一部のニューロンは筋肉を動かすといった「出力」を直接支配しているが、大半のニューロンはただニューロン同士でやりとりしている。後者のニューロンは、まさに「隠れニューロン」に相当するといえるだろう。

　図4のネットワークは、単にひとつの出力層でなく2層のユニット（隠れユニットと出力ユニット）を擁していることから、「多層ネットワーク」と呼ばれている。原理上、多層ネットワークには多層の隠れユニットが存在しうる。隠れユニットが2層以上あるネットワークを、「深層ネットワーク」という（訳注：「ディープネットワーク」ともいう）。ネットワークの「深さ」とは、すなわち隠れ層の数のことだ。深層ネットワークについては、このあとの章で詳しく取り上げる。

　パーセプトロンと同様に、この隠れ層でも各ユニットがすべての入力にそれぞれの重みを掛けて、結果を合計する。だが、パーセプトロンと違うのは、この層のユニットでは閾値に基づいた「発火」や「発火しない」（つまり、1かゼロを出力すること）が見られない点だ。その代わりに、各ユニットは合計値を使ってそのユニットの「活性化」の値と呼ばれるゼロから1のあいだの数を算出する。もしユニットが計算した合計値が小さければ、そのユニットの活性化の値はゼロに近くなり、大きければ活性化の値は1に近くなる（さらに詳しく知りたい方のために、数学的な解説を巻末の注釈に掲載している[原注1]）。

　図4の手書き数字の8といった画像は、ネットワークが図の左から右へと層ごとに計算を行って処理される。各隠れユニットはそれぞれの活性化値を算出する。それらの活性化値は出力ユニットへの入力値となる。出力ユニットではその入力値に基

づいた同ユニットの活性化値が算出される。図4のネットワークにおいては、ある出力ユニットの活性化値はそのユニットが対応している数字が「見えている」かどうかに対するネットワークの確信度である。そうして、最も確信度が高い数字のカテゴリーがネットワークの出した答え、すなわち「分類」の結果とみなされる。

　原理上、多層ニューラルネットワークは入力時にエンコードされる単純な特徴（例－ピクセルの色彩強度）のみならず、隠れユニットを使ってより抽象的な特徴（例－手書き数字8の上下の「円」といった、目に見える形状）を認識するよう学習できる。一般的に、ネットワークが与えられたタスクをうまくこなすためには隠れ層がいくつ必要で、ひとつの層に隠れユニットがいくつあればいいかを事前に把握するのは難しい。ニューラルネットワーク研究者の大半は、試行錯誤を重ねて最適な設定を探し当てる。

バックプロパゲーションによる学習

　ミンスキーとパパートは共著書『パーセプトロン』で、多層ニューラルネットワークで重みを学習するためのアルゴリズムの実現に対して懐疑的だと論じた。彼らのこうした懐疑的な見解が主な原因で（しかも、ほかの記号的 AI 研究者たちも同じような疑いを抱いていた）、1970 年代にはニューラルネットワーク研究への資金提供が急激に減った。だが、ミンスキーとパパートの同書がこの分野に及ぼした恐ろしい影響にもかかわらず、ごく一部の研究者、とりわけフランク・ローゼンブラット本人の専門分野であった認知心理学の研究者たちによって、ニューラルネットワークの研究が細々と続けられた。その後

1970年代終盤から80年代初めにかけて、そうした研究グループのいくつかは、多層ニューラルネットワークを訓練するための汎用的な学習アルゴリズム「バックプロパゲーション」（訳注：「誤差逆伝播法」ともいう）を開発することで、ミンスキーとパパートが唱えた多層ニューラルネットワークが「無意味」であるという意見への決定的な反論を示した。

　名前のとおり、バックプロパゲーションは出力ユニットで認められたエラー（たとえば図4の場合、正解ではない数字に高い確信度が示される）に基づいて、エラーの責任を後方から前方（図4の例では右から左）へ「伝播」させることで、ネットワーク内の各重みに相応の責任を負わせる方法だ。こうした一連の作業によって、バックプロパゲーションはエラーを減らすためにそれぞれの重みをどれくらい変化させればいいかを判断する。ニューラルネットワークの「学習」とは、すべての訓練データで各出力におけるエラーができるかぎりゼロに近づくよう、重みを少しずつ修正するという単純なものだ。バックプロパゲーションの数学的理論はここで取り上げたい内容の範囲を超えているため、巻末の注釈で解説しておく。

　バックプロパゲーションはニューラルネットワークの入力、隠れユニット、出力ユニットの数に関係なく、（少なくとも原理上は）有効である。バックプロパゲーションがネットワークで正しい重みを設定できるかどうかの数学的な保証はないが、それでも単純パーセプトロンには難しすぎるタスクの多くで実際に高い成果をあげている。例として、手書き数字認識のタスクにおいて、どちらも324個の入力と10個の出力を備えたパーセプトロンと2層ニューラルネットワークで6万件のサンプルデータを使った訓練を行い、その後1万件の新たなサンプル

データをどの程度認識できるかテストした。新しいサンプルデータでパーセプトロンが8割正解したのに対して、50の隠れユニットを持つこの2層ニューラルネットワークの正解率はなんと94パーセントだった。隠れユニット万歳！　とはいえ、このニューラルネットワークはパーセプトロンをはるかにしのぐほどの結果を出すために、具体的に何を学習したのだろう？実のところ、私にはわからない。この2層ニューラルネットワークの1万6700個の重み^{原注3}のはたらきを知るために、それらを視覚化する何らかの方法を見つけることはできると思うが、そこまではしていない。一般的にはこうしたネットワークがどのように判断を行っているのかを理解するのは決して簡単なことではない。

　なお、ここでは手書き数字の例でのみ説明してきたが、ニューラルネットワークで特筆に値するのは、画像だけではなくどんな種類のデータにも応用できる点だ。実際、ニューラルネットワークは音声認識、株式市場予測、翻訳、作曲といった幅広い分野で応用されてきた。

コネクショニズム

　1980年代、ニューラルネットワーク分野で最も活発に研究を行っていたのは、デビッド・ラメルハートとジェームズ・マクレランドの両心理学者が率いる、カリフォルニア大学サンディエゴ校の研究チームだった。今日ニューラルネットワークと呼ばれているものは、当時は一般的に「コネクショニストネットワーク」といわれていて、この「コネクショニスト」という用語は、こうしたネットワーク内の「知識」はユニット間の重みづけされた接続（コネクション）に宿っているという発想が由来になっている。

ラメルハートとマクレランドが率いたチームは、1986年に出版されて「コネクショニズムのバイブル」と呼ばれるようになった、全二巻の論文『PDPモデル』（1989年、産業図書）の著者として知られている。記号的AIが圧倒的な主流となったAI情勢のなかで、『PDPモデル』は非記号的手法を支持する研究者たちを叱咤激励するものだった。同書は「人間が今日のコンピューターより賢いのは、人間の脳が人間が極めて得意とする自然情報処理の作業に……より適した基本論理構造になっているからだ」と論じ、そうした作業の例として「日常の場で物体を認識してそれらの関係を読み取る、言語を理解する、文脈上適切な情報を記憶から取り出す」を挙げている[原注4]。同書の著者たちは、そういった人間並みの能力を「ミンスキーとパパートが支持しているような記号的システム」が身につけるのは無理だろうと予測している[原注5]。

　確かに、1980年代半ばになると、特定の分野の専門知識を反映したルールづくりを人間に頼った記号的AI手法であるエキスパートシステムは「脆い」、つまり、エラーを起こしやすく、しかもたいていは汎用性に乏しかったり新しい状況に適応できなかったりすることがますます明らかになった。研究者たちはこうしたシステムの限界を分析するなかで、ルールをつくっている人間の専門家たちが知的な行動を取るためにいかに潜在意識内の知識（「常識」ともいえる）に頼っているかに気づいた。この種の常識はルールや論理的推理としてプログラム化することは難しく、こうしたものが欠けていることが記号的AI手法のあらゆる幅広い応用への大きな足かせになったのだった。結局、大いなる期待、莫大な資金の流入、メディアによる過剰な煽りというサイクルをまたしても繰り返したのち、記号的AI

はまたしても AI の冬に直面することになった。

　コネクショニズムの支持者によると、知性を実現するための鍵のひとつは脳に発想を得た適切な論理構造と、もうひとつはシステムがデータや実行結果から自己学習できる能力だそうだ。ラメルハート、マクレランドと研究チームは人間の学習、知覚、言語発達の科学的モデルとして、コネクショニストネットワーク（ソフトウェア）を構築した。こうしたネットワークの実際の性能はどれも人間レベルにはほど遠かったが、『PDP モデル』などで描かれたさまざまな種類のネットワークは AI へとつながるかもしれないものとして興味深く、多くの人の注目を集めるほどで、そのなかには資金提供機関の関係者たちも含まれていた。1988 年、AI 分野への提供資金で最大の予算を誇っていたアメリカの国防高等研究計画局のある幹部は、「これから本格的な開発に取りかかるこの技術（ニューラルネットワーク）は、原子爆弾よりも重要だと思われる」と語った。突如として、ニューラルネットワークは再び「旬」になったのだ。

論理は苦手だが、フリスビーは得意

　AI の記号的手法と非記号的手法の相対的優位と劣位については、過去 60 年の AI 研究のなかで繰り返し議論が行われてきた。記号的システムの場合、人間が細かく設計し、人間の知識を植えつけ、問題解決時に人間が理解可能な推論を使うことができる。たとえば、1970 年初めに開発されたエキスパートシステム「MYCIN」には、医者が血液疾患を診断して治療するための 600 のルールが与えられている。これらのルールは、MYCIN のプログラマーたちがこの分野の専門医たちへの綿密な聞き取り調査を重ねてつくりあげたものだ。患者の症状と検

査結果のデータを与えられた MYCIN は、論理と確率的推論をルールと組み合わせて診断結果を出力し、しかもその結果にいたった論理的判断の根拠を説明することができた。つまり、MYCIN は記号的 AI の模範的な実用例だった。

　一方、これまで見てきたとおり、非記号的システムはえてして解釈するのが難しいし、しかもこうしたシステムに複雑な人間の知識や論理を直接プログラム化する方法はまだ誰にもわかっていない。非記号的システムは、人間が容易にルールを定められない知覚的、あるいは運動タスクでより威力を発揮する。たとえば、手書きの数字を認識する、野球のボールを捕る、母親の声を認識するためのルールを書き出すのは決して簡単なことではない。こういった行動は意識せずに頭や体が勝手に動いているようなものだからだ。非記号的システムのこうした性質について、哲学者のアンディ・クラークは「論理は苦手だが、フリスビーは得意」と言い表している。[原注7]

　ということは、高度な言語のような記述と論理的推論が必要なタスクには記号的システム、顔や声を認識するといった知覚タスクには非記号的システムを利用すればいいのではないだろうか？　実はそれは AI である程度行われているが、そのなかで二つのシステム間のつながりはほとんどない。どちらの手法も狭い領域では重要な成果を収めたが、AI の当初からの目標を達成するには両者ともに大きな制約があったのだ。非記号的手法と記号的手法を統合した「ハイブリッドシステム」を構築する試みはあったが、どれも目立った成功にはいたらなかった。

台頭する機械学習

　確率統計学の理論から発想を得た AI 研究者たちは、コンピ

ューターがデータから学習できるようなさまざまなアルゴリズムを開発した。この機械学習の分野は記号的 AI から意図的に分けられて、AI の独立した一専門分科となった。機械学習の研究者たちは記号的 AI の手法を小馬鹿にするように「古きよき AI」、あるいは略して $\overset{\text{ゴーファイ}}{\text{GOFAI}}$ と呼んで、完全に拒絶した。$\overset{\text{原注8}}{}$

　それから 20 年のあいだに、機械学習も楽観的な見方→政府の助成金→スタートアップ企業→過剰に期待させる→当然の結果である冬、というサイクルを繰り返した。現実の問題を解決させるためにニューラルネットワークや同様のシステムを訓練する過程は、たいていは非常に時間がかかり、しかも当時は利用できるデータ数やコンピューターの演算能力が足りなかったためにうまくいかないことが多かった。だがその後すぐ、データ数やコンピューターの演算能力を十分確保できるようになる。大きな役割を果たしたのは、インターネットの爆発的な普及だった。次の AI 大革命のための舞台は整った。

第**3**章
AIの春

春爛漫

　あなたは飼っているネコの動画を撮って、YouTube に投稿したことがあるだろうか？　もしそうだとしたら、仲間はたくさんいる。YouTube に投稿された動画は 10 億本を超えていて、ネコを主役にしたものも多い。2012 年、グーグルの AI チームは 10 億個以上の重みを持つ多層ニューラルネットワークを構築した。そのネットワークは YouTube の動画を無作為に何百万本も「視聴」しながら、動画から取り出した静止画をうまく圧縮、復元できるよう、重みを修正した。グーグルの研究者たちは、システムに対してどんなモノについて学習するのかを指定しなかったが、1 週間の訓練後にネットワークの内部を調べると驚くべきものが発見された。それはどうやら「ネコ」をエンコードすると思われる「ニューロン（ユニット）」だったのだ。自己教示学習によってできたこの「ネコ認識器」は、ここ^{原注1}10 年のあいだに次々に発表されて世間の注目を集めた AI の目覚ましい成果のひとつだ。こうした快挙の大半は、「深層学習」と呼ばれる一連のニューラルネットワークのアルゴリズムを利用したものだ。

　最近まで、AIの一般的なイメージは『2001 年宇宙の旅』、『ターミネーター』といった映画や、テレビ番組で主役級の活躍をしていたものから来ていた。現実の世界の AI は、日常生活や主要メディアでほとんど注目されなかった。1990 年代やその

前の時代にすでに大人だった人は、カスタマーサービスの音声
認識システム、言葉を覚えるおもちゃロボット「ファービー」、
あるいはマイクロソフトのうっとうしい失敗作であるクリップ
姿のバーチャルアシスタント「クリッピー」、といったものに
イライラさせられた記憶があるのではないだろうか。当時は
AIが花開くのは遠い先に思われていた。

　もしかすると、1997年にIBMのチェス専用システム「ディ
ープ・ブルー」が世界チャンピオンのガルリ・カスパロフを破
ったときにショックを受けて動揺した人があれほど多かったの
は、それが理由だったのかもしれない。この勝負の結果にあま
りのショックを受けたカスパロフは、IBMのチームが不正行
為をしたのではないかと訴えたほどだった。コンピューターが
これほどうまく指すには、人間の名人に助言してもらわなけれ
ばならないはずだというのが彼の言い分だった（なんとも皮肉
なことに、2006年の世界チェス選手権では事態は一変した。
対戦相手がコンピューターチェスプログラムに頼って不正行為
をしているに違いないと、ある選手が訴えたのだ）。

　ディープ・ブルーに対する私たち人間の集団性の不安は急速
に薄れた。私たちは、チェスの対戦がコンピューターのしらみ
つぶし戦法に屈する恐れがあることを受け入れた。どのみちチ
ェスに秀でているからといっても全般的な知能レベルが高いわ
けではないのだから、と自分に言い聞かせて。どうやらこうい
った反応は、ある作業でコンピューターが人間の能力を上回っ
たときに共通のもののようだ。私たちは、その作業は実は高い
知能レベルを必要としないものなのだと決めつけてしまう。こ
の傾向に対して、ジョン・マッカーシーは「ある作業がうまく
できるようになったとたん、そのコンピューターはもはや『人

工知能』とは呼ばれなくなる」と憂いた。[原注4]

　だが2000年代半ば以降、AIの成果はいつのまにかより広い範囲で次々に見られるようになっていき、しかもその数は目まぐるしい速さで増えていった。グーグルは自動翻訳サービス「Google翻訳」を開始した。それは完ぺきではないにしても予想以上の出来で、しかもその後大幅に精度が向上されていった。ほどなくして、今度はグーグルの自動運転車が北カリフォルニアの道路に現れ、注意深く恐る恐るという様子ながらも交通量の多いなかを自動運転で走行していた。アップルのSiriやアマゾンのAlexaといったバーチャルアシスタントがスマートフォンや家庭に導入されて、私たちとの会話による依頼の多くに対応するようになった。YouTubeの動画には驚くほど正確な自動字幕起こし機能が導入されたし、Skypeのビデオ通話では同時通訳機能が使えるようになった。さらにある日突然、Facebookが投稿された写真の顔を薄気味悪いほど正しく認識できるようになったかと思えば、写真共有ウェブサイトFlickrでは写真の内容をテキスト（訳注：文字データ）で説明するタグが自動的につけられるようになった。

　2011年、IBMが開発したプログラム「ワトソン」がテレビクイズ番組『ジェパディ！』で人間のチャンピオンたちに完勝した。ワトソンは「ヒント」と呼ばれるひっかけの多い問題を巧みに読み取って、対戦相手のケン・ジェニングスに「このコンピューターを新たな大君主として歓迎します」と言わしめたのだった。そのちょうど5年後、何百万ものインターネット上の視聴者たちは、「アルファ碁」というプログラムが4、5回の対局で世界最強の囲碁棋士のひとりを驚くほどの大差で破ったのを目の当たりにして、AIにとって長年の大いなる挑戦で

あった囲碁という複雑なゲームを知ることになった。

　人工知能をめぐる盛り上がりはますます大きくなっていき、あっという間にもはや無視できないものになっていた。産業界も放っておかなかった。大手テクノロジー企業はみな、AIの研究開発に何十億ドルも注ぎ込んだ。そのなかにはAIの専門家を直接雇う社もあれば、才能ある社員たちを奪い取る（「買収による人材の獲得」）ためだけに小さなスタートアップ企業を買収する社もあった。一夜にして億万長者の身分が約束されるこうした買収話への期待に煽られて、ますます多くのスタートアップ企業が設立された。これらの企業の創業者や経営者の大半は元大学教授で、それぞれがAIに独自の工夫をこらそうとした。この状況について、テクノロジー分野を専門とするジャーナリストのケビン・ケリーは「次にできるスタートアップ企業1万社の事業計画は予想しやすい。『○○にAIを組み合わせたものでしょう』としておけばいいのだから」と指摘している。しかも特筆すべきなのは、こういった企業のほぼすべてにとって、「AI」とは「深層学習」を意味していた。

　AIの春は再び満開のときを迎えている。

狭い、汎用的、弱い、強い。さまざまなAI

　以前にも毎回そうだったように、今回のAIの春についても専門家たちは「『汎用型AI』という、ほとんどのことで人間と同等の、あるいは人間を上回るAIがもうすぐ実現する」と予測した。グーグル傘下のディープマインド共同創業者であるシェイン・レッグは、「人間レベルのAIは2020年代半ばに登場するだろう」と2008年に予想している。2015年、フェイスブックCEOのマーク・ザッカーバーグは「私たちの今後5年か

ら10年の目標は、視覚、聴覚、言語能力、一般認知能力という基本的な人間の感覚や能力で、おおむね人間のレベルを上回ることだ」と宣言した。AI哲学者のヴィンセント・ミュラーとニック・ボストロムがAI研究者を対象に広く行った2013年の調査では、「2040年までに人間レベルのAIが実現する可能性」は「50パーセント」という回答が多かった。

　この楽観的な見方は、主に近年の深層学習の成果に基づいたものだ。とはいえ、今日にいたるAIのあらゆる事例と同じく、それらのプログラムは「狭い」や「弱い」と呼ばれているAIのひとつに変わりはない。ちなみに、この呼び方はあまりいいように聞こえないが決して批判的な意図はなく、ただ単に「限定された領域のタスク（あるいは関連している少数のタスク）だけを実行できるシステム」という意味で使われている。アルファ碁はおそらく世界最強の囲碁棋士だが、それ以外は何もできない。チェッカー、三目並べ、『キャンディランド』（訳注：ボードゲームの一種）すらできないのだ。Google翻訳は英語の映画レビューを中国語に訳せるが、その批評家が映画を気に入ったのかそうでないのかを読み手に伝えることはできないし、当然ながらGoogle翻訳自体が映画を観てレビューをすることも無理だ。

「狭い」「弱い」という言い方は、映画に出てくるAIのように、ほぼ何でも私たち人間と同じくらいうまくこなせるか、あるいはそれ以上の可能性を秘めている「強い」「人間レベルの」「汎用型」「本格的な」AI（汎用人工知能と呼ばれることもある）との対比として使われている。汎用型のAIは確かにこの分野の当初の目標だったが、予想されていた以上に実現がはるかに困難であることがわかった。そのうち、AI開発は音声認識、

チェスの対局、自動運転といった明確に定義された特定のタスクをこなせるようにすることが主な目的になっていった。そうした役割を果たすコンピューターをつくることは世の中を便利にするし、しかも儲かる場合が多い。それに、こうしたタスクはそれぞれに必要とされる「知性」を活用していると主張することもできる。だが、汎用的な意味で「知性が高い」と呼べるAIのプログラムはまだひとつもつくられていない。「狭い知性をいくら寄せ集めても、決して総合的な知性にはならない。総合的な知性の実現とはできることの数を増やすという意味ではなく、そういった能力をいかに統合できるかということだ」というある最近の論評は、AI分野におけるこうした現状を的確に言い表している[原注9]。

　だが、ということは、「狭い知性」の種類が急増している現況を考えると、それらをすべて統合して人間の知性に備わる幅広さ、奥深さ、緻密さをつくりだす方法を誰かが思いつくのは、はるかずっと先のことになるのだろうか？　現状はこれまでと何も変わっていないと考えている認知科学者のスティーブン・ピンカーを私たちは信じるべきだろうか？　ピンカーは「人間レベルのAIの登場は『15年から25年先』とずっと言われ続けていて、それは今日でもそうだ。それに、近年しきりにうたわれている進歩は底が知れている」と論じている[原注10]。あるいは、今回のAIの春は今度こそこれまでとは違うと確信しているAI楽観主義者たちの意見に、私たちはもっと耳を傾けるべきなのだろうか？

　当然ながら、AI研究者たちは「『人間レベルのAI』であるための欠かせない要素は何か？」について、かなりの議論をしてきた。そういう「思考する機械」の開発に成功したと、何を

もって判断すればいいのか？　そういったシステムには人間のような「意識」や「自己認識」がなければならないのか？　それは人間が理解するのと同じ仕組みで物事を「理解」できなければならないのか？　この議論の対象になっているのは機械であるゆえ、それは「思考を模倣している」というべきなのか、それとも「本当に思考している」といえるものなのだろうか？

機械は思考できるのか？

　こうした哲学的な疑問は、AI分野の研究が始まった当初からついてまわっていた。1930年代にプログラム可能なコンピューターの構想を初めて描いたイギリスの数学者アラン・チューリングは、「機械は思考できるのか？」という問いかけは何を意味しているのかを問う論文を1950年に発表した。そのなかでチューリングはのちに有名になった「イミテーションゲーム」（現在では「チューリングテスト」と呼ばれている。このテストについてはこのあと取り上げる）を提唱し、次に、彼が否定しようとしていた「本当に思考する機械」のあらゆる可能性に対して、反論になりうる点を九つ挙げた。チューリングが想定したこれらの反論は多岐にわたっていて、「思考とは人間の不滅の魂によって行われるものだ。神はすべての男と女に不滅の魂を授けられたが、ほかの動物、それに、機械には授けなかった。それゆえ、動物や機械は思考することができない」という神学的なものから、「人間はテレパシーによる意思疎通ができるが、機械にはできない」というような超心理学的なものまであった。不思議なことに、チューリングはこの超心理学的な反論について、「少なくともテレパシーについては動かしがたい統計的証拠がある」ため「かなり説得力があるもの」だと

考えていた。

　何十年もの時を経た今日から振り返ると、私はチューリングの反論のなかで最も有力なのは「意識の観点から」のものだと思う。チューリングはこの主張について、神経科医ジェフリー・ジェファーソンの言葉を引用して次のようにまとめている。

　　文字や音符という記号を無作為に並べるのではなくて、思考や込み上げる感情によってソネットを書いたり協奏曲をつくったりできる、つまり、機械がただ創作するのではなく自身が創作したのだとわかるようになって初めて、機械は人間の脳と同等だといえるだろう。だが、どんな機械も、うまくいったときに喜びを感じたり（この「感じる」とは単につくりものの信号で示せるようにするといった安易な策のことではない）、自身のなかの真空管のヒューズが飛んだときに深く悲しんだり、おだてられて照れくさくなったり、失敗して惨めになったり、セックスにうっとりしたり、欲しいものを手にいれられなくて怒ったり落ち込んだりすることはできないのだ。^{原注11}

　この主張の論点はこういうことだ。（1）機械が「物事を感じて」自身の振る舞いや感情を認識している、つまり意識がある場合のみ、「機械は真に思考している」といえる。（2）だが、どんな機械にもそういう場合はない。それゆえ、「真に思考できる機械は存在しない」

　私はこの議論に同意していないが、それでも説得力のある主張だと思う。機械とはどんなものであり、その限界は何であるかについての私たちの直感をうまく捉えているからだ。長年かけて、私は人工知能の可能性について何人もの友人、親類、学

生に尋ねてまわってきたが、大半の見方はチューリングのこの主張に沿うものだった。一例として、私と母の会話を次に挙げておく。これは引退した弁護士の母が、『ニューヨーク・タイムズ』紙でGoogle翻訳プログラムの精度向上に関する記事を読んだときのものだ。

　　母－AIの分野に携わっている人の問題点は、あまりにも擬人
　　　　化しすぎることね！
　　私－擬人化しすぎるって？
　　母－彼らの言い方は、まるで機械がただ思考を模倣するのでは
　　　　なくて、本当に思考できるようになるかもしれないというよ
　　　　うに聞こえるのよ。
　　私－「本当に思考する」のと「思考を模倣する」の違いは何な
　　　　の？
　　母－本当の思考は人間の脳で行われるもので、思考の模倣はコ
　　　　ンピューターがすることだわ。
　　私－人間の脳には「本当の思考」をするための、どんな特別な
　　　　ものが備わっているの？　コンピューターに足りないものは
　　　　何なのかしら？
　　母－それはわからないわ。でも、思考にはコンピューターには
　　　　絶対にまねできない人間としての何かがあると思う。

　このような感覚を持っているのは、私の母だけではない。実際、大半の人にとって、この考え方は議論するまでもないほど当たり前のもののようだ。そして、彼らの大半と同じく、母も自身は「理性的な唯物論者」だと主張している。つまり、「生きるものの知性を司る非物質的な『魂』や『生命体』が存在し

ている」などとはまったく信じていない。ただ、「機械には『本当に思考する』ために必要な何かが備わることは決してないだろう」ということだそうだ。

　学問の分野におけるこうした議論で最も有名なのは、哲学者ジョン・サールが提示したものだ。1980年に発表した論文"Minds, Brains, and Programs"（精神、脳、プログラム^{原注12}）で、サールは「真に思考する機械」の実現可能性について激しく異議を唱えた。そして、広く注目されて論争の的となったこの論文のなかで、AIのプログラムに関する二つの哲学的な主張を明確にするために「強いAI」と「弱いAI」という概念を導入した。今日では多くの人が「強いAI」を「ほとんどのタスクを人間と同じくらいうまくこなせるAI」という意味で、「弱いAI」を現在実現している狭いAIの意味で使っているが、サールはその二つの言葉に別の意味を込めていた。サールにとっての「強いAI」とは、「精神を模倣しているのではなく、本当に精神を宿すようプログラムされたコンピューター」というものだ^{原注13}。一方、サールが定義した「弱いAI」とは、人間の知性を模倣するツールとしてのコンピューターであり、「本物の精神」を有することは求められていないというものだ^{原注14}。結局、私と母が話していた「『精神の模倣』と『本物の精神を有する』に違いはあるのだろうか？」という哲学的な問題に戻ってきてしまった。サールも私の母と同じように、この二つは根本的に異なるものだと考えていて、しかも「強いAI」は原理上でさえも不可能だと論じている^{原注15}。

チューリングテスト

　サールがこの論文を書いた動機のひとつは、アラン・チュー

リングが1950年に発表し、「『知性の模倣』と『本物の知性』」の難題を一挙に解決する方法を提案した論文 "Computing Machinery and Intelligence"（計算する機械と知性）だった。「『機械は思考できるのか？』というそもそもの問いかけは、あまりに意味がなくて議論に値しない」と宣言したチューリングは、それに意味を与えるためのコンピューターを使った実際的な方法を提案した。現在では「チューリングテスト」と呼ばれているこの「イミテーションゲーム」では、コンピューターと人間の「2名」が参加する。（人間の）審査員はどちらが人間でどちらがコンピューターかを当てるために、それぞれに別々に質問をする。審査員は目や耳からヒントが得られないよう、2名の参加者から離れたところで審査を行う。参加者とやりとりできる唯一の方法は、キーボードによる文章の入力だ。

　チューリングの提案は「『機械は思考できるのか？』という問いを『イミテーションゲームをうまくこなせるデジタルコンピューターを考えつくことはできるのだろうか？』に置き換えるのはどうだろう？」というものだった。それはつまり、「見た目や発する音（さらにいえば匂いや感触も）はさておき、もし人間と区別できないほど十分人間らしいコンピューターがあれば、それは『真に思考している』ものと考えていいのではないか？　特定の物質（たとえば、生体細胞）からできた存在でなければ、決して『思考している』とみなしてはならないのだろうか？」ということだ。コンピューター科学者のスコット・アーロンソンは、チューリングのこの提案を「肉体優越主義への申し立て」とずばり言い表している[原注16]。

　悪魔はいつも細部に宿るといわれるが、チューリングテストも例外ではなかった。チューリングは人間の参加者と審査員を

選ぶ基準を明確にすることも、テストの望ましい所要時間を規定することも、あるいはどんな話題の会話をするべきかを指示することもしていなかった。しかしながら、次のような妙に具体的な予想を述べていた。「およそ50年後には……平均的な質問者が5分間の質疑応答後にどちらかを当てられる率が7割を切るほど、コンピューターがイミテーションゲームをうまくこなせるようなプログラムが実現しているだろう」。これはつまり、平均的な審査員は5分間で行う質問のうち3割でだまされてしまうだろうということだ。

　チューリングのこの予想はかなり正確だった。長年にわたり、チャットボット（会話用に限定して開発されたプログラムで、それ以外のことはできない）のコンピューター「参加者」によるチューリングテストが行われてきた。2014年、ロンドンの王立協会は五つのコンピュータープログラム、30名の人間の参加者、30名の審査員による公開チューリングテスト大会を主催した。審査員はさまざまな年齢や職業から選ばれていて、コンピューターの専門家も素人も、英語を母語とする人もそうでない人も含まれていた。各審査員は5分間の会話を何回か行った。各回とも人間1名およびコンピューター1台と並行して会話（キーボードでの入力）したのち、どちらが人間でどちらがコンピューターかを判断するというものだった。その結果、ロシア人とウクライナ人のプログラマーが開発したチャットボット「ユージーン・グーツマン」が、審査員10名（33.3パーセント）をだますことに成功して優勝した。大会の主催者はすぐさま、「5分間で3割以上がだまされる」というチューリングが示した基準を満たしたテスト「合格者」が初めて出たとメディアに大々的に宣伝した。

ユージーン・グーツマンのチャットボットの仕組みは、ほか
の多くのチャットボットとほぼ同じだ。チャットボットは会話
の相手から送られてきた入力テキストを、プログラムされた一
連のルールにあてはめて処理する。次にその結果に基づいて、
大量に蓄積された会話の定型データを活用して対応する。チャ
ットボットはプログラマーから与えられた言語のルールによっ
て入力テキスト内のキーワードを特定し、その情報を今後のた
めに蓄積する。さらに、チャットボットにはいくつかの論理ル
ールにともなって、人間のプログラマーがエンコードした「一
般常識」が蓄積されたデータベースも用意されている。そうし
た情報によって、チャットボットは「ウラジオストクの空は、
今何色だろう？」といった質問に対して「青じゃないかな。曇
っていなければ」と人間っぽく答えられるよう想定されている。
また、入力されたテキストがチャットボットのどのルールにも
あてはまらなければ、とにかく話題を変える。チャットボット
のシステムのルールには「人柄」もエンコードされていて、こ
のユージーン・グーツマンは「13歳のウクライナ人の少年。
英語はかなりうまいが、（そのほうが好都合な場合は）完ぺき
ではない」とされている。ユージーン・グーツマンとだまされ
た審査員の会話の一部を次に紹介しよう。

　　審査員－あなたの性別は。
　　ユージーン－知りたいというのなら教えてあげる。ぼくは少年
　　　だよ。ちなみに、そんなに不細工でもないよ。
　　審査員－今、どんなことを考えていますか。
　　ユージーン－悪いけど、そういうことは話したくないな。あな
　　　たは何をしてるのか教えてもらえないかな？　どんな仕事を

している　のってことだけれど。

　審査員－あなたは何歳ですか。

　ユージーン－ぼくは13歳の少年さ。

　審査員－あなたはどんな資格を持っていますか。

　ユージーン－資格？　教えてあげないよ。うーん、ほかに聞き
　たいことはある？[原注17]

　大会後、主催者は「65年にわたって行われてきた由緒ある
チューリングテストの初の合格者は、コンピュータープログラ
ムのユージーン・グーツマン」とメディアに発表し、「このよ
うな金字塔が打ち立てられた場がロンドンの王立協会であるこ
とは、本協会がイギリスにおける科学の発祥の地であり、何世
紀にもわたって幾度も人知の偉大なる発展の舞台となってきた
ことを鑑みれば、まことにふさわしい。この偉業は、最もすば
らしいもののひとつとして歴史に刻まれるだろう」と述べた。[原注18]

　AIの専門家たちは、このような人物設定を一斉に嘲笑った。
チャットボットのプログラム方法に詳しい者にとって、ユージ
ーン・グーツマンがプログラムであり、しかもあまり高いレベ
ルなものでさえないことは、大会の会話記録を見れば明々白々
だった。この大会の結果は、機械よりも審査員やテスト自体の
問題点を明らかにするようなものだった。5分という時間と、
難しい質問は話題を変えたり新たな質問によって答えたりする
という特徴によって、ユージーン・グーツマンのプログラムは
驚くほど簡単に「自分は本当の人物と会話している」と素人の
審査員に思い込ませることができたのだった。こうした手法は
心理療法士を模倣した1960年代のELIZA（イライザ）から、今日の
Facebookで短いテキストメッセージを交わして相手の個人情

報を言葉巧みに入手しようとする悪意あるボットにいたる多くのチャットボットで実際に使われてきた。

　こうしたチャットボットは、物事を擬人化しようとする私たち人間の性質をまさに利用したものであるのはいうまでもない（母よ、あなたは正しかった！）。私たちはそれを裏づける証拠がほとんどないにもかかわらず、コンピューターに理解や意識があるものと思い込もうとする。

　このような理由から、AIの専門家の大半は、少なくとも今日まで行われてきたやり方でのチューリングテストをひどく嫌っている。彼らはそうしたテスト大会を、結果がAIの進歩をまったく反映していないただの宣伝行為とみなしている。確かに、チューリングは「平均的な質問者」を過大評価して、彼らが口先ばかりの策略をもっとうまく見破れると思っていたのかもしれない。だが、会話の時間をもっと長くして、審査員に求められる専門性をより高くすれば、本物の知性があるかどうかを調べるための指標としてこのテストを活用できるのではないだろうか？

　現在グーグルで技術開発部門長を務めているレイ・カーツワイルは、正しい方法で行われるチューリングテストであれば機械に知性が備わっているかどうかの指標にできると考えている。そして、2029年までにはそのテストに合格するコンピューターが登場して、自身が提唱しているシンギュラリティへの道のりでの記念すべき出来事になる、と予想している。

シンギュラリティ

　レイ・カーツワイルはAI分野の長年にわたる有力な楽観主義者だ。MITでマーヴィン・ミンスキーの教え子だったカー

ツワイルは、発明家として輝かしい経歴を収めてきた。世界初の文章音声読み上げ機や、世界最高レベルのシンセサイザーも彼の発明だ。こうした発明でのカーツワイルの貢献を称えて、1999年にはビル・クリントン大統領からアメリカ国家技術賞が授与されている。

それにもかかわらず、カーツワイルは発明ではなく、未来学者としての予測で最もよく知られるようになった。そのなかでも最も注目されているのはシンギュラリティ（訳注：「技術的特異点」ともいう）と名づけられた概念で、それは「技術的変化の速度があまりに大きくなり、その影響があまりに重大になることで、人間の生活が後戻りできないほど変化する未来のある時期」というものだ。「特異点」という言葉そのものは前からあるが、カーツワイルはこの言葉を「類まれな意味を持つ……特異な出来事」、とりわけ「人間の歴史の構造を破壊しかねない出来事」という意味で使っている。カーツワイルにとってこの特異な出来事とは、AIが人間の知能を超えるときだ。

カーツワイルの発想に大きな刺激を与えたのは、数学者I・J・グッドの「知能の爆発」の可能性についての考察で、それは次のようなものだ。「どんな賢い人間のあらゆる知的活動を、そのレベルをもはるかに超えてこなせる機械を『超知能機械』と呼ぶことにする。機械をつくりだすことはそうした知的な活動のひとつであるゆえ、超知能機械はさらに優れた機械をつくりだせる。そうした流れで『知能の爆発』が起こるのは明白であり、その結果人間の知能は機械に大きく引き離されることになる」

また、カーツワイルは数学者でSF作家でもあるヴァーナー・ヴィンジの影響も受けている。ヴィンジは「人間の知能が

進化するには何百万年もかかった。私たちはそれと同じ進歩を
それよりもずっとわずかな期間で実現する方法を考え出すだろ
う。私たちはもうすぐ、自分たちよりもはるかに高度な知能を
つくりだすだろう。それが実現するとき、人間の歴史はある種
の特異点に到達する……そして、世界は私たちの理解をはるか
に超えるものとなる」という事象が間近に迫っていると信じて
いた。^{原注22}

　この「知能の爆発」を出発点としたカーツワイルの未来予測
は、AIからナノテクノロジー、そして仮想現実や「脳のアッ
<ruby>プロード<rt>バーチャルリアリティー</rt></ruby>」へと、SF色を強めていく。しかも、カーツワイル
はそのすべての予測を、カレンダーを見てはデルフォイの神託
を授けるような穏やかで確信に満ちた語り口で、具体的な年代
を指し示すという調子で行っている。その独特の雰囲気を感じ
てもらえるよう、カーツワイルの予測をいくつか紹介する。

　2020年代には貧困との闘い、環境の浄化、病気の克服、長寿
　化に有効なツールが、分子の集合体によってできるだろう。

　2030年代終盤には……知能レベルの高いナノボット（**訳注：ナ
　ノメートル単位の大きさの極小ロボット**）を体内に大量に送り込
　んで脳移植を行えるようになり、その結果私たちの記憶容量が
　大幅に拡張されるとともに、感覚能力、パターン認識能力、認
　知能力が大きく向上するだろう。

　人間の脳をアップロードするということはその目立つ特徴を細
　部までスキャンして、それらをすべて十分な能力を持つコンピ
　ューター的構造で再生成するということだ……控えめに予測

しても、2030 年代終盤には（脳の）アップロードが成功している だろう。[原注23]

2029 年までに、チューリングテストに合格するコンピューター が登場するだろう。[原注24]

2030 年代に入ると、人工意識はますます本物そっくりになる。 チューリングテストに合格するとは、そういうことなのだ。[原注25]

私はシンギュラリティの到来を……2045 年と定める。その年 につくりだされる非生物的知能は、今日のすべての人間の知能 を合わせたものよりも 10 億倍優れているものになるだろう。[原注26]

　作家のアンドリアン・クレーは、カーツワイルのシンギュラ リティ予測について「携挙（訳注：キリスト教の終末論のひとつ） の技術版を信じているにすぎない」と皮肉を込めて批判してい る。[原注27]
　カーツワイルの科学やテクノロジー、とりわけコンピュータ ーの分野に関する予測は、すべて「指数関数的な進歩」の考え 方に基づいて立てられている。この考え方を理解するために、 指数関数的な成長の仕組みを具体的に見てみよう。

指数関数的な寓話

　指数関数的な成長のわかりやすい例として、ある古くからの 寓話をお話ししよう。昔々、飢えに苦しむ貧しい村の名高い賢 者が、はるかかなたにある裕福な王国を訪ねた。王は賢者にチ ェスの対局を挑んだ。賢者は気が進まなかったが、王はあきら

84

めずに「もし私に勝てれば、お前が望むどんなものでも与える」と褒美を出す約束をした。賢者は村のためについに挑戦を受け入れ、そして（たいていの賢者がそうであるように）対局に勝った。王は賢者に、望みの褒美を申し出るよう求めた。数学の才能に恵まれていた賢者は「私がただ望むのは、このチェス盤の最初のマスに米を2粒、二つ目のマスに4粒、三つ目のマスに8粒というように、それぞれのマスにひとつ前のマスの米粒の倍の量を置いてもらうことです。1列が完成するたびに、その列のすべての米を袋に詰めて、私の村にお送りください」。数学の才能が欠けていた王は笑った。「お前が望むものは、たったそれだけなのか？　では家来たちに米を持ってこさせて、お前の望みをすぐさまかなえよう」

　王の家来たちは米が入った大きな袋を運んできた。数分後、彼らはチェス盤の最初の列の8マス（訳注：チェス盤は8×8マス）に、ひとマス目には2粒、2マス目には4粒、3マス目には……そして8マス目には256粒と、言われたとおりに米粒を並べ終えた。家来たちは米粒をすべて（正確には511粒）集めて小さい袋に入れ、馬に載せて賢者の村に送り届けた。それから2列目に取り組んだ。その列のひとマス目に512粒、次のマスに1024粒、その次には2048粒載せた。もはやどのマスにも米粒が載りきらなくなったため、数え終わった米粒は代わりに大きな椀に入れられた。2列目に並べ終える頃には米粒を数えるのに時間がかかりすぎるようになったため、王のお抱えの数学者たちが必要な粒数分の重さを出すことにした。彼らの計算によると、チェス盤の16マス目には6万5536粒、重さにすると約1キロの米が必要だとわかった。村に送られた2列目の米の袋の重さは、およそ2キロだった。

王の家来たちは３列目に取りかかった。17マス目には２キロ、18マス目には４キロ、と続けていき、３列目の終わり（第24マス）では512キロの米が必要となった。王国の民は、巨大な袋に入った米をさらに納めるよう命じられた。数学者たちの計算によって４列目の２マス目（第26マス）には2048キロ（２トン以上）の米が必要だとわかると、事態はますます大変なことになった。まだチェス盤の半分にさえ到達していないというのに、これでは王国の米の収穫を使い果たすことになってしまう。自分が一杯食わされたことにやっと気づいた王は、王国を飢えさせないためにここで勘弁してほしいと賢者に頼み込んだ。村に送られてきた米はすでに十分な量だと満足した賢者は、頼みを受け入れた。

　図５Ａはチェス盤の各マスに必要な米のキロ数を、第24マス目までグラフ化したものだ。ひとマス目の米は２粒のため、ほとんど重さがない。同様に、16番目までのマスの米の重さはどれも１キロに満たない。だが、16番目以降は倍々計算によってグラフが急上昇するのがわかる。図５Ｂはチェス盤の第24マスから第64マスまでの各マスの値をグラフにしたもので、米の量は512キロから30兆キロ以上へと急増している。

　このグラフを関数の式で表すと $y = 2^x$ となる。x はチェス盤の第 x 番目のマス（第１マスから第64マス）で、y はそのマスに必要な米の粒数だ。この関数は x が２の指数になっていることから、指数関数と呼ばれている。この $y = 2^x$ のグラフでは目盛りをどのように刻んでも、緩やかな上昇を描いていた曲線が指数関数的に急上昇する曲線へと変化する特徴点が存在する。

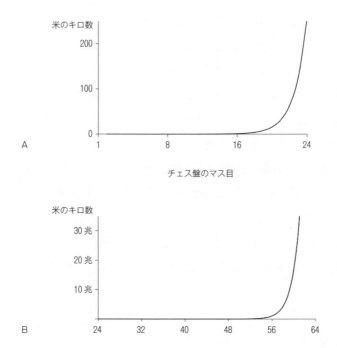

図5 賢者の望みをかなえるためにチェス盤の各マス目に何キロの米が必要かを表したグラフ。Aは1番目から24番目（y軸の目盛りは100キロ刻み）、Bは24番目から64番目（y軸の目盛りは10兆キロ刻み）までのマス目を示している

コンピューターの指数関数的な進歩

　レイ・カーツワイルにとって、コンピューター時代はまさにこの指数関数的な寓話の現実版だ。1965年、インテルの共同創業者のひとりであるゴードン・ムーアは、「コンピューターの半導体チップに集積される部品の数は、およそ1年から2年ごとに倍になる」という傾向を示した。これはのちに「ムーアの法則」として知られるようになる。つまり、この法則は「部

品は指数関数的に小さく（そして安く）なり、コンピューターの速度とメモリ容量は指数関数的に向上する」という意味だ。

　カーツワイルの著書には図5のようなグラフが数多く掲載されている。それらに示された指数的な進歩の傾向による外挿（訳注：既知のデータから未知を予測すること）と、ムーアの法則の理論がカーツワイルの AI 予測の中心をなしている。カーツワイルは、もしこの傾向が続けば（彼はそう信じている）、1000 ドルのコンピューターが「人間の脳と同じ能力（１秒間に 10^{16} 回計算できる）を身につけるのは……2023 年頃になる」と予測している。[原注28] そうなれば、あとは「脳の逆行分析（リバースエンジニアリング）」さえできれば人間レベルの AI は実現する、というのがカーツワイルの見方だ。

神経工学（ニューラルエンジニアリング）

　脳のリバースエンジニアリングとは、脳を複製するため、あるいは少なくとも脳の基本原理を利用して人間の知性をコンピューターで再現できるようにするために、脳の仕組みを十分に解明することだ。カーツワイルは、こうしたリバースエンジニアリングは人間レベルの AI をつくるための現実的かつ短期的な手法だと考えている。神経科学者の大半は、脳の仕組みが現在もまだほとんど明らかになっていないことから、この手法に強く異議を唱えるだろう。だが、カーツワイルは、今度は神経科学における進歩について再び指数関数的な傾向を根拠に議論している。たとえば 2002 年には、「重要な進歩の傾向を入念に分析したところ、遅くとも 30 年以内に人間の脳のはたらきについての原理が解明され、脳のさまざまな能力を人工的な物質によって再現できるようになることが見てとれた」と論じてい

る。

　自身の研究分野に対するこの楽観的な予測にうなずく神経科学者は、まずいないだろう。それに、もし脳の原理によってはたらく機械をつくることができたとしても、その機械は知性が高いとみなされるために必要なことをどのようにして学習するのだろうか？　現に生まれたばかりの赤ちゃんにも脳はあるが、一般的に人間レベルと呼ばれるだけの知性はまだ備わっていないではないか。この点には同意しているカーツワイルは、次のように語っている。「（脳の）複雑さの大半は、複雑な世界とのやりとりによって生じる。つまり、自然知能（訳注：人間の知能）を教育するのと同様に、人工知能にも教育を施す必要がある[原注30]」

　もちろん、教育を行うには何年もかかるのが普通だ。だが、カーツワイルは次のとおり、その一連の過程を大幅に迅速化できると考えている。「現代の電子工学（エレクトロニクス）技術による情報処理能力は、人間の神経系における電気化学的なものよりもすでに1000万倍以上速い。人間の基本的な言語能力を身につけさえすれば、AIは人間が著した文学作品を猛スピードで読み、何百万ものウェブサイト内の知識を吸収することで、言語能力をより高めたり一般知識をより増やせたりするだろう[原注31]」

　カーツワイルはこの構想の具体的な取り組み方については明言していないが、人間レベルのAIの実現について「大がかりなエキスパートシステムのなかには手順がひとつひとつ細かくプログラミングされているものもあるが、私たちはそのような方法で人間の知能をプログラミングすることはない。私たちが目指しているのは、主に人間の脳のリバースエンジニアリングに基づいた自己組織化システムの複雑な階層の構築であり、次

にそれに教育を施すことだ……その過程は人間が受ける同等の
ものと比べて、何千倍とまではいかなくても何百倍も速いもの
になるだろう」と断言している。[原注32]

シンギュラリティに対する懐疑派と支持派

　カーツワイルの著作『スピリチュアル・マシーン』（2001 年、
翔泳社）と『ポスト・ヒューマン誕生』（2007 年、NHK 出版）
への反応は、「熱烈な支持」「懐疑的、否定的」という両極端な
ものに分かれているようだ。カーツワイルの本を読んだときの
私の感想は後者だった（それは今でもそうだ）。彼の過剰なま
での指数曲線への依存や、脳のリバースエンジニアリングにつ
いての議論には説得力がまったくないように思えたのだ。確か
に、ディープ・ブルーはチェスでカスパロフに勝ったが、それ
以外の大半の領域では AI は人間のレベルにはるかに劣ってい
たではないか。ほんの 20 ～ 30 年のうちに AI が私たち人間と
同じレベルに到達するというカーツワイルの予測は、私にとっ
てはとんでもなく楽天的に思えた。

　私の知り合いの大半も、同様に懐疑的だ。ジャーナリストの
モーリーン・ダウドによるある記事では、AI 分野の主流派の
見方が的確に捉えられている。なんでも、ダウドがスタンフォ
ード大学の高名な AI 研究者アンドリュー・エンの前でカーツ
ワイルの名前を出したところ、エンはあきれたような表情で天
井を見上げ、「私はカーツワイルのあのシンギュラリティの本
を読むたびに、自然とこんな顔つきになってしまうんです」と
言ったそうだ。[原注33]

　一方、カーツワイルの考えを支持する人も多い。彼の著作の
大半はベストセラーになり、一流の新聞や雑誌でも高く評価さ

れている。『タイム』誌はシンギュラリティについて、「これは
決して突拍子もない説ではない。地球の生命の未来についての
重要な仮説なのだ」と評している。[原注34]

　カーツワイルの思想は、技術の指数関数的な進歩は社会のす
べての問題を解決する手段になると信じられることが多いテク
ノロジー業界に、とりわけ大きな影響をもたらした。カーツワ
イルはグーグルで技術部門長を務めると同時に、シンギュラリ
ティ大学の共同設立者（もうひとりの設立者は未来学者仲間で
起業家でもあるピーター・ディアマンディス）でもある。SU
は「超人間主義」のシンクタンクでもあり、スタートアップ企
業を支援するインキュベーターでもあり、ときにはテクノロジ
ー業界のエリートたちの「サマーキャンプ」でもある。SU が
公式に掲げている同大学の使命は、「リーダーたちに教育、ひ
らめき、力を与えることによって、彼らが人類の大いなる挑戦
に指数関数的に進歩している技術を活用して取り組めるように
する」ことだ。[原注35]この大学はグーグルが一部の費用を負担してい
る。ラリー・ペイジ（グーグルの共同創業者）は SU 設立初期
からの支援者であり、同大学のプログラムで頻繁に講演を行っ
ている。ほかの大手テクノロジー企業数社も、スポンサーに加
わっている。

　ダグラス・ホフスタッターは、シンギュラリティに対して懐
疑的なのか、それともそうした未来が到来するのではないかと
いう不安を抱いているのかをはっきりさせずに傍観している知
識人だ。私は彼のそういった態度に、またしても驚かされた。
カーツワイルの著作は「ものすごく滑稽な SF のシナリオを、
非常に明確な事実とうまく混ぜ合わせている」ため、無視でき
なくて心がざわついてしまうのだとホフスタッターは私に語っ

た。私が反論すると、ホフスタッターは、過去の例ではカーツ
ワイルの予測は常軌を逸したものもあったが、意外にも当たっ
たものや近いうちに実現するとわかったものも同様に多いと指
摘した。たとえば、「2030年代には『経験ビーマー』によって
……知覚経験と、その情緒反応の神経学的な関連要因のすべて
の流れをインターネットに伝送できるようになる[原注36]」というのは、
まったく馬鹿げた予想に思える。とはいえ、カーツワイルは例
の指数曲線に基づいて、「1998年にはコンピューターがチェス
で人間の世界チャンピオンを破るだろう……その結果、私たち
はチェスを前ほど高く評価しなくなるだろう」と1980年代終
わりに予測していて[原注37]、これについても当時は馬鹿げているとい
う意見が多かったのだ。だが、実際にはカーツワイルが予測し
た年の一年前に、現実の出来事になった。

　ホフスタッターの指摘によると、カーツワイルはある巧妙な
手法を利用しているそうで、ホフスタッターはそれを「クリス
トファー・コロンブス作戦」と名づけている[原注38]。この呼び名は、
アイラ・ガーシュウィンが作詞した『みんな笑った』に出てく
る「みんな、クリストファー・コロンブスを笑った」（訳注：コ
ロンブスが「地球は丸い」と言ったことに対して）という一節に由来
している。カーツワイルは、過去において技術の進歩と影響力
の大きさをすっかり甘く見ていた有名人物の発言をいくつも引
用している。その例をいくつか紹介しよう[原注39]。「世界の市場にお
けるコンピューターの需要は、5台くらいだと思う」（1943年、
IBM会長トーマス・J・ワトソン）。「個人がコンピューター
を自宅で所有する理由は何もない」（1977年、ディジタル・イ
クイップメント・コーポレーション共同創業者ケン・オルセ
ン）。「誰にとってもメモリは640Kバイトで十分なはずだ」

（1981年、ビル・ゲイツ）。ホフスタッターはコンピューターチェスについての自身の予測が外れた苦い経験から、カーツワイルの説がどんなに常軌を逸しているように思えても、それらを頭ごなしに否定するのを躊躇していた。「彼の予測については、ディープ・ブルーがカスパロフを破ったときのように、いったん立ち止まって考える時間がどうしても必要だ」[原注40]

チューリングテストで賭けをする

　そのポストに就けるのなら、「未来学者」という職業は賢い選択だ。数十年後まで誰も評価できない予測についての本を書けばいいのだから。しかも、その予測が未来において最終的に当たろうが当たるまいが、今現在のあなたの評判に（それにあなたの本の売れ行きにも）影響を及ぼす恐れはない。そんななか、未来学者たちに真剣な予測をするよう促すのを目的とした、「ロング・ベッツ」（長期間の賭け）というウェブサイトが2002年につくられた。ロング・ベッツは、「優位性と責任のある予測を行うための競技場」[原注41]だ。そこでは具体的な時期を示した長期的な予測を行う「予測者」と、その予測に異議を唱える「挑戦者」が、予測の結果に対して金を賭けて勝負できる。そして予測で示された時期が過ぎて結果が出たら、勝者に賭け金が支払われる。このウェブサイトの予測者第一号は、ソフトウェア会社の創業者ミッチェル・ケイパーだ。彼は「チューリングテストに合格するコンピューター、あるいは『人工知能』は、2029年までには実現しない」という否定的な予測をした。創業したソフトウェア会社ロータスを成功させると同時に、インターネットにおける人権擁護活動を長年にわたって続けてきたケイパーは、カーツワイルをよく知る人物でもあり、シンギュ

ラリティ到来の予測に対して「非常に懐疑的」な派のほうに属していた。カーツワイルはこの一般公開された賭けの挑戦者になることに同意し、もしケイパーが勝てば賭け金の２万ドルは（ケイパーが共同設立者である）電子フロンティア財団に、カーツワイルが勝てばカーツワイル基金に寄付される。勝者を決めるためのテストは、2029年末までに行われる予定だ。

　この賭けを行うにあたり、ケイパーとカーツワイルはチューリングとは違って、今回のチューリングテストの方法を細かく詰めて文書化しておかなければならなかった。まずは次のような大事な定義を決めておく必要があった。「『人間』とは2001年の段階で生身の人間を意味するものであり、その知能は人工（生物的ではないということ）知能の利用によって拡張されていないものとする……『コンピューター』とは、あらゆるかたちの非生物的（ハードウェアもソフトウェアも）な知能を指す。そこにはどんなかたちの技術が組み込まれてもいいが、生身の『人間』（拡張されているものも、そうでないものも）や生体ニューロンは除く（ただし、生体ニューロンを非生物学的にモデル化したものは許可する[原注42]）」

　さらに、賭けの条件として以下の点が決められている。テストは人間の審査員３名によって進められ、彼らはコンピューターの「参加者」に加えて３名の人間の「おとり」とも面接を行う。「４名」の参加者は、みな自分が人間であることを審査員たちに納得させなければならない。審査員と人間のおとり役は、ケイパーとカーツワイル（または彼らが指名する者）ともうひとりからなる「チューリングテスト委員会」によって選ばれる。また、参加者たちは５分間の会話の代わりに、各審査員にみっちり２時間も面接される。すべての面接が終わると、審査員た

ちは各参加者についての判断（「人間」か「機械」か）を下す。コンピューターが3名の人間の審査員の2名以上に「人間である」と思わせることに成功した場合、そのコンピューターは「チューリングテスト人間判定テスト部門」に合格したとみなされる。[原注43]

だが、テストはまだ終わっていない。

> 次に、チューリングテストの審査員3名それぞれが、「4名」の参加者を1（最も人間らしくない）から4（最も人間らしい）まで順位づける。このときコンピューターの平均順位が、人間のおとり3名のうち2名以上のものと同じかそれより上であれば、そのコンピューターは「チューリングテスト順位づけテスト部門」に合格したとみなされる。

> コンピューターが「チューリングテスト人間判定テスト部門」と「チューリングテスト順位づけテスト部門」の両方に合格した場合、そのコンピューターはチューリングテストに合格したとみなされる。

> この方法で行われるチューリングテストにコンピューターが2029年末までに合格した場合、賭けの勝者はレイ・カーツワイルである。そうでない場合は、ミッチェル・ケイパーが勝者となる。[原注44]

びっくりするほど厳しいではないか。ユージーン・グーツマンには、とうてい勝ち目はないだろう。「私が思うには、完ぺきな人間レベルの知性を擁していない機械を、正しく設定され

たチューリングテストに合格させられるような一連の技や、より単純なアルゴリズム（人間の知性の根底にあるものよりも単純な手法）は存在しない[原注45]」というカーツワイルの意見に、私も（慎重ながらも）同意せざるをえない。

　ケイパーとカーツワイルはこの長期的な賭けのルールづくりのほかに、それぞれなぜ自分が勝つと思うのかという根拠を示すための小論の執筆にも取り組んだ。カーツワイルの小論は「コンピューターによる計算、神経科学、ナノテクノロジー分野の指数関数的な進歩によって、脳のリバースエンジニアリングが可能になる」という、自身の著書で展開した理論をまとめたものだ。

　ケイパーはその考え方には否定的だ。彼の議論の本筋は、「私たち（人間）の肉体や感情が認知に及ぼす影響」を中心に展開されている。「経験をかたちづくるにあたって、環境の知覚と環境との（身体的な）やりとりは、認知と同じくらい重要である……（感情は）思考しうる領域を定めてかたちづくる[原注46]」。次に紹介するとおり、ケイパーは人間の体とそれに付随するあらゆるものに相当する何かを備えていなければ、機械は彼とカーツワイルが厳格に定めたチューリングテストに合格するために必要なことを決して学べないはずだと強く主張している。

　　私は人間が学ぶための根本的な方法は、経験に基づくものだと断言する。本から知識を取り入れる学習方法は、その上の段階に位置している……もし人間の知識、とりわけ経験に関する知識が主に暗黙知（はっきり言い表したり詳しく説明したりできない知識）であれば、それらは書物に記録されないゆえ、カーツワイルが唱えている知識獲得法はうまくいかないだろう

……コンピューターが知っていることではなく、コンピュータ
　ーが知らないことや決して知ることができない領域のなかにこ
　そ、取り組むべき問題があるのだ。[原注47]

　カーツワイルは経験に基づく学習、暗黙知、感情が果たす役
割については、ケイパーの意見に同意している。それでも、カ
ーツワイルは2030年代に入るまでには、バーチャルリアリティ
ーが「現実と同じレベル」[原注48]になり、発達中の人工知能の学習
に必要な身体的経験を十分に再現できるようになると信じてい
る（まさに『マトリックス』の世界へようこそ、だ）。さらに、
この人工知能には感情を主な要素とする、リバースエンジニア
リングによってつくられた人工頭脳が搭載されるという。
　あなたも、ケイパーのようにカーツワイルの予測に懐疑的だ
ろうか？　カーツワイルによると、それは指数関数を理解して
いないからだそうだ。「総じて、私を批判する人と私の意見が
合わない最大の理由は、相手が『カーツワイルは、人間の脳の
リバースエンジニアリングや生物学の複雑さを過小評価してい
るのさ』と思っていることだ。だが、私はそうした分野での挑
戦を決して甘く見ているわけではない。私としては、彼らが指
数関数的な進歩の力を過小評価しているのだと思っている」[原注49]
　カーツワイルの予測に疑問を抱いている人々は、この説には
いくつか穴があると指摘している。コンピューターのハードウ
ェアは、確かにこの50年間で指数関数的に進歩したが、今後
その傾向が持続しないことを示す理由がいくつもある（もちろ
ん、カーツワイルはそういった指摘に異議を唱えている）。し
かも、さらに重要な点は、コンピューターの「ソフトウェア」
はハードウェアのような指数関数的な進歩を見せていないこと

だ。今日のソフトウェアが50年前のものに比べて指数関数的にレベルが向上した、あるいは脳に近づいたとはいいがたいし、そもそもそういった傾向自体があったのかどうかもはっきりしない。神経科学やバーチャルリアリティーにおける指数関数的な傾向についてのカーツワイルの主張も、大きな論争の的になっている。

とはいえ、「シンギュラリティ主義者」たちが指摘するように、指数関数的な傾向はその渦中にいると見えづらいものだ。カーツワイルとその支持者たちは、私たちが今いるのは図5のような指数曲線でゆっくりと増加している位置だという。そのため進歩は緩やかに見えるがそれは見せかけであって、爆発的な成長がすぐ目の前に迫っているのだそうだ。

現在のAIの春は多くの人が指摘するように、近づきつつある爆発的な成長の初めての兆しなのだろうか？　それとも、実現まで少なくてもあと100年はかかりそうな、人間レベルのAI開発のひどく緩やかな成長曲線の一通過点にすぎないのだろうか？　あるいは、またAIバブルが起きて、その後すぐにAIの冬が再びやってくるのだろうか？

こうした疑問に答える手がかりを探るためには、人間の特徴的な知性の根底にある、知覚、言語、意思決定、常識的な推論、学習といった極めて重要な能力を注意深く見ていかなければならない。この先の章では、こうした能力を現在のAIがどれくらい獲得しているのかを探り、さらには2029年とその先のAIの展望についても掘り下げる。

第2部

見ることと
読み取ること

Looking and Seeing

第4章
誰が、いつ、どこで、何を、なぜ

　図6の写真を見て、何が読み取れるだろうか。女性がイヌ
をなでている。「兵士」がイヌをなでている。花束と「おかえ
り」と書かれた風船を手にしている、戦場から戻ってきたばか
りの兵士がペットのイヌに出迎えられている。兵士の表情には、
複雑な感情が表れている。イヌは大喜びで、しっぽを振ってい
る。

　この写真はいつ撮られたのだろう？　ここ10年以内だと思
われる。撮影された場所はどこだろうか？　たぶん空港だ。兵
士はなぜイヌをなでているのだろうか？　おそらく、彼女は長
期間自宅から遠い場所にいて、その間いいことも悪いこともた
くさん経験して、イヌのことをとても恋しく思い、帰郷できて

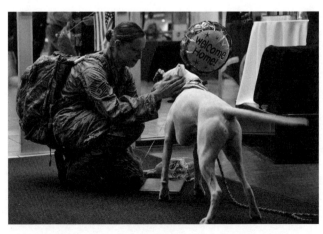

図6　この写真から何が読み取れるだろうか？

すごく喜んでいる。もしかしたら、このイヌは「我が家」にまつわるあらゆることを象徴しているのかもしれない。この写真が撮られる直前に何があったのだろう？　たぶん兵士は飛行機から降り、空港内の乗客しか入れない厳重に警備されたエリアを通って、出迎え場所まで歩いていったのだろう。家族や友人たちは彼女を抱きしめ、花束と風船を渡し、そしてイヌのリードから手を放した。イヌは兵士に近寄っていき、彼女は手にしていたものをすべて床に置いてひざまずいた。風船が飛んでいってしまわないよう、ひもを注意深くひざで押さえ込みながら。このあと、どうなるだろう？　おそらく彼女は立ち上がり、もしかしたら涙をぬぐって、花束、風船、ラップトップパソコンを抱え、イヌのリードを手にして、イヌや家族や友人たちとともに手荷物受取所へ向かうのだろう。

　この写真を見たとき、あなたが目にしている最も基本的なものは紙の上のインクの点（あるいは画面内のピクセル）だ。あなたの目や脳は何らかの方法でこの生の情報を取り込んで、そしてわずか数秒のうちに、生きている人や動物、物、関係性、場所、感情、動機、過去と未来の行動にまつわる詳細な物語へと変換できる。私たちは見て、読み取って、理解する。さらに極めて重要な点は、私たちは何を無視していいかわかっているということだ。この写真には、「絨毯の模様」「兵士のリュックから垂れているストラップ」「リュックの肩ひもに取りつけられた笛」「彼女の髪をまとめているヘアクリップ」といった、私たちが推論する物語にさほど重要ではないものがいくつも写っている。

　私たち人間はこの膨大な情報処理をあっという間に、しかも自分が何をしているのか、どんな方法でしているのかを、まっ

たくあるいはほとんど意識せずにこなすことができる。生まれ
つき目が不自由でないかぎり、さまざまな抽象化レベルでの視
覚処理は人間の脳の活動の大きな割合を占めている。

　それゆえ、こういったかたちで写真（あるいは動画、カメラ
でのリアルタイムのストリーミング配信）の内容を説明できる
のが、汎用的な人間レベルの AI にまず求められる能力のひと
つであるのは当然のことだ。

簡単なことは難しい（とりわけ視覚においては）

　1950 年代以来、AI 研究者たちはコンピューターが視覚デー
タを理解できるよう努力し続けてきた。AI 研究の初期段階では、
この目標は比較的簡単に達成できるように思われていた。1966
年、マーヴィン・ミンスキーとシーモア・パパート（第 1 章に
登場した、記号的 AI の開発を促進した MIT の 2 人の教授）は、
学部生に「視覚システムの重要な部分を構築する」作業を割り
当てるための「サマービジョンプロジェクト」を企画した。[原注1]こ
れはある AI 史研究者によると、「ミンスキーは大学一年生を
1 名雇って、『コンピューターにテレビカメラをつないで、画
像から読みとれるものをコンピューター自身が説明できるよう
にする』という課題を夏休み中に達成するよう指示した」とい
うものだったらしい。[原注2]

　件の学生は、大した成果をあげられなかった。この夏のプロ
ジェクト以降、「コンピュータービジョン」と呼ばれる AI 分
野の一領域が数十年のあいだに大きく進歩したにもかかわらず、
コンピューターが人間と同じように写真を見て読み取るための
プログラムは、実現にまだほど遠い。どうやら、見ることも
「読み取る」ことも含めた「視覚」は、あらゆる「簡単な」こ

とのなかで最も難しいもののひとつのようだ。

　視覚による入力の内容を説明するために欠かせない要素のひとつは「物体認識」だ。物体認識とは、画像内のあるピクセルの集合体を「女性」「イヌ」「風船」「ラップトップパソコン」といった、特定の物体カテゴリーとして認識することだ。物体認識は私たち人間にとって通常は一瞬でたやすくこなせるものであるため、コンピューターにとってもさほど難しい問題ではないだろうと思われていた。AI研究者たちがコンピューターにそれをやらせようと、実際に試みるまでは。

　物体認識の何がそれほど難しいのだろう？　では、その例として、コンピュータープログラムにイヌの写真を認識させようとするときに、どんな問題が起きるか考えてみよう。図7は、その難しさを具体的に示したものだ。もし入力データが画像のピクセルだけならば、プログラムはどれが「イヌ」ピクセル集合体でどれが「イヌではない」ピクセル集合体（例–背景、影、ほかの物体）なのかを、まず見分けなければならない。しかも、同じイヌ同士でも見た目がまったく違う。毛の色、体形、大きさは実にさまざまだし、画像のなかでみな一定の方向を向いているわけでもない。光の当たり方も画像によって大きく異なるし、イヌの一部がほかの物体（例–フェンス、人）で隠れてしまっているかもしれない。そのうえ、「イヌのピクセル集合体」は「ネコのピクセル集合体」やほかの動物のものと、とて

図7　物体認識は人間には容易だが、コンピューターには難しい

もよく似ている可能性がある。光の当たり具合によっては、空に浮かぶ雲でさえイヌと見分けがつかないこともある。

1950年代以降、コンピュータービジョン分野は、こうした問題をはじめとするさまざまな課題に悪戦苦闘してきた。コンピュータービジョンの研究者たちが最近まで主に取り組んでいたのは、先ほど取り上げたような難しい問題点があっても物体認識に利用できる、「物体の不変特徴量」を特定するための特殊な画像処理アルゴリズムの開発だった。だが、高度な画像処理をもってしても、物体認識プログラムの能力は依然として人間をはるかに下回っていた。

深層学習革命

コンピューターが画像や映像内の物体を認識する能力は、2010年代に入ると飛躍的に向上した。それは、深層学習と呼ばれる分野の進歩のおかげである。

「深層学習」とは、単に「深層ニューラルネットワーク」を訓練する方法を指している。そして、この深層ニューラルネットワークとは、2層以上の隠れ層を持つニューラルネットワークのことだ。復習すると、「隠れ層」はニューラルネットワークの入力層と出力層のあいだの層である。ネットワークの「深さ」とは、隠れ層の数のことだ。「浅い」ネットワークは第2章で取り上げたような隠れ層が1層のもので、「深い」ネットワークには隠れ層が2層以上存在している。誤解を避けるために、次の定義を強調しておきたい。深層学習の「深層」とは学んだことの高度さを指しているのではなく、ただ単に訓練が行われたネットワークの「層が深い」ことを意味している。

深層ニューラルネットワークの研究は、数十年間続けられて

きた。こうしたネットワークが革命と称されるのは、近年多く
のAIのタスクで驚異的な成功を収めたからだ。興味深いことに、
研究者たちの発見によると、最もうまくいった深層ニューラル
ネットワークの構造は脳の視覚系の部分を模倣したものだそう
だ。第2章で取り上げた「従来型」の多層ニューラルネットワ
ークは脳から発想を得ているが、構造は脳とはまったく異なっ
ている。一方、深層学習を司るニューラルネットワークは、神
経科学における発見をそのままモデル化したものだ。

脳、ネオコグニトロン、
そして畳み込みニューラルネットワークへ

　ミンスキーとパパートがサマービジョンプロジェクトを企画
していた頃、ある2人の神経科学者は脳の視覚系、とりわけ物
体認識に対するそれまでの理解を根底から変えてしまうような、
何十年にもわたる研究の最中だった。デイヴィッド・ヒューベ
ルとトルステン・ウィーセルは、ネコや霊長類（人間も含む）
の視覚系における階層的な組織構造の発見と、網膜に当たった
光を視覚系がいかにして目の前の光景内のものの情報へと変換
するかについての解明で、後年ノーベル賞を受賞した。

　ヒューベルとウィーセルの発見は、日本人情報工学者の福島
邦彦に新たな発想をもたらした。福島が1970年代に考案した
深層ニューラルネットワーク「コグニトロン」は世界で初期の
もののひとつであり、引き続き開発された発展版は「ネオコグ
ニトロン」と命名された。福島はネオコグニトロンに手書き数
字を認識させる訓練（第1章の例で行ったようなもの）である
程度成果があったことを論文で発表したが[原注3]、彼が用いた具体的
な学習方法は、より複雑な視覚タスクには拡張できないように

思われた。とはいえ、ネオコグニトロンはその後の深層ニューラルネットワーク開発への取り組みに大きな影響を与えた。今日最も有力といわれ広く利用されている「畳み込みニューラルネットワーク」、略称「CNN」（AI分野ではこう呼ばれることが多い）（訳注：ConvNetともいう）も、ネオコグニトロンの影響を受けた手法のひとつだ。

このCNNこそが、今日のコンピュータービジョンをはじめとするさまざまな分野における深層学習革命の立役者である。CNNはAI分野における次の目玉だと広くもてはやされているが、実はその歴史は結構古く、福島のネオコグニトロンから発想を得たフランスのコンピューター科学者ヤン・ルカンによって、1980年代に初めて提案されたものだ。

ここで少し時間をとって、CNNの仕組みを説明したい。というのも、その理解なしには、コンピュータービジョンをはじめとするAI分野の現状と今の限界を把握することは不可能だからだ。

脳とCNNにおける物体認識

CNNもネオコグニトロンと同様に、ヒューベルとウィーセルが1950年代から60年代にかけて発見した、脳の視覚系に関する極めて重要な知見の数々に基づいて構築されている。目の前の光景を見つめると、目はその光景内の物体、地面や水面などに反射したさまざまな波長の光を受ける。両目に入った光は、それぞれの網膜内の細胞を興奮させる。網膜は本質的には、目の後方にある網目状のニューロンだ。これらのニューロンの活性化が、視神経のニューロンに順に伝わっていき、最終的には頭の後方にある視覚野内のニューロンが活性化する（図8）。

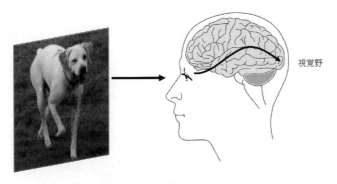

図8 目から視覚野への視覚入力経路

　視覚野の大まかな構造は、何段ものケーキが積み重ねられたウエディングケーキのように、いくつもの「ニューロンの層」による階層的なつくりになっていて、各層のニューロンが活性化するとそれが次の層のニューロンに伝わる仕組みになっている。

　ヒューベルとウィーセルは、この階層構造の各層のニューロンが目の前の光景のなかに現れている特徴に対して、より複雑なものへと段階的に反応する「検出器」のはたらきをしている証拠を発見した。それを示しているのが**図9**だ。初めの層のニューロンは後述の「エッジ」に反応して活性化（発火する率が高くなること）する。その活性化はそれらのエッジからなる単純な形状に反応するニューロンの層に伝わる。そうして、より複雑な形状に反応する層へと順に伝わっていき、最終的には物体全体や顔の詳細なつくりに反応する層に到達する。ちなみに図9の矢印は「上昇型」（「フィードフォワード型」ともいう）の情報の流れを示していて、これは下位の層から上位の層への接続を意味している（この図では左から右）。ここで重要なのは、視覚野では「下降型」（「フィードバック型」ともいう）の情報の流れも起きているという点で、実際のところフィ

図9 視覚野の各層のニューロンによる視覚特徴検出のイメージ図

ードバック型の接続はフィードフォワード型のおよそ10倍にもなる。しかしながら、そうしたフィードバック型の接続の役割については、神経科学者たちもまだよくわかっていない。とはいうものの、脳の高次の層に蓄積されていると考えられている予備知識や予想が私たちの知覚に強い影響を及ぼしている、という見方は定着している。

　CNNも図9のフィードフォワード型階層構造のような、モデル化されたニューロンの一連の層でできている。こうしたモデル化されたニューロンを、ここでも「ユニット」と呼ぶことにする。各層のユニットは、次の層のユニットに入力値を与える。第2章で取り上げたニューラルネットワークと同様に、CNNが画像を処理するときには、ユニットごとに特定の「活性化値」が与えられる。活性化値とは、各ユニットの入力値と重みから算出された実数だ。

　より具体的でわかりやすくするために、ある仮想のCNNを例に話を進めよう。四つの層と「分類モジュール」を擁するこのCNNがイヌとネコの画像を認識するよう、訓練を行いたい。簡単にするために、各入力用の画像にはイヌかネコのどちらか一匹だけが写っているものとする。**図10**はこのCNNの構造を示したものだ。少し複雑なため、その仕組みを段階ごとに詳しく説明しよう。

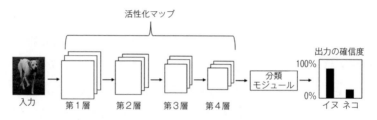

図10 写真内のイヌとネコ認識するために構築された、
4層畳み込みニューラルネットワーク（CNN）

入力と出力

　この仮想 CNN の入力は画像であり、具体的には画像の各ピクセルの明るさや色に対応した数値の配列である。[原注4]この CNNの最終的な出力は、「イヌ」「ネコ」の各カテゴリーに対するこのネットワークの確信度（ゼロから 100 パーセントまで）だ。私たちの目標は、正しいカテゴリーに対して高い確信度、その他に対しては低い確信度を出力するようネットワークに学習させることである。そのためには、ネットワークはこのタスクに最も役立つ、入力画像の一連の「特徴」が何であるかを学ぶことになる。

活性化マップ

　図 10 で、このネットワークの各層がそれぞれ重なった三つの長方形で示されていることに注目してほしい。これらの長方形は、脳の視覚系にある同様の「マップ」から発想を得てつくられた「活性化マップ」（訳注:「特徴マップ」ともいう）を表している。ヒューベルとウィーセルは、視覚野の下位層のニューロンは大まかな格子状に配置されていること、格子内の各ニューロンは視野内の小さな範囲にそれぞれ対応していて、その領域に対して反応することを発見した。たとえば、夜間に飛行機か

らロサンゼルスを撮影したら、写真には灯された明りによる街の概観が浮かび上がっているだろう。それと同様に、視覚野の各層の格子状のニューロンは、活性化することで目の前の光景の重要な特徴を示す大まかな地図をつくりだす。では、家の明かり、ビルの明かり、車の明かりごとの写真を作成できる、極めて特別なカメラを想像してみてほしい。視覚野が行っているのはまさにそういうことで、重要なそれぞれの視覚特徴にはそれぞれ個別の「神経マップ」が与えられている。こうしたマップの組み合わせは、目の前の光景への私たちの知覚の反応に欠かせない要素である。

　視覚野のニューロンと同じく、CNNのユニットは重要な視覚特徴の検出器としての役割を担っていて、各ユニットは指定された特徴を視野の特定の範囲内で探している。しかも、（非常に大ざっぱにいうと）視覚野と同様に、CNNの各層はそうしたユニットによるいくつかの格子からできていて、それぞれの格子は特定の視覚特徴の活性化マップを生成する。

　CNNのユニットは、どんな視覚特徴を検出すればいいのだろうか？　まずは、脳の場合を見てみよう。ヒューベルとウィーセルは、視覚野の下位層のニューロンは「エッジ検出器」の役目があることを突き止めた。この「エッジ」とは、二つの対照的な画像領域の境目を意味している。各ニューロンはそれぞれが対応している、目の前にある光景内の特定の小さな範囲から入力を得る。この範囲を、各ニューロンの受容野という。ニューロンはそれぞれの受容野に特定の種類のエッジが含まれている場合のみ、活性化（より急速に発火し始める）される。

　実のところ、これらのニューロンは反応するエッジの種類についてかなり厳密に定められている。あるニューロンは対応す

る受容野に縦方向のエッジがあるときしか活性化しないし、ほかにも横方向のエッジにしか反応しないニューロン、特定の角度のエッジでしか発火しないニューロンも存在している。ヒューベルとウィーセルの最も重要な研究結果のひとつは、視野のなかの小さな範囲それぞれが、こうしたさまざまな種類の「エッジ検出器」ニューロンの受容野に対応しているということだ。それはつまり、下層の視覚処理では、あなたが目にしている光景内のあらゆる範囲に存在するエッジの向きを、ニューロンが割り出そうとしているという意味だ。エッジを検出するニューロンは、視覚野の上位層のニューロンに情報を送る。後者のニューロンは、特定の形状、物体、顔の検出器であると考えられている。^{原注5}

　同様に、私たちが想定した仮想 CNN の第1層はエッジを検出するユニットでできている。**図 11** はこの CNN の第1層を、より詳しく示したものだ。この層はそれぞれがユニットによる格子からなる、三つの活性化マップからできている。マップの各ユニットは入力画像内の同じような位置に対応していて、それぞれのユニットはその位置周辺の小さな範囲、つまり受容野から入力情報を得る（隣接するユニットのそれぞれの受容野は、

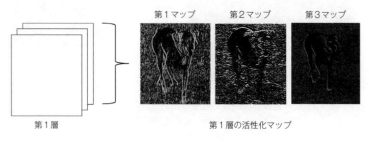

第1マップ　　第2マップ　　第3マップ

第1層　　　　　　　　　　第1層の活性化マップ

図 11　仮想 CNN 内の第1層の活性化マップ

通常重なり合っている）。それぞれのマップの各ユニットは、小さな範囲がユニットの求めるエッジの方向（例−縦、横、ある角度で傾いている）とどれくらい一致しているかを測るための活性化値を算出する。

　図12は第1マップで縦方向のエッジを検出するユニットが、どのように活性化値を算出するかを示している。入力画像の二つの白い四角は、異なる二つのユニットの受容野を表している。この二つの受容野内の画像の区画を拡大すると、ピクセルの数値が並んでいることがわかる。ここでは簡単にするために、各区画を縦に3個、横に3個のピクセルが並んでいるものにした（ピクセルの値はゼロから255までと決められていて、ピクセルの色が明るいほどこの数値が高くなる）。各ユニットは、受容野内のピクセル値を入力として受け取る。次に、ユニットは各入力に重みを掛け、それらの結果を足し合わせることで自身の活性化値を算出する。

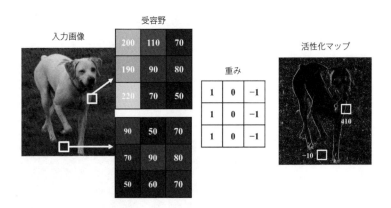

図12　畳み込みを利用して縦方向のエッジを検出する方法。
たとえば、上の受容野のこの重みでの畳み込みは以下となる
(200 × 1) + (110 × 0) + (70 × − 1) + (190 × 1) + (90 × 0) + (80 × − 1) + (220 × 1) + (70 × 0) + (50 × − 1) = 410

図12の重みは、受容野に「明から暗」の縦方向のエッジが存在する（入力区画の左側と右側の明暗の差が大きい）ときに、正の値の高い活性化値が算出されるよう設定されている。図12の入力画像内の上の受容野には、「イヌの明るい色の毛が、それよりも暗い色の芝生と隣り合っている」という縦方向のエッジがある。これは高い活性化値（410）に反映されている。下の受容野にはそういったエッジはなく、ただ暗い色の芝生だけがあるので、活性化値（マイナス10）はゼロに近い。ちなみに、「暗から明」の縦方向のエッジの場合、負の値の「高い活性化値」（ゼロから遠く離れた負の値）が算出される。

　受容野の各値を対応する重みと掛けてその結果を足し合わせるというこの計算は「畳み込み」と呼ばれている。つまり、「畳み込みニューラルネットワーク」の名前はこの計算に由来している。CNNの活性化マップは、画像全体を網羅する受容野に対応しているユニットの格子であることは前にも説明した。与えられた活性化マップの各ユニットは、その受容野の畳み込みを計算するときに同じ重みを使う。これは先ほどの入力画像内の白い正方形が、画像のすべての区画に沿って進んでいくというイメージだ[原注6]。その結果が、図12の活性化マップである。ユニットの受容野の中央のピクセルは高い正と負の活性化値の箇所は白くなっていて、ゼロに近い箇所は暗くなっている。白いところは縦方向のエッジがある場所を強調しているのがわかる。図11の第2マップ、第3マップも同じ方法でつくられているが、それぞれ横方向、斜め方向のエッジを強調するような重みが使われている。それらをすべて合わせると、第1層のエッジ検出ユニットによるマップは、エッジ検出プログラムが作成するような、入力画像をさまざまな範囲における方向性のあ

るエッジに基づいて表現したものをCNNに供給する。

　ここでいったん話題を変えて、「マップ」という言葉について考えてみよう。日常では「マップ」は都市のような地理的領域の空間表現を意味している。たとえばパリの道路マップは「通り」「大通り」「路地」がどのように配置されているかというその都市のある「特徴」を示しているが、「ビル」「家」「街灯」「ゴミ箱」「リンゴの木」「養魚池」といった、パリのその他多くの特徴は掲載されていない。一方、パリの「自転車専用道路」「ベジタリアンレストラン」「イヌを連れていきやすい公園」というような、ほかのさまざまな特徴を中心としたマップもたくさんある。あなたがどんなものに興味を抱いているにしても、それに関連したマップがつくられている可能性はとても高い。まだ訪れたことがない友人にパリの街を説明したければ、そういった「特定の興味対象」に絞ったパリのマップをいろいろ見せるのが想像力をかきたてる方法かもしれない。

　CNNは（脳と同様に）、目の前の光景を一揃いの検出器の特定の「興味」を反映した一連の地図として表現する。図11の例では、そうした興味の対象はさまざまなエッジの方向だった。ただし、このあと説明するとおり、CNNでは自身が何に興味を抱くべきか（つまり、何を検出するべきか）をネットワーク自体が「学習」する。その興味の対象は、取り組ませようとしている特定のタスクに沿って行われる訓練によって決まる。例の仮想CNNでのマップの作成は、第1層のみで行われているわけではない。図10で示されているように、すべての層において同様なつくりになっている。つまり、どの層にも一揃いの検出器があって、各検出器がそれぞれの活性化マップをつくっている。CNNが成功した最大の要因は（これもまた脳からヒ

ントを得たものだが）、それらのマップが「階層的」である点だ。第2層のユニットへの入力は第1層の活性化マップ、第3層のユニットへの入力は第2層の活性化マップ、というように上位の層へと続いていく。第1層のユニットがエッジに反応する例の仮想ネットワークでは、第2層のユニットは「角」や「T字型」といった、特定のエッジの組み合わせに敏感だ。そして第3層の検出器は、「エッジの組み合わせ」の組み合わせによく反応する。このように階層を上がっていくにつれて、検出器はますます複雑な特徴に敏感になる。ヒューベルとウィーセルをはじめとする研究者たちが、脳で確認した仕組みのように。

　この仮想CNNはそれぞれが三つのマップを持つ四つの層でできているが、現実の世界で使われているネットワークには、それぞれが異なる数の活性化マップを擁するはるかに多くの層（何百層の場合もある）からなるものもある。こうした点をはじめ、CNNの構造に関するさまざまな設定を決める作業は、この種のネットワークが与えられたタスクをうまくこなせるようにするための重要な過程の一部であり、開発者の腕の見せどころだ。非常に知能の高い機械を機械自身がつくりだす「知能の爆発」という、I・J・グッドの未来の展望を第3章で紹介した。私たちはその段階には、まだ到達していない。目下のところ、CNNが与えられた役目をうまくこなすためには、人間の多大なる創意工夫が欠かせないのだ。

CNNの分類

　私たちが想定したネットワークの第1層から第4層は、ひとつ前の層に対して畳み込みを行うことから（第1層は入力に対して畳み込みを行う）、「畳み込み層」と呼ばれている。このネ

ットワークでは入力画像が与えられると各層が順に計算を行い、最終段階である第4層では比較的複雑な特徴についての一連の活性化マップがつくられる。これらのマップには目、脚のかたち、尾のかたちといった、訓練の目標（この場合はイヌとネコ）である物体を判別して分類するために有用であるとネットワークが学習したものも含まれているだろう。ここまで来たら、今度は「分類モジュール」がこうした特徴を利用して、画像に描かれている物体を予想する段階に入る。

　この分類モジュールとは、実は第2章で取り上げた従来型ニューラルネットワークの入力から出力までの全体とよく似たものだ。原注7分類モジュールへの入力は、最上位の畳み込み層の活性化マップである。モジュールの出力は一連のパーセントの値で、それぞれの値は入力画像の候補とされる各カテゴリーに対応している。その数値は、それぞれのカテゴリー（この場合はイヌかネコ）が入力画像に描かれているかどうかについての、ネットワークが算出した確信度を示している。

　駆け足で説明してきたCNNについて、ここでまとめておこう。脳の視覚野に関するヒューベルとウィーセルの研究結果から発想を得て開発されたCNNは、与えられた入力画像に段階的な畳み込みを行うことで、複雑な特徴を示す一連の活性化マップへと徐々に変換していく。最上位の畳み込み層で得られた特徴は従来型ニューラルネットワーク（私が「分類モジュール」と呼んでいるもの）に送られ、そこからネットワークが候補としている物体カテゴリーに対する確信度がパーセントで出力される。その結果、最も確信度が高い物体カテゴリーが、入力画像の内容についてのネットワークの判定であるとされる。原注8

　よく訓練されたCNNを試したければ、どうすればいいだろ

う？　そんなときは何か物の写真を撮って、「Google 画像検索」エンジンにアップロードすればいい。Google はあなたが送った画像を CNN にかけ、結果の確信度に基づいて（候補となる物体カテゴリーは何千にものぼる）その画像が何であるかの「最も有力な予測」を表示してくれるはずだ。

CNNを訓練する

　私たちが想定した仮想 CNN は第 1 層がエッジ検出器になっているが、現実の世界の CNN にはエッジ検出器は組み込まれていない。代わりに、CNN は各層でどんな特徴を検出するべきかを訓練データから学習する。さらに、正解に対する確信度を高めるための分類モジュールでの重みの設定についても、同様に学習する。一般的な従来型ニューラルネットワークと同じく、第 2 章で説明したバックプロパゲーションのアルゴリズムを通じて、すべての重みの設定を学習できるようになっている。

　より具体的な例として、与えられた画像がイヌかネコのどちらのものであるかを判別できるようにするための仮想 CNN の訓練方法を紹介する。まず、イヌとネコのサンプル画像をできるだけ多く集めよう。これが「訓練データセット」になる。それと同時に、各画像のラベルづけ（「イヌ」、「ネコ」）に使うファイルを作成する（この作業を効率的に行うための、コンピュータービジョン研究者たちからの助言は次のとおりだ。「大学院生を雇ってすべてやってもらおう。もしあなたが大学院生ならば、学部生を雇おう。このラベルづけの作業はちっとも楽しくないから！」）。あなたの訓練プログラムは、ネットワーク内のすべての重みをまず無作為な値に設定する。その後プログラムは訓練を開始する。入力データとして画像が 1 枚ずつネ

ットワークに与えられる。ネットワークは層ごとに順に計算を行い、最終的に「イヌ」と「ネコ」のそれぞれの確信度をパーセントで出力する。訓練プログラムは各画像について、出力された値と「正解」の値を比較する。たとえば、与えられた画像がイヌのものだった場合、「イヌ」の確信度は100パーセント、「ネコ」の確信度はゼロパーセントになるはずだ。そうして、訓練プログラムは同じ画像を再び与えられたときの確信度が正解の値により近づくよう、バックプロパゲーションのアルゴリズムを用いてネットワーク内のすべての重みを少しずつ変えていく。

　この手順（画像を入力→出力におけるエラーの度合いを計算→重みを変更）を訓練データセットのすべての画像で行うことを、訓練を「1エポック」こなすという。CNNの能力を向上させるには何エポックもの訓練を行って、ネットワークが同じ画像を何度も処理しなければならない。最初は、ネットワークはイヌとネコをほとんど認識できないだろう。だが、ゆっくりではあるものの、訓練を何エポックも繰り返して重みを変えていくにつれて、タスクをだんだんうまくこなせるようになっていく。そしてようやく、ネットワークが「収束」するときが来る。それはエポックごとの重みの変更がなくなり、ネットワークが訓練データセット内の画像のイヌとネコをとてもうまく認識（あくまでおおむねだが）できるようになったときのことだ。とはいえ、ネットワークがこのタスクを広い範囲で本当にうまくこなせるかどうかは、学習して身につけた画像認識能力が訓練データセット以外の画像でも有用であることを確認するまでわからない。とても興味深いのは、CNNは特定の特徴の検出を学習するようプログラマーから強制されていないにもかかわ

らず、現実の世界の写真を用いた膨大な訓練データセットで訓練を行うと、ヒューベルとウィーセルが脳の視覚野で発見したものによく似た検出器の段階構造を取り入れる点だ。

　次の章では、比較的無名だったCNNが驚くべき発展を遂げて、マシンビジョンの分野でほぼ独占的に使用されるようになった歴史を振り返る。この変遷を可能にしたのは、ほぼ同時期に起きた別のテクノロジー革命、すなわち「ビッグデータ」革命だ。

第 **5** 章
CNNとImageNet

　CNN の開発者ヤン・ルカンは、キャリアのすべてをニューラルネットワークに捧げてきた。1980 年代に研究を始めてから、この分野に何度も訪れた冬の時代も春の時代もひたすら開発に取り組んできた。ルカンは大学院生から博士研究員時代にかけて、ローゼンブラットのパーセプトロンや福島のネオコグニトロンにすっかり夢中になったが、後者に有用な教師あり学習アルゴリズムが不足していることに気づいた。そのためルカンはほかの研究者（主に博士研究員時代の指導教官ジェフリー・ヒントン）とともにそうした学習方法の開発に協力した。そうしてできたアルゴリズムは、今日の CNN に使われているバックプロパゲーションと本質的には同じものだ。[原注1]

　1980 年代から 90 年代にかけて、当時ベル研究所に在籍していたルカンは手書き文字や数字の認識についての課題に取り組んだ。そして、ネオコグニトロンの考え方とバックプロパゲーションのアルゴリズムを組み合わせた「LeNet」を開発した。ルカン自身の名前（LeCun）に似せた名称のこの LeNet は初期の CNN のひとつであり、手書き数字の高い認識能力によって商業的な成功を収めた。1990 年代から 2000 年代において、自動で郵便番号を読み取るシステムとしてアメリカ合衆国郵便公社で利用された以外に、小切手に書かれた数字を自動で読み取るシステムとして銀行業界にも導入された。

　ところが LeNet とそれに続く CNN は、より複雑な視覚タス

クをこなせるレベルにまで能力が向上しなかった。1990 年代半ばになると、ニューラルネットワークは AI 研究者たちの支持を失いはじめ、他の手法がこの分野の主流になっていった。だが、それでも CNN を信じていたルカンは研究を続け、少しずつ改良していった。後年、ジェフリー・ヒントンはルカンについて「彼は暗黒時代のなかで先頭に立って、たいまつを掲げながら導いてくれた」と語っている。^{原注2}

　ルカン、ヒントンをはじめとするニューラルネットワーク支持者たちは、十分な数のデータで訓練を行うことさえできれば、改良されたより規模の大きな CNN やその他の深層ネットワークがコンピュータービジョン分野を制するはずだと信じていた。2000 年代のあいだずっと脇に追いやられたままだったにもかかわらず、彼らは断固として研究を止めなかった。2012 年、CNN 研究者たちが掲げていたたいまつが、突如としてコンピュータービジョン界を明るく照らした。彼らは「ImageNet」と呼ばれる画像データセットを使った、コンピュータービジョン競技会で勝利したのだった。

ImageNetの構築

　そもそも AI 研究者たちは競い合うのが好きな集団であるため、この分野を発展させる原動力になるような競技会が企画されるのは決して珍しいことではない。視覚による物体認識を研究する分野では、研究者たちは誰のプログラムが最も優れているかを決める毎年恒例の競技会を、長年にわたって行ってきた。こうした競技会では「ベンチマークデータセット」と呼ばれる、画像内の物体の名称を人間がラベルづけした写真一式が使用される。

2005年から2010年まで開催され、当時の年に一度行われる形式の競技会のなかで最も有名だった「PASCAL ビジュアルオブジェクトクラス競技会」の2010年度大会では、(写真共有ウェブサイト Flickr からダウンロードされた) 約1万5000枚の写真が使われた。そのすべてに、「人」「イヌ」「ウマ」「ヒツジ」「車」「自転車」「ソファー」「鉢植えの植物」といった20の物体カテゴリーに基づいたラベルが人間の手でつけられた。

　この競技会の「分類部門[原注3]」の応募対象となったのは、(人間がつけたラベルを見ずに) 写真を入力して、その画像内に前述の20のカテゴリーの物体が存在しているかどうかを、カテゴリーごとに判定した結果として出力できるコンピュータービジョンプログラムだ。

　この競技会の仕組みを説明しよう。主催者は写真を訓練用セットとテスト用セットに分ける。訓練用セットは、参加者が自身のプログラムの訓練に使えるものだ。一方、テスト用セットは参加者には公開されず、提出されたプログラムが訓練用セット以外の画像でどの程度うまく分類できるかを評価するためのものだ。訓練用セットは事前にオンラインで提供され、競技会では研究者たちから送られてきた訓練済みのプログラムで、非公開のテスト用セットによるテストが実施される。テスト用セットの画像内の物体認識精度が最も高かったプログラムが優勝となる。

　毎年行われていた PASCAL 競技会は物体認識研究を推し進めたという意味で、非常に大きな存在だった。年々挑戦し続けてきた参加者たちの手によって、提出されるプログラムの精度は徐々に向上した(奇妙なことに、物体認識が常に最も難しかったのは「鉢植えの植物」だった)。だが、一部の研究者たちは、

PASCALのベンチマークデータセットにはコンピュータービジョン分野を発展させる手段として問題があると指摘するようになった。競技会の参加者たちはPASCALが指定した20の物体カテゴリーの認識にばかり力を入れていて、人間と同じくらい膨大な種類の物体カテゴリーを認識できるよう拡張されたシステムの構築に取り組もうとしなかったからだ。さらに、競技会に参加するプログラムがある物体の異なる見え方の多さを学習して汎用性を高めようとするうえで、主催者から提供されるデータセットの写真数が少なすぎるという問題もあった。

　この分野が発展するためには、より多くのカテゴリーとさらに膨大な写真からなる、新たなベンチマークデータセットとしての画像一式が必要だった。プリンストン大学の若きコンピュータービジョン学教授フェイ・フェイ・リーは、とりわけこの目標の達成に力を入れていた。すると幸運にも、同じプリンストン大学の教授で心理学者のジョージ・ミラーが主導して行われた、英単語データベース化プロジェクトの情報が偶然耳に入ってきた。このデータベースでは、意味が最も限定された単語から最も広義の単語へと段階的に並べられていて、さらに同義語がグループ化されている。「カプチーノ」という単語を例にしてみよう。「WordNet」と名づけられたこのデータベースから、「カプチーノ」について次のようなつながりの情報を得ることができる（「A」→「B」の「→」は、「AはBの一種」という意味だ）。

　　「カプチーノ」→「コーヒー」→「飲料」→「飲食物」→
　　「物質」→「物理的実体」→「存在物」

また、たとえば「飲料」「飲み物」「飲用」は同義語であり、しかも「飲料」は「液体」が含まれている別のつながりの一部であるといったことも、このデータベースからわかる。

WordNetは心理学者たちや言語学者たちの研究のみならず、AIによる自然言語処理システムといった分野でも幅広く活用されてきた（現在も引き続き利用されている）が、フェイ・フェイ・リーは新たな活用方法を思いついた。それはWordNet内の名詞のつながりに基づいた画像のデータベースをつくることだった。その画像データベースでは、それぞれの名詞にその言葉の例が含まれている画像が大量に結びつけられている。ImageNetの発想は、このようにして生まれた。

リーと共同研究者たちはすぐに、WordNet内の名詞をFlickrやGoogle画像検索といった画像検索エンジンでの問い合わせ言語として使って、画像を山ほど集めようとした。だが、画像検索エンジンを使ったことがある人ならわかるとおり、検索結果は完ぺきにはほど遠いことが多い。たとえば、Google画像検索に「マッキントッシュ、リンゴ」と入力すると、「リンゴ」や「Mac（訳注：マッキントッシュの略称）コンピューター」のみならず、「リンゴのかたちをしたキャンドル」「スマートフォン」「瓶入りのアップルワイン」といった関係ないものまでがいくつも表示される。そのため、リーと同僚たちは対象となる名詞を表していない画像を選んでは消去するという作業を、人間の手で行わざるをえなくなった。まずは、主に学部生の手を借りることにした。だが、これはあまりに時間がかかる、ひどく骨の折れる作業だった。ほどなくしてリーが計算したところ、このペースでしか進まないのなら作業が完了するには90年かかることがわかった。^{原注4}

リーはこの作業を自動化する方法について共同研究者たちと意見を出し合ったが、そもそもある写真が特定の名詞を表す例であるかどうかを判断するという作業自体が、「物体認識」そのものではないか！　それに、この作業をこなすうえでコンピューターはまったくあてになりそうになかった。もとはといえば、それこそが ImageNet を構築する最大の理由だったのだから。

　リーたちのグループは研究に行き詰ってしまったと思ったが、ImageNet づくりに必要な「人間の知能」を提供してくれるウェブサイトをリーがたまたま発見した。3 年前に開設されたらしいそのウェブサイトの名称は、「Amazon Mechanical Turk」（訳注：「機械じかけのトルコ人」という意味）という奇妙なものだった。

Mechanical Turk

　アマゾンによると、同社の Mechanical Turk サービスとは「人間の知能が必要とされる仕事の取引市場」である。このサービスは、コンピューターには難しすぎる作業をこなしたい「依頼者」と、少額（例－写真 1 枚につき 10 セントで、写真内の物体のラベルづけを行う）でも依頼者の仕事に「人間の知能」でもって協力したい「作業者」を結びつけるものだ。世界じゅうから、何十万人もが作業者として登録している。現段階ではコンピューターに難しすぎる「簡単な」作業をこなすために人間の作業員を雇う場である Mechanical Turk は、「簡単なことは難しい」というマーヴィン・ミンスキーの格言をまさに具体化したものだ。

　Mechanical Turk という名称は、18 世紀の有名な「『AI』の

捏造」に由来している。もともとの「機械じかけのトルコ人」とは「チェスを打つ賢い機械」という触れ込みの人形で、実際には人間がなかに隠れて、人形（オスマン帝国のスルタンの格好をした「トルコ人」）の差す手を操っていた。どうやら、ナポレオン・ボナパルトといった当時の著名人の多くも、この人形にだまされたようだ。アマゾンのこのサービスは人をだますためのものではないが、「『人工』の人工知能」という意味では、もともとの「機械じかけのトルコ人」と同類のものだ。

フェイ・フェイ・リーは、Mechanical Turk の何万人もの作業人を雇って WordNet 内の各言葉についてそれと無関係な画像を選び出してもらえば、数年間で、しかも比較的安い費用で完ぺきなデータセットが完成することに気づいた。そうして、わずか 2 年で WordNet 内の名詞に対応した 300 万もの画像にラベルづけが行われ、ImageNet データセットがつくられた。ImageNet プロジェクトにとって、Mechanical Turk は「天の恵み」だった。このサービスは AI 研究者たちがデータセットをつくるうえで今も引き続き広く活用されていて、最近では AI 関連の学術研究のための助成金申請書の項目に「Mechanical Turk 人件費」が盛り込まれることが一般的になっている。

ImageNet競技会

2010 年、ImageNet プロジェクトは「より汎用的な物体認識アルゴリズムの開発を促進する」ことを目的とした「ImageNet 広範囲を対象とした視覚認識競技会」（訳注：通称「ILSVRC」）を初めて開催した。大学や企業で研究している世界じゅうのコンピュータービジョン研究者たちから寄せられた、35 件のプ

ログラムが競うことになった。参加者たちにはラベルづけされた訓練用の画像（120万枚）と、それらのカテゴリー候補の一覧が配布された。訓練されたプログラムに与えられた課題は、各入力画像の正しいカテゴリーを出力することだった。ただし、PASCAL競技会ではカテゴリー候補が20個だったのに対して、ImageNet競技会では1000個も用意されていた。

　この1000個のカテゴリー候補は、主催者がWordNet内の単語から選んだものだ。カテゴリー一覧には、よく聞くありふれた言葉（「レモン」「城」「グランドピアノ」）からはじまって、そこまで一般的でないもの（「高架橋」「ヤドカリ」「メトロノーム」）、さらにはまったく想像がつかないもの（「スコティッシュ・ディアハウンド」「キョウジョシギ」「パタスモンキー」）まで、無作為に選ばれたように見える名詞が並んでいる。ちなみに、この1000のカテゴリー候補の少なくとも10分の1は、ほとんど聞いたことがない（少なくとも私はそれが何であるか判別できない）動物や植物だ。

　課題に使われる写真にはひとつの物体しか写っていないものから、「正解」の物体以外にもさまざまな物体が写っているものもある。こうした曖昧さを考慮して、競技会に参加しているプログラムは各画像について五つのカテゴリーを答えることができる。そのなかのひとつが正しければ、プログラムはその画像で正解したとみなされる。これは「『トップ5正解率』での判定法」と呼ばれている。

　2010年度の大会で最高の正解率を記録したのは、物体認識アルゴリズムとして当時主流だった「サポートベクターマシン」を用いたプログラムだった。このアルゴリズムでは高度な数学を利用して、各入力画像をカテゴリーに結びつける方法を

学習する。優勝したこのプログラムの、15万枚のテスト画像に対するトップ5正解率は72パーセントだった。決して悪い結果ではないが、これは1枚の画像につき5回の解答権が与えられていたにもかかわらず、そのプログラムが4万枚以上のテスト画像で不正解だったことを意味している。つまり、改良の余地がまだ十分あったということだ。また、上位の成績を収めたプログラムのなかにニューラルネットワークが入っていなかったことも注目に値する。

　翌年優勝したプログラム（これもサポートベクターマシンを利用したものだった）のテスト画像での正解率は74パーセントだった。まずまずの成績だが、さほどの進歩は見られなかった。このようにコンピュータービジョン研究は、問題の解決に地道に取り組みながら徐々に進歩していることを毎年の競技会で示すという流れが今後も続くのだろうというのが、この分野における大半の見解だった。

　だが、その予想は2012年度のImageNet競技会で覆された。あるプログラムが、85パーセントという驚くべき正解率を叩き出して優勝したのだ。正解率のそれほどの精度の向上は、驚くべき進歩だった。そのうえ、優勝したプログラムはサポートベクターマシンをはじめとする当時のコンピュータービジョン分野で主流だった手法を使っていなかった。代わりに使われていたのは畳み込みニューラルネットワーク（CNN）だった。優勝したこのCNNは、AlexNet_{アレックスネット}として知られるようになる。この名称は、主な開発者であるアレックス・クリジェフスキーの名前からつけられたものだ。当時の彼はトロント大学の大学院生で、著名なニューラルネットワーク研究者ジェフリー・ヒントンに師事していた。ヒントンのもとで同じ大学院生のイリ

ヤ・スツケヴェルと研究していたクリジェフスキーは、1990年代にヤン・ルカンが構築したLeNetの大規模版を開発した。その背景として、コンピューターの能力の向上によってそうした規模の大きなネットワークを訓練できるようになった点が挙げられる。AlexNetは8層のネットワークで、そのおよそ6000万個の重みは100万以上もの訓練用画像から、バックプロパゲーションによって自身の値を学習した。^{原注7}トロント大学のこの研究グループは、ネットワークの訓練の効果を上げるために編み出した巧みな手法と何台もの高性能のコンピューターによって、約1週間でAlexNetを訓練し終えた。

AlexNetの快挙はコンピュータービジョン分野のみならず、AIの他分野の研究者たちにまで衝撃を与えた。現代のコンピュータービジョン研究においてAI研究者の大半がまともな競争相手とみなしていなかったCNNの潜在能力に、みな突如として気づかされた。CNNの思いがけない勝利について、ジャーナリストのトム・サイモナイトがヤン・ルカンにインタビューを行った2015年の記事を次に紹介しよう。

　　ルカンは成績優秀者たちがそれぞれの競技結果を公開していた部屋に、ニューラルネットワークにほとんど目もくれなかったAI研究者たちが一斉になだれ込んできた光景を今もはっきりと覚えていた。「AI界の大御所たちも、明らかにひどく興奮していました」とルカンは語った。「彼らは『わかった、認めるよ。もはや勝負はついた、君たちの勝ちだ』と口々に言っていました」^{原注8}

しかも、ImageNet競技会とほぼ同じ時期に、ジェフリー・

ヒントンの研究グループは膨大な量のラベルつきデータで訓練された深層ニューラルネットワークのほうが、音声認識で当時最先端といわれていたシステムよりも大幅に優れていることを示した。トロント大学研究グループによる ImageNet 競技会と音声認識研究での成果は、大きな波及効果をもたらした。1年もしないうちに、ヒントンが創業した小規模な企業はグーグルに買収され、ヒントンと彼に師事していたクリジェフスキーとスツケヴェルはグーグルの社員となった。この企業買収による人材獲得によって、グーグルは一瞬にして深層学習研究の最前線に立った。

　ほどなくして、ヤン・ルカンは常勤の教授職を務めていたニューヨーク大学から引き抜かれて、フェイスブックが新たに設立した AI 研究所の所長に就任した。すべての大手テクノロジー企業（それより規模の小さい企業の多くも）が深層学習の専門家や彼らの教え子の大学院生をめぐっての争奪戦を起こすまで、そう時間はかからなかった。まるで突如として、深層学習は AI で最も注目される分野となった。深層学習の専門知識があるコンピューター科学者はシリコンバレーでの高い給料や、さらにすごい例では急増していた深層学習関連スタートアップ企業を創業するためのベンチャー投資資金が保証されたようなものだった。

　年に一度の ImageNet 競技会は次第にメディアで大きく取り上げられるようになり、すると研究者仲間が楽しく競っていた大会は、コンピュータービジョン技術の商業化をにらんだテクノロジー企業同士による、世間に注目される実践試合へとたちまち変化した。ImageNet 競技会で優勝すれば、コンピュータービジョン分野で研究者の誰もが望む尊敬を確実に手に入れら

れる。しかも、メディアに無料で宣伝してもらえて、それが製品の売り上げ増や株価の上昇につながるかもしれない。2015年に中国の大手インターネット企業百度が関与した不正事件は、明らかに競争相手よりも優れたプログラムを開発しなければならないという重圧によるものだった。この事件は機械学習分野の研究者たちが「データスヌーピング（データののぞき見）」と呼んでいる、狡猾なやり方の一例だ。

　何が起こったか順を追って説明しよう。ImageNet 競技会に参加するチームには、正解となる物体カテゴリーがラベルづけされた訓練用の画像が配布された。さらに、訓練用セットには含まれておらずラベルもついていない大量の画像からなるテスト用セットも配られた。各チームはこのテスト用セットを使って、自分たちの手法がどれくらいの成果を出せるのかを訓練後のプログラムで確認できる。これはプログラムが（訓練画像とそのラベルを記憶するといったやり方ではなく）、一般化をどれくらい学習して身につけたかを試すために行うものだ。評価されるのは、このテスト用セットで得られた結果のみである。テスト用セットでの結果を知るためには、チームはテスト用セットの画像をプログラムにかけて各画像について五つの解答を出力させ、解答の一覧を競技会の主催者が管理している「テストサーバー」コンピューターに提出する。テストサーバーは送られてきた解答リストと正解（公表されない）を比べ、正解率を弾き出す。

　各チームはテストサーバー用のアカウントをひとつ登録して、自身のプログラムの各種バージョンがそれぞれどれくらいの正解率を出せるのかを確認できる。また、この結果は公式結果が発表される前に公開（宣伝も）することができる。

機械学習における鉄則は、「テストデータで訓練してはならない」だ。これは説明するまでもないだろう。プログラムを訓練する際にテスト用のデータも使うと、そのプログラムの一般化能力を正確に測れなくなってしまう。それは期末試験前に生徒に問題を教えてしまうようなものだ。だが結局は、自身のプログラムの性能を実際よりもよく見せるための、この鉄則をうっかり（または意図的に）破ることになる裏ワザがあることがわかった。

　そのひとつは次のようなものだ。まず自分のプログラムのテスト用セットの解答を送り、その結果に基づいてプログラムを微調整する。その後、再提出する。テスト用セットでの結果が向上するまで、提出と微調整を繰り返す。このやり方ではテスト用セットのラベルを実際に見ることはできなくても、正解率についてのフィードバックを毎回入手してそれに基づいてプログラムを修正できる。そのため、十分な回数を繰り返せるのなら、この過程はテスト用セットに対するプログラムの正解率向上に非常に効果的だ。とはいえ、プログラム修正のためにテスト用セットを利用したということは、そのテスト用セットでプログラムの一般化能力を測れなくしてしまったということでもある。それは生徒に期末試験を何度も受けさせ、毎回点数を教えて次回の成績向上につなげようとするようなものだ。そして、最終的に最も点数がよかったときの解答を提出させる。それはもはや生徒がその教科をどれくらい学べたかを測るための適切な手段ではなく、特定の試験問題に対して答えをどれくらいうまく合わせられるようになったかを測るものにすぎない。

　ImageNet競技会の主催者は、参加者に各自のプログラム開発の進捗状況を確認する機会を与えながらもこうしたデータス

ヌーピングを防ぐために、各チームがテストサーバーに解答を送ることができる回数を週2回までと決めた。このルールによって、各チームがテスト実行によるフィードバックから得られる情報は制限された。

　大きな盛り上がりを見せた2015年度ImageNet競技会は、コンマ数パーセントレベルを競う争いとなった。その差は些細に思えるかもしれないが、ビジネス上の有利さから見れば圧倒的な差になりうる数値だった。その年の初め、バイドゥのチームは開発した手法によって、ImageNetのテスト用セットでトップ5正解率94.67パーセントという最高記録を出せたと発表した。だが、まったく同じ日に、マイクロソフトのチームがより精度の高い95.06パーセントという記録を達成したと発表した。さらに数日後、グーグルは若干異なる手法によってそれまでの記録を上回る95.18パーセントを記録したと発表した。この記録は数カ月間守られたが、その後バイドゥが誇らしげに新たな発表を行った。手法を改良した結果、95.42パーセントという新記録を達成したという。バイドゥの広報部門はこの記録を広く宣伝した。

　ところが、それから数週間もしないうちに、ImageNet競技会主催者が次のような簡潔な声明を出した。「2014年11月28日から2015年5月13日にかけて、バイドゥのチームは30個のアカウントを使用してテストサーバーに少なくとも200回解答を送付した。これは週に2回以内という規定を大きく超えている[原注9]」。要するに、バイドゥのチームはデータスヌーピングを行っていたことがばれたのだった。

　バイドゥのチームはフィードバックによって得られた200回分の正解率によって、彼らのプログラムがこのテスト用セット

で最高の結果を出せるためにどういった微調整をするのが最適かを判断して、勝利の決め手となる大事なコンマ数パーセントを手に入れる可能性を高めていた。その罰としてバイドゥは失格となり、2015年度ImageNet競技会にプログラムを提出できなくなった。

　悪評が広まるのを最小限に食い止めようとしたバイドゥはすぐさま謝罪し、一従業員の勝手な行動だとして彼に責任を押しつけた。「調査の結果、チームリーダーが部下の技術者たちにプログラムを週2回以上テストサーバーに送るよう指示していたことがわかりました。これは現在のImageNet競技会規則に反する行為です[原注10]」。問題となった従業員は「自分は規則を一切破っていない」と反論したが、即座に解雇された。

　この一件は、コンピュータービジョン分野における深層学習全体の歴史において、ちょっと興味をひくような些細な出来事にすぎない。だが、私があえてここで取り上げたのは、この事例はImageNet競技会がコンピュータービジョン分野のみならず、AI分野全体の発展の唯一無二の象徴とみなされる存在にまでなったことを示したかったからだ。

　このような不正事件はあったものの、それでもImageNet内の画像を認識する技術の進歩は留まらなかった。最後の大会となった2017年度ImageNet競技会で優勝したチームのトップ5正解率は、98パーセントだった。あるジャーナリストが「今日では、ImageNet競技会が出した課題は解決したというのが大半の見方だ[原注11]」と指摘しているように、少なくとも画像を判別、分類する課題についてはそのとおりだと思われる。この分野の研究者たちは新たなベンチマークセットを対象にして、新たな課題、とりわけ視覚と言語を統合する課題にすでに取り組んで

いる。

　1990 年代には行き詰っていたように見えた CNN が突如として ImageNet 競技会で上位を独占し、その後ここ 5 年でコンピュータービジョン分野の主流となった要因はいったい何だったのだろうか？　深層学習研究の近年の大躍進は、AI 研究における新たな飛躍的進歩よりも、膨大なデータが入手しやすくなったこと（インターネットに感謝！）と、コンピューターのハードウェアによる並列処理が非常に高速化したおかげであるほうが大きい。こうした要因と、訓練方法の改善によって、100 層を超えるネットワークでも何百万枚もの画像を使った訓練をわずか数日でこなせるようになった。

　ヤン・ルカン自身も、自ら開発した CNN を取り巻く状況が好転した速さに驚いていた。「20 年や 25 年も前からある技術が、しかもほとんど変化していないにもかかわらず、実は今日において最も優れていたという事例は極めてまれです。CNN がある時点からいきなり広まった速さは、もはや信じられないほどです。こんな例はほかにはまったく思い当たりません」^{原注12}

CNNがもたらした「ゴールドラッシュ」

　ImageNet をはじめとする規模の大きなデータセットによって、CNN が成果をあげるために必要な膨大な量の訓練データが手に入るようになるや否や、企業はすぐさまそれまで思いもしなかったかたちでコンピュータービジョン技術を応用できるようになった。この状況について、グーグルのブレイス・アグエラ・ヤルカスは「まるでゴールドラッシュのようです。この一連の技術で、次から次へと課題に取り組めます」と語っている。^{原注13}深層学習で訓練された CNN を利用することで、グーグル

やマイクロソフトなどが提供している画像検索エンジンは「似ている画像を探す」機能を大幅に向上できた。グーグルは、写真に写っている物体を説明するタグをつけられる機能を備えた写真保存システムの提供を開始した。Google ストリートビューでは画像内の住所表示や車のナンバープレートを認識してぼかせるようになった。さらに、モバイルアプリの普及により、スマートフォンを使った物体や顔認識をリアルタイムでできるようになった。

　フェイスブックはアップロードされた写真に写っている友人などの人物の名前をラベルづけできる機能を導入し、アップロードされた写真内の人物の表情からその人の気持ちを読み取る技術の特許を登録した。ツイッターはわいせつな画像のツイートを遮断するフィルターを開発した。また、写真や動画を共有するサイトのなかには、テロ集団に関連する画像を検出するツールを利用し始めているところもある。CNN は映像でも利用できるため、自動運転車の歩行者確認、あるいは唇の動きや身ぶりの読み取りにも活用されている。さらに、CNN は医用画像から乳がんや皮膚がんを診断したり、糖尿病性網膜症の進行段階を判断したり、前立腺がんの治療計画を立てる医者を補助したりすることまでできる。

　これらは現在使われている（あるいはもうすぐ実現する）、CNN を利用した数々のアプリケーション（訳注：特定の用途のために開発されたソフトウェア）のほんの一例にすぎない。すなわち、あなたが使っている最新のコンピュータービジョンアプリケーションにも、おそらく CNN が用いられている。しかも、その CNN は ImageNet の画像による「事前訓練」で全般的な視覚特徴を学習したのちに、より具体的なタスク向けに「きめ細か

く調整」された可能性が高い。

　CNN の利用に必要な膨大な訓練は、画像処理に特化したコンピューターハードウェア（具体的には高性能のグラフィックスプロセッシングユニット）なしには実施できないため、GPU の主要メーカーである NVIDIA コーポレーションの株価が 2012 年から 2017 年のあいだに 10 倍になったのは当然のことだろう。

CNNは物体認識で人間を超えたのか？

　CNN の目覚ましい実績を知れば知るほど、その物体認識能力は私たち人間にどの程度近づいているのだろうと思うようになった。2015 年、バイドゥ（例の不正事件後）は「ImageNet 内の画像についての判別、分類で人間レベルの正解率を超える」という副題のついた論文を発表した。[原注14] それと同じ頃、マイクロソフトは研究関連のブログに「写真や動画内の物体を識別する技術における大きな進歩。人間と同じレベルか、ときにはそれを超える精度を達成するシステムの紹介」と投稿した。[原注15] 両社ともその記録は ImageNet 内の画像に対する正解率であると具体的かつ明確に示しているにもかかわらず、メディアはそれをほとんど考慮せずに「画像の認識と分類において、もはやコンピューターが人間を抜き去る」「マイクロソフト、人間よりも物体認識能力が優れたコンピューターシステムを開発」といった刺激的な見出しで大々的に報道した。[原注16]

「ImageNet 内の画像に対する物体認識において、コンピューターは今や『人間よりも優れている』」という議論の具体的な点を、もう少し細かく見てみよう。この主張は人間の不正解率が約 5 パーセント、それに対する（本書の執筆時における）コ

ンピューターの不正解率はほぼ2パーセントであることに基づいている。この数字は、このタスクについてはコンピューターのほうが人間より優れていることを、はっきり示しているのではないだろうか？　とはいうものの、大々的に報道されているほかのAIに関する議論の事例と同じく、この主張にも注意しなければならない点がいくつかある。

　ひとつ目の注意点だ。もしあなたが「正確に物体を特定するコンピューター」という記事を読んだら、たとえばバスケットボールの画像が与えられたコンピューターが「バスケットボール」と出力すると思うのではないだろうか。だが前に説明したとおり、ImageNetでの「正しい特定」とは、コンピューターが出力したトップ5のカテゴリーに正解が含まれていることにすぎない。つまり、バスケットボールの画像を与えられたコンピューターが「クロケット（訳注：ゲートボールの原型とされる球技）のボール」「ビキニ」「イボイノシシ」「バスケットボール」「引っ越しトラック」の順に出力した場合でも、正解とみなされるのだ。こうした状況が起こる可能性がどれくらいなのかはわからないが、参考までに2017年度ImageNet競技会の結果を挙げると、トップ5正解率が98パーセントだったのに対して「トップ1正解率」（テスト用画像の正解のカテゴリーが解答リストの一番上にあった場合を正解としたときの正解率）は約82パーセントだった。コンピューターと人間のトップ1正解率を比べた例は、まだ聞いたことがない。

　二つ目の注意点を挙げよう。「ImageNetにおける人間の不正解率は約5パーセント」という説について考えてみてほしい。実はこの説での「人間」という言い方は不十分で、これは「ひとりの人間」による実験の結果なのだ。その人物とは、当時ス

タンフォード大学で深層学習を研究する大学院生だったアンド
レイ・カルパシーだ。カルパシーは自分自身を訓練して、
ImageNet で最高の成績を収めた CNN と競い合えるかどうか
試してみたくなった。ImageNet 競技会では、CNN は 120 万
枚の画像で訓練されたのちに 15 万枚のテスト用画像が与えら
れる。人間にとって、それと同じようにするのは気の遠くなる
ような作業だ。AI に関する人気ブログを運営しているカルパ
シーは、そのときの経験について次のように投稿している。

結局、[自分に対する]訓練は 500 枚の画像を見たところで
終了して、[数を減らした]1500 枚のテスト用セットに取り組
むことにした。ラベリング[カルパシーは 1 枚の画像につき五
つのカテゴリーを解答することをそう呼んでいた]は最初 1 枚
につき 1 分程度かかったが、やっているうちに速くできるよう
になった。200 枚目くらいまでは楽しかったが、残りは……た
だひたすら「#科学の進歩のため」にやった。画像の内容がす
ぐにわかるものもあれば、数分間集中して考えなければ出てこ
ないもの（イヌ、鳥、サルの細かい種類など）もあった。この
作業のおかげで、イヌの種類を当てるのが得意になった。[原注17]（訳
注：[ ] 内は著者による補足）

カルパシーは 1500 枚のテスト用画像のうち、約 75 枚で不正
解だったそうだ。間違いを分析したところ、複数の物体が写っ
た画像、イヌ、鳥、植物などで具体的な種類を当てなければな
らない画像、カテゴリー候補であると知らなかったカテゴリー
の物体が写った画像が、不正解の主な原因だったことがわかっ
た。こうした間違いは、CNN が犯すものとは異なっていた。

CNN も複数の物体が含まれる画像で混乱する点では同じだが、人間と異なるのは画像内の小さな物体、撮影者が画像の色や明暗をフィルターで変換したことによってゆがめられた物体、あるいはイヌの絵や彫刻、ぬいぐるみといった物体の「抽象的な表現物」で間違えることが多かった点だ。つまり、ImageNet 内の画像認識でコンピューターが人間を完全に打ち負かしたとはいいきれず、この説を簡単にうのみにしてはならない。

　次の注意点は、驚きかもしれない。写真に何かの物体（たとえばイヌとしよう）が含まれていると人間が告げた場合、私たちはその人物が写真のなかにイヌが写っているのを見たのだと考える。一方、もし CNN が写真に写る物体が「イヌ」だと正解した場合、その判定は本当に写真のなかのイヌの画像に基づいたものなのだろうか？　もしかしたら何かほかのもの、たとえば訓練時の画像でイヌとよく結びついていたもの（テニスボール、フリスビー、噛みちぎられた靴）が写っていて、それらを認識した CNN が写真にイヌが写っていると推測したかもしれないではないか。こうした相関関係は、たいていの場合コンピューターをだまして間違った判断をさせる。

　この問題に対処できる方法のひとつは、コンピューターに物体カテゴリーを出力させるだけではなく、判定対象である物体を四角で囲むよう学習させることだ。そうすれば、コンピューターがその物体を本当に「見た」かどうかがわかる。ImageNet 競技会が 2 年目につくった「位置特定部門」は、まさにその分野での進歩を目指すためだった。位置特定の課題では、各画像内の判定対象である物体（複数の場合もあり）を四角で囲んだ画像（囲む作業は Mechanical Turk の作業者が行った）が訓練用に配布された。テスト用の画像での課題は、競

技に参加したプログラムに、四角で囲まれた位置にある物体について五つの物体カテゴリーを出力させるものだった。意外なのは、深層畳み込みニューラルネットワークは確かに位置特定を非常にうまくこなすが、それでも物体の判別、分類に比べると、精度がまだかなり悪いという点だ。そのため、今日開催されている新たな競技会では、この問題の解決に重点的に取り組んでいる。

　物体認識における今日のCNNと人間の最も重要な差は、おそらく学習のやり方とその学習で身につけたものの頑健さと確かさの程度だろう。こうした違いについては、次章で探っていく。

　ここで挙げた注意点はどれも、近年のコンピュータービジョン分野の目覚ましい進歩を貶めようとしているものでは決してない。畳み込みニューラルネットワークがこの分野をはじめ、AIのさまざまな方面で驚くほどの成果をあげたことは紛れもない事実だ。しかもこうした成果は新たな製品を生み出したのみならず、AI界に本当の意味での楽観ももたらした。ここでの議論は、コンピュータービジョン分野がいかに難しいものであるかの説明と、現在までの進歩を別の視点から解説するために行ったものだ。物体認識が人工知能によって「解決された」とは、まだ言いがたいのだ。

物体認識の先にあるもの

　この章で物体認識を重点的に取り上げたのは、近年のコンピュータービジョン分野においてこの研究が最も進歩を遂げてきたからだ。とはいえ、コンピュータービジョンの分野は当然ながら物体認識だけに留まらない。コンピュータービジョンの目

標が「コンピューター自身が目にしているものを説明させる」だとすると、コンピューターは物体のみならず、物体同士の関係やそれらが周囲とどう関わっているかまでも認識しなければならない。もしその「物体」が生き物ならば、コンピューターはその行動、目標、感情、次に取ると思われる手段といった、目の前の光景を語るときに必要なあらゆる面を把握しなければならないだろう。さらに、コンピューター自身が見ているものをなんとしても「言い表せる」ようにするには、コンピューターが言語を使えるようにしなければならない。AI研究者たちはコンピューターにこうしたことをさせようと意欲的に研究しているが、例によってこういった「簡単なこと」はとても難しい。コンピュータービジョン研究を専門とするアリ・ファルハーディが、『ニューヨーク・タイムズ』紙に「目の前で繰り広げられている光景や行動を把握できる、人間のような『視覚知能』の実現にはまだまだほど遠い」と語っているように。[原注18]

　私たちはなぜこの目標の達成にまだほど遠いのだろうか？それはどうやら、視覚知能はほかの領域に関連する知能、とりわけ一般知識、抽象化、言語といった、興味深いことに視覚野と多くのフィードバックでつながっている脳の領域と関わる能力と切り離すことが簡単ではないようだからだ。しかも、前章の冒頭で紹介した「兵士とイヌ」の写真の状況を理解するといった、人間のような視覚知能を実現するために必要な知識は、インターネットからダウンロードされた何百万枚もの写真から学習することは無理で、現実の世界で何らかのかたちで経験しなければ身につかないものかもしれない。

　次の章では、とりわけ人間とコンピューターの学習方法の違いに重点を置いて、視覚に関連した機械学習をさらに詳しく取

り上げる。さらに、訓練されたコンピューターが実際にどんなことを学んだのかを探っていく。

第**6**章
学習する機械を詳しく見る

　深層学習の先駆者であるヤン・ルカンは、多くの賞と称賛を受けた。だが、もしかしたらルカンにとっての最高の栄誉（たとえ奇妙なものであったとしても）は、ツイッターで「Bored Yann LeCun（退屈しているヤン・ルカン）」という彼の名前入りのユーザー名がついた非常にユーモアにあふれたパロディがつくられ、しかもそれが多くのフォロワーを集めたことかもしれない。「ルカンの休止時間に深層学習の台頭について思いを巡らす」というプロフィールとともに匿名で投稿されているこのツイッターアカウントは、この分野に詳しい者にしかわからない巧みなジョークが満載のツイートを、しばしば #FeelTheLearn（学びの熱さを実感せよ）のハッシュタグで結んでいる[原注1]。

　深層学習の威力をとりわけ「学習」に重点を置いて称えている、最先端の AI に関するメディアの報道は、確かに「学びの熱さを実感」しているようだ。その一例は次のようなものだ。「私たちは今や、課題のこなし方を自ら学ぶシステムを構築することができる[原注2]」、「深層学習によって、コンピューターはまさに自分で学べるようになった[原注3]」、「深層学習システムが学ぶ方法は、人間の脳のものとよく似ている[原注4]」

　この章では、コンピューター（とりわけ CNN を搭載したもの）の学習方法と、その過程が人間のものとどう異なるかについて詳しく見ていく。さらに、CNN と人間の学習方法の違いが、

両者が学んだものの頑健さと確かさにどう影響しているかも探っていく。

自力で学習するという点について

　一般的には深層ニューラルネットワークの「データから学ぶ」手法のほうが、人間のプログラマーが知的な行動のための明確なルールをつくる「古きよき AI」方法よりも、より高い成果をあげられることがわかっている。だが、一部のメディアが報じていたのとは違って、CNN の学習過程は人間のものとはさほど似ていない。

　ここまで見てきたとおり、最も高い成果を出す CNN は「教師あり学習」方法で学習している。そうした CNN は何エポック（1 エポックとは訓練データセットを一巡すること）もの訓練を行うなかで、訓練用セットのサンプルデータを何度も何度も処理して重みを少しずつ変えていき、各入力をあらかじめ定められたカテゴリー候補内の正しいものに分類して出力できるよう学習していく。それに対して、人間の場合は小さい子どもでさえも、上限数や種類が定められていないカテゴリーを学び、しかもそのほとんどのカテゴリーについて、いくつかの例を見ただけで各カテゴリーに含まれる物体を認識できるようになる。そのうえ、子どもたちは受け身で学ぼうとはしない。質問したり、好奇心を抱いたものについてもっと知りたいとねだったり、抽象的な概念や二つの概念のつながりを推測したりしようとする。それになんといっても、子どもたちは自分のまわりの世界を積極的に探検しようとする。

　「成果を出している今日の CNN は、『自力で』学習している」というのは正確ではない。前章で説明したとおり、CNN がタ

スクのこなし方を学習するためには、人間がCNNの基本的な論理構造の多くの面を設計するのに加えて、データの収集、整理、ラベルづけもしなければならず、それらはみな多大な労力をともなう。CNNはバックプロパゲーションを使って訓練データから「パラメータ」（ここでは「重み」を意味する）を学ぶが、この学習方法を可能にするのは「ハイパーパラメータ」と呼ばれる集合体だ。ハイパーパラメータとは、このネットワークが学習を始める以前に人間が設定しなければならないあらゆる面の総称である。たとえば、ネットワークの層の数、各層におけるユニットの「受容野」の大きさ、学習の過程で各重みをどの程度変化させるか（これを「学習率」という）といった、訓練における技術面でのさまざまな細かい設定はみなハイパーパラメータである。CNNの設定におけるこの部分を、「ハイパーパラメータのチューニング」という。設計の複雑な点についての判断が求められるし、設定しなければならない値も多い。しかも、こうした設計と設定は複雑なかたちで相互に作用し、それがネットワークの最終的な性能に影響を与える。そのうえ、こうした設定や設計は、通常はネットワークが訓練されるタスクごとに新たに決めなければならないものだ。

　ハイパーパラメータのチューニングはごくありきたりな作業のように見えるかもしれないが、これをうまくこなせるかどうかがCNNをはじめとする機械学習システムの出来を決定的に左右する。こうしたネットワークの設計は変更や拡張が自由にできるため、一般的にはたとえ自動検索を利用しても、パラメータ設定や設計を自動化することはできない。たいていの場合、こうした作業にはある種の秘伝の知識が必要で、機械学習分野の学生はベテランのもとで修業を積んで、苦労して得た経験に

よって身につけるしかない。こうした状況について、当時マイクロソフトの研究所長だったエリック・ホーヴィッツ（訳注：現在は同社の最高科学責任者）は「今現在の私たちがやっていることは科学ではなく、ある種の錬金術です」と指摘している[原注5]。また、こうした「ネットワークにささやきかけて操る術」に長けている人々は、入会するのが極めて難しいクラブの選ばれたごく少数の会員のような存在だ。グーグル傘下のディープマインド共同創業者デミス・ハサビスが「こうしたネットワークのシステムに最善の成果を出させるための手法は、もはや芸術の域に達しています……これを本当にうまくこなせる人は、世界に数百人ほどしかいません」と語っているように[原注6]。

　それでも、深層学習を専門にする研究者の数は急速に増えている。現在では多くの大学がこの分野の講座を開講しているし、従業員向けの独自の深層学習研修プログラムを導入した企業も増えてきた。件の「深層学習会員クラブ」に加われるほどの実力者は、大儲けをすることも夢ではない。私が最近出席した会議では、マイクロソフト AI 製品部門のトップが若手の深層学習技術者を確保する大変さを説明するなかで次のように語っていた。「5 層ニューラルネットワークの訓練ができる若手は、数万ドルの報酬が約束されるでしょう。さらに、50 層ニューラルネットワークの訓練ができる若手なら、数百万ドルの報酬を要求しても認められるはずです」[原注7]。将来大金を手にできそうな若手研究者にとって運のいいことに、こうしたネットワークはまだ当分自力で学習することはできないのだ。

ビッグデータ

　深層学習には「ビッグデータ」が必要だ。これはよく知られ

ている事実である。この「ビッグ」とは、ImageNet内にある100万枚以上のラベルつき訓練用画像くらいの規模を指している。これらのデータはどこから来たのだろうか？　それはもちろん、あなたと、そしておそらくあなたが知っているすべての人からだ。今日のコンピュータービジョンアプリケーションは、インターネットの利用者がアップロードした、しかも（ときには）写っている内容を説明するテキストでタグづけした、何十億枚もの画像があるからこそ実現できるものだ。あなたは自身のFacebookサイトに友人の写真を投稿して、コメントをつけたことがあるだろうか？　もしそうだとしたら、フェイスブックはあなたに感謝しているはずだ！　その画像とテキストは、同社の顔認識システムの訓練に使われたかもしれないからだ。あるいは、Flickrに画像をアップデートしたことは？　もしそうだとしたら、あなたの画像はImageNetの訓練データセットの一部になっているかもしれない。または、あるウェブサイトを訪れたとき、「あなたはロボットではない」ことを示すために写真に何が写っているのかを答えさせられたことはないだろうか？　その答えは、グーグルが同社の画像検索システムを訓練するために使う画像のタグづけに役立ったかもしれない。

　大手のテクノロジー企業は、ウェブ検索、ビデオ通話、電子メール、SNS、自動パーソナルアシスタントといった、コンピューターやスマートフォンで利用できる無料のサービスを多々提供している。こうした企業の目的は、いったい何だろうか？あなたが耳にしたことがある答えは、「彼らの本当の商品は提供しているサービスの『ユーザー』（たとえばあなたや私）であり、本当の『お客様』はこうした『無料サービス』を利用中の私たちの関心を集めて情報を奪う広告主である」というもの

かもしれない。だが、次のような考え方もある。グーグル、アマゾン、フェイスブックなどのテクノロジー企業によるサービスを利用するとき、私たちがそうした企業に画像、動画、テキスト、音声といったかたちでサンプルデータを直接提供することで、彼らはそのデータを活用して自社の AI プログラムにより優れた訓練を行えるようになる。そうして改良されたプログラムはより多くのユーザーを集め（すなわちより多くのデータも集まる）、広告主が広告の対象をより効果的に絞るために役立つ。さらに、私たちが与える訓練用のデータは、コンピュータービジョンや自然言語処理といった、ほかの企業に有料で提供できる「法人向け」サービスの訓練にも活用できる。

こうした大手企業が、ユーザーが作成したデータ（たとえば、あなたが自身の Facebook サイトにアップロードした画像、動画、テキストなど）を彼らへの報告や報酬なしにプログラムの訓練や商品の販売に利用することの倫理については、すでに多くの著書や解説記事で論じられている。これは重要な議論ではあるが、本書の範囲を超えている。私がここで明確にしたかったのは、深層学習が人間の学習と異なる点のひとつは、こうした膨大な量のラベルつき訓練データに依存しているということだ。

深層学習システムの実世界での応用が急速に進むにつれて、企業は深層ニューラルネットワークを訓練するための新たなラベルつきデータセットが必要なことに気づいた。その代表的な例は自動運転車だ。自動運転車は道路の車線、信号機、一時停止の標識などを認識し、さらにはほかの車、歩行者、自転車、動物、三角コーン、倒れているゴミ箱、回転草といった、もし目の前に現れたら避けなければならない人や物に事前に気づい

て注意を怠らないために、高度なコンピュータービジョン技術を必要とする。自動運転車はそうしたさまざまな物体が「晴天、雨、雪、霧といった天候のなか、あるいは昼間や夜間にどんなふうに見えるか」「どの物体が動く可能性が高く、どの物体がじっとしたままなのか」を学習しなければならない。こういった課題をこなすうえで深層学習は少なくともある程度は役に立ってきたが、深層学習を行うには例によって大量の訓練データが必要となる。

　自動運転車のメーカーはそういった訓練データを、カメラつきの車が実際に幹線道路や街なかの通りを走っているときに撮影した数え切れないほどの時間数の動画から収集している。こうしたデータを提供する車は、メーカーが公道でテストしている自動運転車の試作車（プロトタイプ）だったり、あるいはテスラの場合は購入者が運転している車だったりする。実はテスラの車を購入する人は、同社とデータを共有する方針に同意しなければならない仕組みになっている。[原注9]

　とはいえ、テスラ車の所有者は自身の車が撮影した動画のあらゆる物体をラベルづけすることは求められていない。しかし、誰かがやらなければならない。『フィナンシャル・タイムズ』紙の2017年のある記事に、次のような記述がある。「この分野の技術開発に取り組んでいる企業の多くは、たいていはインドか中国に置かれた海外の業務委託センターで、何百、ときには何千人をも雇っている。作業員たちの仕事は自動運転車に歩行者、自転車といった運転の障害になる恐れのある人や物を認識するよう教えることだ。その方法とは、何千時間分もの動画の通常は一コマごとに、手作業でテキストをつける（これを『ラベルづけ』という）ことである」。[原注10]また、データのラベルづけ

を請け負う新たな企業も次々に誕生している。その一例である
マイティAIは「コンピュータービジョンモデルの訓練のため
に企業が必要としているラベルつきデータ」を提供し、「自動
運転車関連のデータ作業を専門とする、能力や実績が証明され
た信頼できる注釈者」による作業を保証している。^{原注11}

ロングテール

　大規模のデータセットと大勢の人間の注釈者を利用した教師
あり学習の手法は、自動運転車に必要な視覚能力の少なくとも
一部の実現には役立った（現在の多くの企業は教師あり訓練を
増強する手段として、ビデオゲーム（訳注：「テレビゲーム」とも
いう）のような運転シミュレーションプログラムの活用を模索
している）。だが、運転以外の日常生活の場面ではどうだろう
か？　教師あり学習は汎用的AIの実現につながる手段ではな
いというのが、AI分野に携わっているほぼすべての人の意見だ。
AI研究者として名高いアンドリュー・エンは、「これほど膨大
なデータを必要とする点が、今日の［深層学習の］大きな制約
だ」と厳しく指摘している。^{原注12}同じく高名なAI研究者ヨシュ
ア・ベンジオも、「この世界のあらゆるものをラベルづけして、
それが何であるかをコンピューターに事細かく念入りに説明す
るのは現実的に不可能だ」とエンに同意している。^{原注13}

　この問題は、AIシステムが直面する恐れのある思いがけな
い状況が広範囲にわたって存在しているという「ロングテール
現象」によって、さらに深刻化している。**図13**は、自動運転
車がたとえばある1日の運転中に遭遇するかもしれないさまざ
まな状況を想定することによって、この現象を示したものだ。
「赤信号や一時停止標識を前方に見る」といった非常によくあ

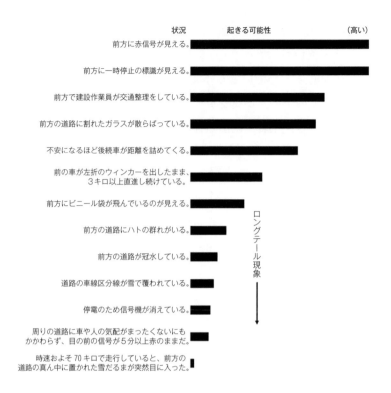

図 13 自動運転車が遭遇するかもしれない状況を可能性の高い順に並べることで、ありそうにない事態の「ロングテール」を示したグラフ

る状況は、「起こる可能性が高い」とされる。「起こる可能性が中程度」とみなされるのは、「散らばっている割れたガラス」や「風に飛ばされてきたビニール袋」といった例だ。それらは毎日起きるわけではないが（運転している場所にもよるが）、かといって決して珍しい事柄でもない。一方、あなたが乗っている自動運転車が「冠水した道路」「雪に覆われた車線区分線」に遭遇する可能性はかなり低いし、ましてや高速道路の真ん中に置かれた雪だるまに直面する確率はさらに低いだろう。

　この図は私がさまざまな事態を想定して、それらが起きる相

対的な確率を予想したものだ。あなたも自身の場合を思い浮かべながら、さらに多くの状況が考えられるだろう。個々の車はおそらく安全なのだろう。なにしろ、自動運転車の全テスト車の走行距離を合わせると何百万キロにもなるにもかかわらず、事故件数は比較的少ないのだから（よく知られている何件かの死亡事故は除いて）。とはいえ、自動運転車が普及すれば、たとえ個々の車にとって起きる可能性が低いと考えられる事態は当然ながらまず起きないかもしれないが、これだけ多くの車が走っていてしかも運転中に実にさまざまな事態が起こりうるこの世の中においては、そのなかの1台の自動運転車がいつかそういった事態のひとつに遭遇する可能性は大いにあるといえるのだ。

「ロングテール」という用語は統計学に由来していて、図13のような特定の確率分布を指している。起こる可能性が極めて低い（だがありえないものではない）状況が長々といくつも並んでいる部分を、分布の「テール（尾）」という（テールに含まれている状況は「エッジケース」と呼ばれることもある）。実世界においてAIが応用されている領域の大半で、こうしたロングテール現象が見られる。実世界の出来事は予測しやすいものが多いが、それでも起きる確率が低い不測の事態がいくつもあって、それらがロングテールとなっている。この現象は、私たちが教師あり学習だけに頼ってAIシステムに世の中の知識を与えた場合に問題となる恐れがある。なぜなら、テールの部分に含まれる状況はたとえ訓練データに登場したとしてもどれも十分な回数ではないため、システムがそうした予想外の事態に直面したときエラーを起こす可能性が高くなるからだ。

　実際に起きた例を二つ挙げる。2016年3月にアメリカ北東

図14 吹雪の予報を受けて事前対策としてまかれた塩の白線が、テスラのオートパイロット機能を混乱させていると報告された

部で猛吹雪の予報が出されたとき、テスラ車に搭載され部分的な自動運転を可能にする「オートパイロット」機能が、車線区分線と、吹雪対策で高速道路にまかれた塩の白線とを混同しているという報告が、ツイッターにいくつも投稿された（図14）。2016年2月には、グーグルの自動運転車の試作車のうちの1台が、カリフォルニアの道路で右折しようとした際に道路の右側に積まれた土のうを避けようとして左にそれた瞬間、車体の左前方部の左車線を走っていた公共バスにぶつかった。どちらの車両も相手が譲るだろうとみなしていた（もしかしたらバスの運転手は、運転する人は普通なら自分の車よりずっと大きなバスの車体に恐れをなすものだと思っていたのかもしれない）。

自動運転車の技術開発に取り組んでいる企業は、ロングテール現象の問題を強く認識している。開発チームはロングテール

に含まれる可能性のある状況について意見を出し合って、思いつくかぎりの起こりそうにない事態に積極的に対処するための特別なプログラムを新たに組んだり、追加の訓練データを作成したりしている。だが当然ながら、遭遇しうるあらゆる状況に対して追加プログラムを組んだりシステムを訓練したりするのは不可能だ。

　この問題に対して通常提唱される解決策は、ラベルつきデータによるAIシステムの教師あり学習は小規模に留めておいて、残りはすべて「教師なし学習」を使った訓練で学ばせるというものだ。「教師なし学習」という用語は、ラベルつきデータなしでカテゴリーや行動を学習するための幅広い種類の手法を指す。サンプルデータを類似性に基づいてグループ分けする手法や、既知のカテゴリーからの類推によって新しいカテゴリーを学習する手法もその例だ。のちの章で詳しく説明するが、人間は抽象的な類似性を見抜いたり類推したりすることに秀でている一方、こうした方法を使ったAIの教師なし学習で大きな成果があったものはいまだ開発されていない。ヤン・ルカン自身もそれを認めるように「教師なし学習はAIの『暗黒物質』だ」と語っている。つまり、汎用的AIを実現するためにはその大半の学習は教師なし学習によるものでなければならないはずだが、効果的な教師なし学習を行うために必要とされる何らかのアルゴリズムを考えついた者はまだ誰もいないというわけだ。

　人間とはつねに間違うものであり、それは運転しているときでさえ（あるいは「とりわけ」というべきかもしれない）そうだ。誰にだって、先ほど挙げた例のように土のうを避けようとして公共バスに衝突する可能性はある。とはいえ、人間は、現

在のどんな AI システムにも欠けている、ある基本的な能力を備えているものでもある。それは「常識的判断」だ。私たちは世の中について、物的、社会的な両側面での膨大な背景知識を持ち合わせている。私たちは物体（無生物も生きているものも）が取りうる行動を察知する能力に長けているし、しかもその情報を大いに活用して、与えられたどんな状況においてもどのように振る舞えばいいかを判断できる。それゆえ、私たちはたとえ雪のなかを運転した経験が一度もなくても、道路にまかれた塩の白線の意味を察することができる。あるいは停電で信号機が消えているときには、それに対処するためにアイコンタクト、手信号といった身振り言語（ボディランゲージ）を使ってほかの人とやりとりする方法を知っている。さらに、厳密には自分に優先権があったとしても、巨大な公共バスに道を譲るものだと普通はわかっている。ここでは運転時の出来事を例にしたが、私たち人間は生活のあらゆる側面で常識的判断を（通常は無意識に）行っている。「複雑な実世界の状況において AI が人間と同じような常識的判断ができるようになるまでは、完全自律型の AI は信頼するに足りないだろう」というのが多数の意見だ。

訓練したネットワークは何を学んだのか？

　数年前、当時大学院生で私の研究グループに所属していたウィル・ランデッカーは、深層ニューラルネットワークが写真を「動物が含まれている」「動物が含まれていない」の二つに分類できるようにするための訓練を行った。図 15 のような写真で訓練されたネットワークは、テスト用のセットでもこのタスクを大変うまくこなした。とはいえ、このネットワークは実際にどんなことを学習したのだろうか？　ウィルが念入りな調査を

A   B

図15 この分類タスクで使われる「動物が含まれている」と「動物が含まれていない」写真の例。見てのとおり、左の画像の背景はぼやけている

行ったところ、意外な結果が判明した。そのひとつは、訓練されたネットワークは実際に動物が含まれていようがいまいが、背景がぼやけている画像を「動物が含まれている」に分類するよう学んでいたというものだった。[原注14] 訓練用とテスト用のセットに使われた自然を撮影した写真は、どれも「被写体にピントを合わせる」という写真撮影の鉄則に従ったものだった。それゆえ、写真の被写体が動物のときは、図15 Aのように動物にピントが合わされて背景はぼやける。一方、図15 Bのように景色自体が被写体のときは、何もぼやけない。ウィルにとって残念なことに、彼が訓練したネットワークは動物を認識することを学んでいなかった。代わりに「ぼやけた背景」といったより認識しやすく、なおかつ動物と統計的に関連していた手がかりを利用することを学習したのだった。

　これは機械学習でよく見られる現象の一例だ。コンピューターはあなた（人間）が画像データで読み取ったものではなく、コンピューター自身が読み取ったものを学習する。訓練データに何らかの統計学的な関連があれば、たとえそれが目下のタス

クに対して見当違いなものであっても、コンピューターはあな
たが学んでほしいと思っていたものの代わりにそちらをうまく
学習しようとするだろう。その結果、コンピューターが同じ統
計学的な関連を持つ新たなデータでテストされた場合は、問題
となっているタスクをうまく解決する方法を学習したように見
える。だが、そうしたコンピューターがいきなり間違えること
がある。ウィルのネットワークが、背景のぼやけていない動物
の画像を与えられたときのように。これを機械学習分野の専門
用語では、ウィルのネットワークは特定の訓練用セットに対し
て「過学習」したという。そのため、訓練で使われたデータと
異なる画像に対しては、学習したことをうまく適用できないの
だ。

　近年、ImageNet をはじめとする大規模なデータセットで訓
練された CNN も、同じように訓練データに対して過学習した
かどうかを、いくつかの研究チームが調査した。あるグループ
の調査では、インターネットからダウンロードされた画像
（ImageNet 内のようなもの）で訓練された CNN は、カメラつ
きのロボットが家のなかを動きまわって撮影した画像に対して
成果が不十分だったことが判明した。^{原注15}どうやら、無作為な角度
から撮影された家のなかの物は、私たちがウェブサイトに投稿
する写真とは見え方がずいぶん違う場合があるようだ。別のグ
ループは、わずかにぼやかす、斑点をつける、一部の色を変え
る、写っている物体の向きを変えるといった見た目の変化を施
された画像では、たとえそういった攪乱が画像内の物体に対す
る人間の認識能力に影響しなくても、CNN に重大な間違いを
起こさせる可能性があることを示した。^{原注16}「物体認識で人間を超
えている」と言われたシステムさえもあてはまる CNN のこの

158

予想外の脆弱さは、CNN が訓練データに対して過学習をしていて、私たち人間が教えようとしていることとは別の何かを学習していることを示している。

バイアスがかかったAI

　CNN のこうした不確実さは、きまりが悪いだけではなく害を与えかねないような間違いを引き起こす恐れがある。2015 年、Google フォトに（CNN を利用した）自動写真タグづけ機能を新たに搭載したと発表したグーグルは、その後の悪評への対応に四苦八苦することになった。問題となったニューラルネットワークは、「飛行機」「車」「卒業」といった画像には全体を説明するタグを正しくつけたのだが、図 16 のとおり 2 人のアフ

図 16　大問題となった「ゴリラ (Gorillas)」タグをはじめとする、グーグルの自動写真タグづけ機能によってつけられたラベル

リカ系アメリカン人の自撮り写真を「ゴリラ」とタグづけして
しまったのだ（平謝りしたあとに急場をしのごうとしたグーグ
ルがとった解決策は、ネットワークのカテゴリー候補の一覧か
ら「ゴリラ」タグを削除することだった）。

　人を不快にさせ、世間から冷笑されるこうした判別ミスは、
それに関わった企業にとって恥ずべきことだ。それにもかかわ
らず、人種や性差に関するバイアス（訳注：偏見、差別）による
さらに気づかれにくい間違いが、深層学習によって訓練された
視覚システムで頻繁に報告されている。たとえば、一般向けに
製品化された顔認識システムは、女性や非白人の顔よりも白人
男性の顔をより正確に認識する傾向がある。[原注17]カメラに搭載され
た顔認識用ソフトウェアは、黒い肌の顔を見落としたり、アジ
ア人の顔つきを「目を細めてまばたきしている」と判断したり
する場合がある（図17）。

　マイクロソフトの研究者で、AIの公平性と透明性を求める
活動家でもあるケイト・クロフォードの指摘によると、顔認識
システムの訓練に幅広く使われているあるデータセットに含ま

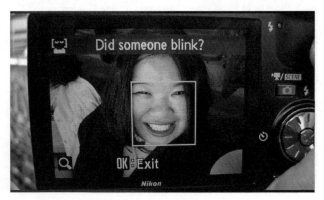

図17　アジア人の顔つきを「目を細めてまばたきしている」と認識した、
　カメラの顔認識の例

れている顔データの 77.5 パーセントが男性、83.5 パーセントが白人のものだそうだ。これはさほど驚くべきことではない。というのも、そうした画像はインターネットでの画像検索の結果からダウンロードされたものであり、インターネットに掲載されている顔写真は有名人や有力者のものに偏っている。そして、そういった人々の大半が白人男性だからだ。

　当然ながら、AIの訓練データのバイアスは私たちの社会のバイアスを反映したものだ。だが、こうしたバイアスのかかったデータで訓練された AI システムが世間に普及すれば、それによって現実のバイアスがますます大きくなって実害を与える恐れがある。たとえば、顔認識システムはクレジットカード決済、空港での検査、防犯カメラなどで本人確認や人物を特定するための「確実な」方法として、ますます多くの場所で導入されている。さらには、投票システムといったより多くのアプリケーションで本人確認に使われるようになるのも時間の問題かもしれない。そうなれば人種グループ間でのほんのわずかな精度の差さえ、公民権や、生活に極めて重要なサービスの利用に悪影響を与えかねない。

　こうした各データセットにおけるバイアスは、セット内の写真（ほかの種類のデータも）に写っている人種や性別などのバランスが取れるよう人間が確認すれば、減らすことができる。だが、これはデータを整理する人間に、バイアスをなくそうとする意識と努力が必要だ。しかも、捉えづらいバイアスの場合は、その存在自体や影響を探り出すのが難しいことが多い。たとえば、ある研究グループがさまざまな場面の人々が写った写真の大規模なデータセットで訓練した AI システムは、台所に立っている男性を誤って「女性」に分類してしまう場合がある

ことが判明した。この原因は、データセットに含まれていた台所の場面のサンプル写真には、女性が写っているものが多かったことだ。[原注18]一般的には、こういった捉えづらいバイアスを事前に察知することは難しく、システムの誤認識によって初めて明るみに出る場合が多い。

　AI技術の応用におけるバイアスの問題は近年大きく注目されていて、このテーマを重点的に扱った論文やセミナー、さらには学術研究機関の研究も増えている。AIの訓練に使われるデータセットは、今現在の多くの事例のようにバイアスに満ちた社会を反映するべきなのか？　それとも社会を改革するという明確な目標を達成するために、操作されるべきなのだろうか？　後者の場合、より具体的な目標の設定やデータの操作を、誰の手に委ねればいいのだろう？

途中の式を見せる

　あなたも子どもの頃、算数の宿題ノートに「途中の式を書きなさい」と先生に赤ペンで書かれたことがあったのではないだろうか？　私にとって途中の式を書くのは、算数の勉強のなかで一番面白くないことだった。とはいえ、私が自分のやっていることを本当に理解しているのか、抽象的な概念を正しくつかんでいるのか、正しい道筋で答えを導き出したのかどうかを先生に示すためには、途中の式を書く作業は私にとって一番大事なことだったのだろう。さらに、途中の式を書くことは、私がなぜその問題の答えを間違えたのかを先生が把握するためにも役立った。

　もっと一般的な話をすれば、自分が出した答えや判断に「どのようにして」到達したかを説明できる人は、自分自身が何を

しているのかをわかっている人だと周りから思われやすい。だが、「途中の式を見せる」ことは、現代のAIシステムの基盤と称されるほどの深層ニューラルネットワークでさえ簡単にできることではない。第4章で取り上げた「イヌ」と「ネコ」の物体認識タスクを例にして考えてみよう。前に説明したとおり、畳み込みニューラルネットワークは何層にもわたる一連の数学的操作（畳み込み）を行うことで、入力画像にどんな物体が含まれているのかを判断する。タスクをこなせる十分大きな規模のネットワークでは、そうした操作は何十億回もの演算を行うことを意味する。与えられた入力に対してネットワークが行ったすべての足し算や掛け算の一覧表をコンピューターに印刷させるプログラムを組むのは簡単ではある。だが、人間にとって、そんな一覧表を見たところでそのネットワークがどのようにして答えに辿りついたのかを知る手がかりにはまったくならない。10億回もの演算の一覧表は、人間が理解できる説明とはいえない。深層ネットワークを訓練する人間さえ、自身が訓練したネットワークが下した判断を、その過程を念入りに見て説明することは通常できないのだ。MITが刊行している『テクノロジーレビュー』誌は、この不可入性を「AIの中心にある、闇に包まれた秘密」と呼んだ。[原注19] 私たち人間にとってそれがなぜ不安なのかというと、AIシステムの仕組みが理解できないということは、そのシステムを信頼したり、それがどんな状況に置かれたときに間違いを犯す可能性が高いかを予測したりできないということだからだ。

　もちろん人間だって、自分が思考する過程を常に説明できるわけではない。ましてや、ある判断を下した他人の脳（あるいは「直感」）を念入りに調べて、どのようにしてその結論に至

ったのかを把握することなどまずできない。だが、たいていの場合、人間はほかの人間も物体認識や言語理解といった認知作業を正しくこなせるものだとみなしている。それゆえ、人は相手が自分と似たような考えを持っているはずだと考えて、その人を信用する。つまり、あなたは自分が出会った相手も、あなた自身と十分似た人生経験を持っていると考えている。そうして、あなたは自身が周囲の世界について理解、説明、判断するときの拠り所にしている基本的な背景知識、信念、あるいは価値と同じものを、相手も頼りにしているはずだとみなすのだ。要は、相手が人間であるかぎり、あなたには心理学で「心の理論」と呼ばれるものが備わっている。これは、ある状況下でのほかの人の知識と目的をモデル化したものだ。私たちが人間との場合に比べて深層ネットワークといったAIシステムを信用することが難しいのは、そうしたシステムに対する「心の理論」に相当するものを持っていないからだ。

　そんなわけで、現在最も注目されているAIの新たな分野が、「説明可能なAI」「透明なAI」「解釈可能な機械学習」といったさまざまな名称で呼ばれている研究であるのは、決して驚くべきことではないはずだ。こうした名称はAIシステム、とりわけ深層ネットワークが下した判断を、人間が理解できる方法でシステム自身に説明させるための研究を指している。この分野の研究者たちは、与えられた畳み込みニューラルネットワークが学習した特徴を可視化するための巧みな方法を考えついた。さらに、一部の例では、入力のどの部分が出力された判断に最も大きな影響を与えているかを見極める方法も考え出された。ただし、「説明可能なAI」は急速に発展している分野ではあるが、人間の言葉で流ちょうに説明できる深層学習システムの開

発にはまだ成功していない。

深層ニューラルネットワークをだます

　AIの信用性問題には、もうひとつの側面がある。研究者たちの発見によると、人間が深層ニューラルネットワークをこっそりだまして間違った判断をさせるのは驚くほど簡単だということだ。つまり、こうしたシステムを故意に陥れるための方法が、ただならぬほど数多くあるらしい。

　AIシステムをだますこと自体は、今に始まったものではない。たとえば、電子メールのスパム送信者たちは、何十年にもわたってスパム検出プログラムとのせめぎ合いを繰り広げてきた。だが、深層学習システムの弱点を突いてくる類の攻撃は、より捉えづらいし、しかもずっと厄介なのだ。

　第5章で取り上げたAlexNetを覚えているだろうか？　畳み込みニューラルネットワークのAlexNetが2012年度のImageNet競技会で優勝したことがきっかけとなって、CNNが今日のAI界の主流になった。前にも述べたとおり、このImageNet競技会におけるAlexNetの85パーセントというトップ5正解率によって、ほかの参加者たちはことごとく打ち負かされ、コンピュータービジョン分野の研究者たちはみな衝撃を受けた。ところが、AlexNetが優勝してから約1年後、グーグルのクリスチャン・セゲディとほか数名による"Intriguing Properties of Neural Networks"（ニューラルネットワークの興味深い性質）という控えめな題名の論文が発表された[原注20]。このなかで報告された「興味深い性質」のひとつは、AlexNetは簡単にだまされる恐れがあるというものだった。

　論文の著者たちはその代表的な発見として、AlexNetが高い

確信度で正確に分類した ImageNet の写真（例 –「スクールバス」）にピクセル単位のある非常に小さな細工を施して画像を歪めると、人間にはその変化がまったくわからないにもかかわらず、AlexNet は細工後の画像を高い確信度でまったく別のもの（例 –「ダチョウ」）に分類した例を挙げている。著者たちはこの歪められた画像を「敵対的サンプル」と名づけた。図18は、元の画像とそれに細工を施した敵対的サンプルの例だ。あなたは二つの違いがわからないって？　それは喜ばしいことだ！　どうやら、あなたは人間に間違いないようだ。

　セゲディと共同研究者たちは、AlexNet が正確に分類した「どんな」ImageNet の写真に対しても、人間には変化が見えないが AlexNet は高い確信度で誤ったカテゴリーに分類してしまうような敵対的サンプルを生成する、写真の具体的な細工方法を見つけ出すコンピュータープログラムを開発した。

スクールバス　　　ダチョウ　　　　カマキリ　　　　ダチョウ

寺院　　　　　ダチョウ　　　　シーズー犬　　　　ダチョウ

図18 AlexNet の元のサンプル画像と「敵対的サンプル」の例。各組の左側は、AlexNet が正しく分類した元の画像だ。右側は元の画像から生成された敵対的サンプル（画像にはピクセル単位の細かい細工が施されているが、人間には元の画像と変更後の新たな画像の見分けはつかない）である。AlexNet はこの敵対的サンプルをすべて高い確信度で「ダチョウ」に分類した

そこでセゲディと共同研究者たちが発見した重要な点は、敵対的サンプルに対するこうした感受性は、AlexNet特有のものではないということだ。つまり、構造、ハイパーパラメータ、訓練データセットが異なるほかのいくつかの畳み込みニューラルネットワークにも、同様の脆弱性があることが判明したのだ。こうした発見をニューラルネットワークの「興味深い性質」と呼ぶのは、豪華客船の船体に開いた穴を船の「考えさせられる一面」と称するようなものである。それらの性質は確かに興味深いし、さらなる探求が必要なのもわかる。だが、水漏れしている穴を修理してふさがなければ、この船は沈没してしまう。

　セゲディと共同研究者たちの論文が発表されてからまもなく、今度はワイオミング大学の研究グループが"Deep Neural Networks Are Easily Fooled"（深層ニューラルネットワークはだまされやすい）という、より率直な題名の論文を出した。[原注21]ワイオミング大学研究グループは「遺伝的アルゴリズム[原注22]」という生物学から発想を得た計算方法を利用して、画像を計算によって「進化」させることに成功した。その「進化後」の画像は人間には規則性のない一面の乱れ（ノイズ）にしか見えないが、それと同じ画像を与えられたAlexNetやほかの畳み込みニューラルネットワークは、99パーセント以上の確信度で特定の物体カテゴリーに分類した。図19はその例だ。ワイオミング大学研究グループは「深層ニューラルネットワーク（DNN）には、これらの画像はほぼ完ぺきに物体を認識できる例に見えている。それゆえ、DNNの真の汎化能力（訳注：未知のデータを認識する能力）に対する疑問や、DNNを利用した製品やサービスの弱点を突かれて［つまり悪用されるということ］被害が出る恐れが生じる」と指摘している。[原注23]

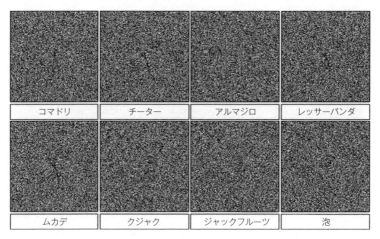

| コマドリ | チーター | アルマジロ | レッサーパンダ |
| ムカデ | クジャク | ジャックフルーツ | 泡 |

図19 畳み込みニューラルネットワークをだます目的で、遺伝的アルゴリズムを利用してつくられた画像の例。これらのすべての例に対して、（ImageNetの訓練用セットで訓練を受けた）AlexNetは画像内の物体が下のカテゴリーのものであると99パーセント以上の確信度で判断した

　この二つの論文とそれらに関連したその後の発見は、深層学習分野の研究者たちに疑問のみならず、大きな不安も抱かせた。コンピュータービジョンをはじめとするタスクで大きな成果をあげてきた深層ニューラルネットワークシステムが、人間には察知できない操作に簡単にだまされるのなら、そうしたネットワークの能力について「人間と同じように学習できる」「人間と同等かそれ以上」などと言っていいのだろうか？　これらのネットワーク内で使われているのは、明らかに人間の知覚とはまったく異なる得体の知れない何かだ。そのため、もしこれらのネットワークが実社会でコンピュータービジョン関連の製品やサービスに利用されるのなら、こうした類の巧みな操作でだまそうとするハッカーたちからネットワークを確実に守れる方法を編み出さなければならない。

こうした疑問や不安によって、少数で研究が行われていた「敵対的学習」の分野が脚光を浴びるようになった。この敵対的学習の研究とは、機械学習システムを攻撃しようとする（人間の）敵からシステムを守るための手法を開発することだ。敵対的学習の研究者たちははじめに、既存のシステムが攻撃を受ける恐れのある方法を実際に示そうとする。最近のそうした例には、衝撃的なものもある。たとえばコンピュータービジョンの領域において、ある研究グループは顔認識システムをだますための特殊な模様が入った眼鏡フレームを作成できるプログラムを開発した。だまされた顔認識システムは、この眼鏡をかけた人物を高い確信度で別の人物だと判断してしまうのだ（図20）。別の研究グループが開発した小さくて目立たないシールは、道路標識の上に貼ることで、自動運転車で使われているものとよく似たCNNを土台とした視覚システムに標識を誤認識

図20　有名人の顔の写真で訓練された深層ニューラルネットワーク顔認識システムに、左の写真を高い確信度で女優のミラ・ジョヴォヴィッチ（右）と判断させるために特別に作成されたパターンがついたフレームの眼鏡をかけているAI研究者（左）。この研究が報告された論文には、ほかにも「敵対的」な眼鏡フレームのパターンを使ったなりすましの例が多数挙げられている

させる（たとえば一時停止の標識を速度制限のものと判断させる）ことができる[原注25]。また、さらに別の研究グループは、医療画像分析用の深層ニューラルネットワークに対する予想される阻害攻撃の実例を示した。それによると、レントゲン写真や顕微鏡画像に人間には気づけない方法で細工をして、たとえばネットワークの当初の「この画像では確信度99パーセントでがんが見当たらない」という判断を「この画像では確信度99パーセントでがんが検出された」に変更させるようにするのは決して難しいことではないそうだ[原注26]。同研究グループは、こうした攻撃手段は（儲かる）追加診断検査用の費用を保険会社に請求するための虚偽の診断データ作成といった、病院関係者などの不正行為に利用される恐れがあると指摘している。

　ここで取り上げたのは数々の研究グループが実際に示した、起こりうる攻撃のほんの一例にすぎない。また、そうした実現可能な攻撃の多くが驚くほど悪質であることも判明している。ひとつの攻撃手段が、いくつかの異なるネットワークでも威力を発揮したのだ。たとえ異なるデータセットで訓練された別のネットワーク同士でも、同じ攻撃手段でだまされた場合もあった。しかも、ネットワークがだまされる恐れがあるのは、何もコンピュータービジョンの領域に限ったことではない。研究者たちは、音声認識やテキスト解析も含めた言語に対応する深層ニューラルネットワークをだます攻撃も実現することができた。こうしたシステムが実社会で普及するにつれて、悪意あるユーザーたちがこれらのシステムのさらなる脆弱性を見つけるであろうことは容易に想像できる。

　今現在の研究の主な課題は、こうした起こりうる攻撃を想定してそれに備えることだ。だが、特定の種類の攻撃については

研究者たちがすでに対策を見つけているにもかかわらず、汎用的な防衛策についてはまだ実現していないのが現状だ。どんな領域におけるコンピューター防犯技術と同様に、この分野においても成果はまだ「モグラたたき」のレベルに留まっている。つまり、ある脆弱性を検出してそれに対処できても、新たに見つかった別の脆弱性には異なる対策が必要になるという状況だ。グーグル・ブレインに所属しているAI専門家のイアン・グッドフェローは、「機械学習のモデルに対して考えうるあらゆる悪行のほとんどは、今やれば成功する……それらを防ぐのは、とてつもなく難しいのだ」と語っている。[原注27]

　攻撃をどのようにして防げばいいかという緊急の課題の先にある、敵対的サンプルの存在は、前に述べた疑問をますます大きくさせる。つまり、これらのネットワークはずばり何を学んでいるのだろう？　とりわけ知りたいのは「何を学べばこんなにだまされやすくなるというのだろう？」ということだ。あるいは最も重要な疑問は「私たちが教えようとしている思考をネットワークがきちんと学習したと、私たちは自分をごまかしているのか？」かもしれない。

　私は根本的な問題は、「理解」に関するものだと考えている。たとえば、図18について考察してみよう。AlexNetは「スクールバス」を「ダチョウ」に間違えてしまった。この間違いを人間がまず起こさないのはどうしてだろうか？　確かに、AlexNetはImageNetの画像で非常に高い成果をあげている。だが、私たち人間はそこに写る物体を見たとき、その物体についてAlexNetや最新のAIシステムが知らない多くのことを把握できるのだ。私たちは物体が三次元においてどんなふうに見えるのかわかっているし、しかもそれを二次元の写真から想像

できる。さらに、目にしている物体のはたらきも、その物体の
それぞれの部分が物体全体のはたらきでどんな役目を果たして
いるか、物体が通常どんな状況で現れるのかもわかっている。
ある物体を目にしたとき、それをほかの状況で見たとき、別の
視点から見たとき、あるいはほかの感覚様相（私たちは物体の
感触、匂い、落としたときに立てる音といったものを覚えてい
る）で捉えたときの記憶がよみがえってくる。こうした背景知
識はすべて、目にした物体を確実に認識する人間の頑健な能力
を強化するために利用される。最も優れた AI 視覚システムで
さえ、こうした理解やそれがもたらす頑健性に欠けている。

　人間だって「敵対的サンプル」の人間版といえる「錯視」
（訳注：「目の錯覚」ともいう）に陥るではないか、と一部の研究者
が議論しているのを耳にしたことがある。つまり、AlexNet が
「スクールバス」を「ダチョウ」と判定してしまうように、人
間も錯覚（例 – 図 21 の 2 本の横線が同じ長さにもかかわらず、
上のほうが長く見える）に陥りやすいではないかというわけだ。
しかし、人間が犯すその類の間違いは、畳み込みニューラルネ
ットワークが犯しやすいものとはかなり異なっている。私たち
人間が日常のなかで物体を認識するための能力は、非常に頑健

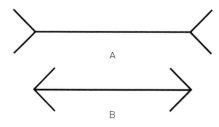

図 21　人間が陥る錯視の例。図Ａと図Ｂの横線の長さは同じだが、
　　　　たいていの人には図Ｂよりも図Ａの横線のほうが長く見える

なものへと進化を遂げた。なぜなら、私たちが生き残れるかどうかは、それにかかっているからだ。今日のCNNとは異なり、人間（動物も）の知覚は、先ほど説明したような状況に依存した理解の一種である「認知」によって高度に統制されている。しかも、今日のコンピュータービジョンアプリケーションに使われているCNNが通常完全にフィードフォワード型であるのに対して、人間の視覚系ではフィードフォワード型の接続よりもフィードバック型（逆向き）の接続のほうがずっと多い。こうした大量のフィードバックの役割については、神経科学者たちもまだよくわかっていない。だが、それらのフィードバック型の接続の少なくとも一部が、CNNが影響を受けやすい敵対的サンプルと似たようなものへの脆弱性対策に効果を発揮していると、推測できるのではないだろうか。だとすれば、CNNにも同じようなフィードバックを組み込めばいいのではないだろうか？　実はこの種の研究は現在活発に行われているが非常に難しい課題であるため、フィードフォワード型ネットワークのような成果をあげられるものはまだ実現していない。

　ワイオミング大学のAI研究者ジェフ・クルーンは、「深層学習は『本物の知性』なのかそれとも『賢馬ハンス』なのか、とても興味深い」という非常に挑戦的な例えを示した。賢馬ハンスとは20世紀初めのドイツで、ドイツ語がわかると同時に計算もできると持ち主が宣伝して人気となった馬だ。ハンスは「15割る3は？」といった問題に対して、蹄で地面を正しい回数分叩くことで答えた。だが、賢馬ハンスが世界的に有名になったのちに行われた綿密な調査の結果、ハンスは投げかけられた質問やその数学的な考え方を実際に「理解」していたのではなく、質問者が無意識に送っていたかすかな合図に反応して地

面を叩いていたことが判明した。そうして「賢馬ハンス」は、理解しているように見えるが実は指導者や訓練係が意図せずに与えた合図に反応している人（プログラムも！）の例えとなった。では、深層学習が示しているものは「本物の理解」なのか、それともコンピューター版の「賢馬ハンス」がデータ内の見せかけの合図に反応しているのだろうか？　これが現在のAI界で白熱した議論を巻き起こしているテーマだ。しかも、各AI研究者たちの「本物の理解」の定義が必ずしも一致していないため、議論は輪をかけて激しくなる一方である。

　一方では、教師あり学習で訓練された深層ニューラルネットワークはコンピュータービジョン分野のみならず、音声認識や翻訳といった他分野の多くの問題に対しても（完ぺきにはまだほど遠いが）非常に高い成果をあげてきた。その優れた能力ゆえ、それらのネットワークは研究の場から急きょ実世界へ移され、ウェブ検索、自動運転車、顔認識、バーチャルアシスタント、推薦システムといった製品やサービスに応用されるようになった。現在では、そうしたAIによる製品やサービスなしの生活は、ますます考えられなくなっている。だが他方では、深層ニューラルネットワークが「自力で学習する」や、その訓練が「人間の学習方法と似ている」と言うのは誤解を招く恐れがある。こうしたネットワークの優れた成果を評価するときは、訓練データに対する過学習やロングテール現象、あるいはハッキングに対する脆弱性によって、それらのネットワークが思いがけない間違いを犯す恐れがあることも十分考慮しなければならない。しかも、深層ニューラルネットワークによって下される判断はたいていの場合理解しづらいため、それらのネットワークが犯すかもしれない間違いを予測したり、間違いを修正し

たりするのは難しい。研究者たちは深層ニューラルネットワークの信用性や透明性の向上に積極的に取り組んではいるが、それでも次のような疑問に対する答えはまだ出ていない。これらのシステムに人間のような理解が生じないかぎり、脆さ、不確かさ、攻撃に対する弱さは永遠についてまわるものなのだろうか? また、この問題について、実世界にAIシステムの技術を応用するかどうか判断する際に、どのように考慮に入れるべきだろうか? 次章では、AIの有益性と、AIの信頼性の欠如や誤用による危険性とのバランスを取るという、手強い挑戦に立ち向かっている例を紹介しよう。

第7章
信頼できる倫理的なAIとは

　深夜、オフィスでのクリスマスパーティを終えて、自動運転車に乗っている自分を想像してみてほしい。外は真っ暗で、雪が降っている。「家に戻って」。ちょっと酔って疲れ気味のあなたは、そう車に話しかける。車が自動でエンジンをかけて、走っている車の流れに合流すると、あなたはシートにもたれてありがたい気持ちで目を閉じる。

　すべては上々。だが、実際はどれくらい安心して運転を委ねられるものなのだろうか？　自動運転車の成功は機械学習（主に深層学習）、とりわけコンピュータービジョンと意思決定を担うコンポーネント（訳注：プログラムの部品）に全面的にかかっているといっても過言ではない。自動運転車が身につけなければならないことをすべて学習したかどうかを、私たちはどうやって判断すればいいのだろうか？

　これは自動運転車業界において、何十億ドルもの膨大な金額が絡む問題だ。自動運転車がいつ頃私たちの日常生活で大きな役割を果たすようになるかについては、専門家たちのあいだでも意見が分かれていて、（これを書いている時点では）わずか数年後から数十年後までと予測に大きな差が見られた。自動運転車は、私たちの生活を大きく向上させる可能性を秘めている。自動化された車なら、酔っ払い運転や不注意運転が原因の多くを占める、年間何百万人もの交通事故による死者や負傷者を大幅に減らせるだろう。さらに、自動運転車は利用者にとって、

ただ運転に費やしていた通勤時間を生産的なものにできる。しかも、自動運転車は人間が運転する車よりも燃費がよくなる可能性が高いし、車を運転できない目の不自由な方や体を動かすのが不自由な方にとっては、本当にありがたいものになるだろう。だが、こうしたことすべての実現は、私たち人間が自動運転車を信じて自分の命を委ねられるかどうかにかかっている。

　機械学習は多くの領域で、人間の生活に影響を及ぼす判断を下すために導入されている。だが、あなたのニュースフィードを作成する、病気を診断する、ローンの申し込みを審査する、あるいは（とんでもないことだが）実刑判決を出すコンピューターが、信用できる意思決定者になれるほど十分に学習したという保証は、何をもってして得られるのだろうか？

　こうした疑問は AI 研究者たちのみならず社会全体にとっても悩み多き問題であり、現在および将来の AI の数々の有益な利用法と、AI の信用性や誤用に対する懸念を比較検討していくことがますます必要となるだろう。

役に立つAI

　社会における AI の役割を考えたとき、その問題点ばかり挙げてしまいがちだ。だが、AI システムがすでに社会に多大なる恩恵をもたらしていて、今後よりいっそう役立つ可能性を秘めていることを決して忘れてはならない。今日の AI 技術はあなたがいつも利用していて、しかもそこに AI が使われていることさえ気づかないようなサービスの中核になっている。例としては音声転写（訳注：「音声文字起こし」ともいう）、GPS によるナビゲーションおよびルート案内、電子メールのスパムフィルター、言語間翻訳、クレジットカード詐欺防止、本や音楽のお

勧め機能、コンピューターウィルスからの保護、建物内のエネルギー利用の最適化などがある。

　あなたがカメラマン、映像作家、芸術家、あるいは音楽家なら、たとえばカメラマン用の写真編集プログラム、作曲家向けの記譜や編曲プログラムといった、創造的な仕事を支援するAIシステムを利用しているかもしれない。学生なら、あなたの学習方法に合わせる「AIによる個人指導システム」が役に立つかもしれない。科学者なら、数多く出回っているデータ分析支援用AIツールのどれかを使った可能性が高いだろう。目が不自由、あるいは視覚に障害がある方なら、手書きまたは印刷された文章（例－「電源オン」の表示、レストランのメニュー、お札）を読み上げる、スマートフォン用のコンピュータービジョンアプリが役に立つかもしれない。聴覚に障害がある方なら、YouTubeの動画につけられた字幕は今ではかなり正確だし、講義をリアルタイムで音声転写しているところもある。これらは、現在のAIツールが人々の生活を便利にしているほんの数例だ。ほかにも、まだ研究段階ではあるが、すぐにでも社会で主流になりそうなAI技術がいくつもある。

　近い将来、AIを利用したアプリケーションが医療分野で急速に普及するだろう。病気の診断や治療の提言、新薬の開発、自宅にいる高齢者の健康や安全の見守りなどで医者を支援するAIシステムが登場するだろう。科学におけるモデル化やデータ分析、たとえば、気候変動、人口増加と人口動向、生態学や食料科学といった、社会が今後100年間で直面する主要問題のモデル改良においても、AIツールによりいっそう頼るようになるだろう。これこそがAIが秘めている最も重要な恩恵であると考えている、グーグル傘下のディープマインド共同創業者

のデミス・ハサビスは、次のように述べている。

　こうした問題に世界じゅうで最も優秀な人々が取り組んでい
るにもかかわらず、彼らひとりひとりと科学の専門家たちが一
生を費やしてさえも革新や進歩に必要な時間が足りないほど、
これら［の問題］が非常に複雑かもしれないという厳しい事態
に直面する恐れがあります……それゆえ、私は何らかの支援が
必要だと思うし、その解決策はAIだと思っています。^{原注1}

「将来、AIは退屈、疲れる、恥ずかしい、搾取的な、本当に
危険といった、人間が嫌がる仕事を代わりにするようになる」
という話は、誰もが聞いたことがあるはずだ。もしそれが実現
すれば、人間にとって幸福をもたらしてくれるまぎれもない恩
恵になるだろう（このコインの裏側、つまりAIが「あまりに
多くの」仕事を人間の代わりにするようになるという点につい
ては、あとで取り上げる）。工場での繰り返しの多い単純作業
ではロボットがすでに普及しているが、今日のロボットの能力
ではまだこなせない仕事も数多くある。だがAIが進歩するに
つれて、自動化される仕事がよりいっそう増えるだろう。将来
AIアプリケーションが仕事で使われる例として、自動運転ト
ラックやタクシー、果物収穫ロボット、消防ロボット、地雷撤
去ロボット、環境浄化ロボットなどが考えられる。さらに、惑
星や宇宙の探査において、ロボットは現在よりもはるかに大き
な役割を果たすようになるだろう。
　とはいえ、AIシステムがそういった仕事を代わりにするよ
うになることは、本当に社会に恩恵をもたらすのだろうか？
この疑問を別の観点から捉えるために、技術の歴史を紐解いて

みよう。次に挙げるのは、少なくとも先進国ではかなり前にその技術が自動化された、過去に存在した職業のほんの一例だ。洗濯人、人力車の運転手、エレベーター係、パンカワラ（インドで扇風機が登場する前の時代に、うちわをあおいで部屋を涼しくするためだけに雇われた使用人）、計算手（主に女性で、特に第二次世界大戦中に面倒な計算を手で行っていた）。こうした状況の仕事では機械が人間に取って代わるほうが、あらゆる点でその人々の生活をよりよくした、という意見に大半が同意するだろう。ということは、誰もやりたくないが誰かがやらなければならない仕事をますます自動化することで人間の生活をよりよくしているAIは、過去から続いてきたこの進歩の弧をさらに伸ばしているといえるのではないだろうか。

AIの大いなるトレードオフ

　AI研究者のアンドリュー・エンは、「AIとは新たな電気である」という楽観的な見解を示した。さらにエンはその理由について、「100年前に電気がほぼすべてのものを変化させたように、この数年間でAIによって変化しなさそうな産業をいくら考えても思いつきそうにない」と説明している。[原注2]もうすぐAIが電気そのものと同じように、電化製品に必要かつ目に見えない力になるというこの例えは興味深い。とはいえ、この二つの大きな違いは、電気は製品が広く普及するより先にその科学的性質がほぼ解明されていたという点だ。私たちは電気のはたらきを正確に予想できる。だが、今日の多くのAIシステムは、そういうわけにはいかない。

　これは、「AIの大いなるトレードオフ」と呼べるものにつながる。私たちは、私たちの生活を向上させ、場合によっては命

さえ救ってくれる AI システムの能力をありがたく受け入れて、これまで以上に広範囲で導入されるのを認めるべきだろうか？ それとも、今日の AI の予測不可能な間違い、バイアスのかかりやすさ、ハッキングに対する脆弱性、判断を下す際の透明性の欠如といった点を踏まえて、もっと慎重になるべきだろうか？ さまざまな AI アプリケーションにおいて、人間はどの程度それらの作業に関わるべきなのだろうか？ 自律的に作業させられるくらい AI システムを信用できるようになるために、私たちがそのシステムに求めるべきものは何だろう？ AI がますます盛んに導入され、将来期待されているその応用技術（例 – 自動運転車）はあと少しで実現するとうたわれているにもかかわらず、こうした疑問についてはいまだ激しい議論が行われている最中だ。

　それらの問題について一般的な見解が一致していない点は、ピュー研究所が行った最近の調査で改めて明確に示された。[原注3] 2018 年、ピュー研究所の分析者たちは 1000 人近い「テクノロジーの先駆者、革新者、開発者、ビジネスや政策担当のリーダー、研究者、活動家」を対象にして、次のようなアンケートを実施した。

　　2030 年には、AI とその関連技術システムの進歩が人間の能力を高め、人間によりいっそう力を与えていると思いますか？ 言い換えると、大半の人がおおむね現在よりもよりよい生活を送っていると思われますか？ あるいは、AI とその関連技術システムの進歩は人間の自律性を低め、大半の人が今日よりも不自由な生活を強いられると思われますか？

答えは分かれた。回答者の 63 パーセントは、AI の進歩によって 2030 年には人々は今よりもよい生活を送っていると予測した。一方、残りの 37 パーセントは反対の意見だった。回答者たちの意見は「AI は世界の貧困をほぼ解消し、病気を劇的に減らし、世界じゅうのほぼ全員によりよい教育を提供できる」という見方から「終末論的な未来」を予測するものまで多岐にわたっていた。ちなみに「終末論的な未来」とは、多くの仕事が自動化された機械に取って代わられる、AI の監視によるプライバシーや人権の侵害、善悪が区別できない完全自律型の兵器の開発、不透明で信頼性の低いコンピュータープログラムによる抑制のない意思決定、人種や性差に対するバイアスの増大、メディアの操作、サイバー犯罪の増加といった事態が現実となった社会、さらにはある回答者が「人間にとってまさに存在の根幹に関わるほど不適切」と称した社会を指したものだ。

　人工知能によって複雑に絡まった多くの倫理的な問題が生じていて、AI とビッグデータの倫理に関する議論はいくつもの書籍になっているほどだ。[原注4]この問題の複雑さを説明するために、今日大きく注目されているある例をより深く掘り下げる。その例とは、「自動顔認識」だ。

顔認識における倫理

　顔認識とは、画像やビデオ（あるいはリアルタイムのストリーミング動画）のなかの顔に名前のラベルづけをするタスクのことだ。たとえば、Facebook サイトではアップロードされたすべての写真に顔認識アルゴリズムを利用して、写真内の顔を検出しては既知のユーザーの顔（少なくとも見た目を加工していないユーザーのもの）と一致させようとする。[原注5]あなたが

Facebook サイトを利用していて、あなたの顔が写っている写真が誰かに投稿されると、写真のなかのあなたを「タグづけするか」とサイトが尋ねてくるかもしれない。Facebook サイトの顔認識アルゴリズムには、そのあまりの精度の高さに感心させられると同時に不気味な気分にもさせられる。この機能には深層折り畳みニューラルネットワークが採用されているといえば、その精度の高さもうなずける。このソフトウェアは人物が写真の真ん中で正面を向いているときのみならず、集団にまぎれているときでさえ、高い確率で顔を認識できるのだ。

　顔認識技術には、写真アルバム内の検索が簡単になる、視覚に障害があるユーザーがばったり会った人を見分けやすくなる、写真やビデオ内の顔を取り込んで行方不明になった子どもや逃亡中の犯人を見つける、なりすまし犯罪を見破るといった、今後実現しうる数多くの利点がある。その一方で、多くの人が不快感や脅威を抱くような用途を想像するのも難しくない。たとえばアマゾンは同社の顔認識システム（このシステムには「Rekognition」という、暗黒郷を思わせるような奇妙な名称がついている）を警察に売り込んでいる。警察はこのシステムを利用することで、たとえば防犯カメラの映像と、犯罪歴のある人物や疑わしい容疑者が登録されたデータベース内の写真とを比較できる。

　プライバシーにまつわる問題も大きい。私は Facebook サイト（顔認識機能がついたほかのどんなソーシャルメディアのプラットフォームも）を利用していないが、私も写っている写真に私の許可なくタグづけされ、のちに同サイトで自動的に認識される恐れがある。顔認識サービスを有料で提供している企業フェイスファーストの例もある。『ニュー・サイエンティス

ト』誌の記事によると、「フェイスファーストは、小売店向けのシステムを本格的に展開している。同社はこのシステムについて『お得意様が来店されるたびに彼らを認識して、売り上げの向上につなげ』、さらに『訴訟好きで有名な人物があなたの経営するどの店舗に入っても通知を送ります』と説明している」とのことだ。ほかにも多くの企業が似たようなサービスを提供している。

　だが顔認識で危険なのは、プライバシーを失うことだけではない。より大きな不安は、私たちが不利益を被るかもしれないことだ。顔認識システムは、間違う恐れがある。もしあなたの顔が誤って他の人物のものと一致してしまった場合、あなたは店に入れてもらえなかったり、飛行機に乗せてもらえなかったり、あるいは無実の罪を着せられる恐れもある。しかも、今日の顔認識システムでは、白人に比べて有色の人々に対する誤り率が大幅に高いことが示されている。人権を守る立場から、警察による顔認識技術の利用に強く反対しているアメリカ自由人権協会（ACLU）は、アマゾンの Rekognition システム（設定は初期状態のまま）の検証を行った。その方法はアメリカ連邦議会の議員535名のそれぞれの写真と、刑事責任を問われて逮捕された人物が登録されたデータベース内の写真を比較するというものだった。その結果、同システムは535名の連邦議会議員のうちの28名について、データベース内の写真と一致すると誤答した。その誤答となった写真の21パーセントは、アフリカ系アメリカ人議員のものだった（連邦議会議員でアフリカ系アメリカ人議員が占める割合は9パーセントにすぎない）。

　顔認識の信用性の低さやバイアスを証明した ACLU の検証やほかの研究結果を受けて、警察業務や、政府による監視、調

査での顔認識システムの利用に反対する声明を出すハイテク企業も出てきた。たとえば、顔認識ソフトウェア開発会社カイロスのCEOブライアン・ブラッキーンは、大きな反響を呼んだ寄稿記事のなかで次のように述べている。

　顔認識技術が容疑者の特定に利用された場合、有色の人々にマイナスの影響を及ぼす。この事実を否定することは、嘘をつくことと同じだ……私（と弊社）は商業用の顔認識システムが警察、あるいは政府によるいかなる種類の調査や監視で利用されるのは間違っていると思うようになった。しかも、そうした利用は道徳的に堕落した人々による、はなはだしい違法行為へとつながりかねない……私たちは国民にレッテルを貼って監視、管理する権限を政府によりいっそう与えてしまうような社会を、目指すわけにはいかないのだ。[原注8]

マイクロソフトの社長で最高法務責任者のブラッド・スミスは、同社のウェブサイトのブログに次のように投稿して、連邦議会に顔認識システムを規制するよう求めた。

　顔認識技術は、プライバシーや表現の自由といった基本的人権の擁護の核心に触れる問題を提起する。こうした問題は、関連する製品をつくるテクノロジー企業の責任の重さをますます大きくする。だがそれに加えて、政府による社会に配慮した規則と、容認できる利用についての規範づくりも必要だと私たちは考えている。顔認識システムは官民を問わず、両者がよりよい活用を目指して行動しなければならないものなのだ。[原注9]

続いてグーグルも、同社のクラウド AI プラットフォームを通じた汎用的な顔認識サービスを、「その利用方法が私たちの理念や価値と合致し、しかも悪用や有害な結果を防げることが確実になるまで」提供しないと発表した。[原注10]

　これらの企業の対応は心強いが、それによって別の厄介な問題が前面に押し出されることになった。AI 研究や開発はどの程度規制されるべきなのか？　そして、誰が規制を行うべきなのだろうか？

AIを規制する

　AI 技術が抱えている危険性の観点から、私自身も含めた AI 関連の専門家の多くは何らかの規制に賛成している。だが、そうした規則づくりを AI 研究者や企業だけに委ねるわけにはいかない。信用性、説明可能性、バイアス、攻撃に対する脆弱性、利用における道徳性といった AI に関する問題は、技術的なものであると同時に社会的、政治的なものでもあるからだ。それゆえ、こうした問題について話し合うときは、異なる視点や経歴を持つ人々が集まることが極めて重要だ。規則づくりを AI の専門家のみに任せるのは、政府機関のみに任せるのと同じくらい安易な策といえよう。

　こうした規則づくりがいかに複雑で難しいかを示す例は、欧州議会が 2018 年に制定した AI に関する規則で、一部から「説明を求める権利」と呼ばれているものだ。[原注11] この規則では、「自動的な決定」（訳注：個人情報保護委員会による仮日本語訳より）の場合、EU 市民に影響を及ぼすすべての決定に対して「その決定に含まれている論理に関する意味のある情報」（訳注：前に同じ）が求められる。その情報は「簡潔で、透明性があり、理解

しやすく、容易にアクセスできる方式により、明確かつ平易な文言を用いて」（訳注：前に同じ）伝えられなければならない。[原注12]世間ではこの規則を理解しようと、一斉に解釈が試みられた。どういったものが「意味のある情報」や「含まれている論理」とみなされるのだろうか？　この規則は、（ローン審査や顔認識など）個人に影響する判断を下す際には、説明が難しい深層学習による手法の利用を禁じるということだろうか？　政策立案者や弁護士たちにとっては、このような不明瞭な規則がつくられたことで、儲かる仕事が今後長きにわたって保証されたも同然かもしれないが。

　私はAIの規制はほかの技術に対する規制、とりわけ遺伝子工学といった生命科学の分野における規制を手本にするべきだと思っている。そうした分野では、品質保証などに関する規制や、技術の危険性と有益性についての分析は、政府機関、企業、非営利団体、そして大学間の協力を通じて行われている。さらに、今日すでに確立している生命倫理学と医療倫理学の両分野が、技術の開発や応用についての判断にかなりの影響を与えている。AI研究とその応用では、規制と倫理を支えるための綿密に練られた基盤づくりの必要性が極めて高くなっている。

　この基盤づくりは、ようやく始まりつつある。アメリカでは州政府が、顔認識や自動運転車に関する規制を検討し始めた。それでもまだ、規制についてはAIシステムを開発している大学や企業の自らの裁量に委ねられてしまっている場合がほとんどだ。

　この状況を改善するために、非営利のシンクタンクがいくつも立ち上げられている。その多くは、AIの行方に不安を抱いている資金力豊かなテクノロジー起業家たちの支援によるもの

だ。「フューチャー・オブ・ヒューマニティー・インスティテュート（人類未来研究所）」、「フューチャー・オブ・ライフ・インスティテュート（生命未来研究所）」、「センター・フォー・スタディ・オブ・エグジステンシャル・リスク（人類滅亡リスク研究センター）」といった名称のそれらの機関は、AIの安全かつ倫理的な利用をテーマにしたセミナーの開催、研究への資金提供、教材の作成、政策提言などを行っている。また、「パートナーシップ・オン・AI」は、そうした機関にとっての「AIとその社会や人々への影響に関する議論や取り組みを行うための、開かれたプラットフォーム[原注13]」という役割を果たそうとしている統括団体である。

　とはいえ、ここでの難題のひとつは、AI分野では規制や倫理規定の作成にあたっての優先事項について、一般的な合意がまだなされていないという点だ。一番に取り組むべき課題は、自身の論法を説明できるアルゴリズムの開発だろうか？　データのプライバシー保護だろうか？　悪意ある攻撃に対するAIの頑健性の強化だろうか？　AIシステムのバイアスの改善だろうか？　それとも「超高度な知能を持つAI」がもたらす恐れのある「人類滅亡リスク」への対処だろうか？　個人的には、「超高度な知能を持つAI」の危険性への対処にみなあまりに集中していて、その一方で、深層学習の信用性や透明性の欠如、攻撃に対する脆弱性についてはないがしろにされすぎていると思っている。この「超高度な知能」という発想については、最終章でより詳しく考察する予定だ。

道徳的な機械とは

　ここまでの議論の中心は、人間はいかにAIを使うべきかと

いう倫理的な問題だった。だが、同じくらい重要な問題がまだある。機械は倫理的な判断を人間の監督なしに十分に任せられるほどの道徳観念を、機械自身のなかに持つことができるのだろうか？　もし私たちが顔認識システム、自動運転車、高齢者介護ロボット、さらにはロボット兵士に対しても自律的な判断を委ねるとしたら、人間と同じような倫理的、道徳的な問題に対処できる能力を、それらの機械に与えなければならないのではないだろうか？

「機械の道徳性」は、AIと同じくらい長きにわたって考えられてきたテーマだ。おそらく、この機械の道徳性についての最もよく知られた考察は、アイザック・アシモフが自身のSF小説で行ったものだろう。そのなかでアシモフは、次の三つの「ロボット工学の基本原則」を提唱している。

　　第一原則　ロボットは人間に危害を加えてはならない。また、自身が何もしなかったことが原因で人間が危害を受けたというような事態を起こしてはならない。

　　第二原則　ロボットは人間の命令に従わなければならない。ただし、その命令が第一原則に反する場合を除く。

　　第三原則　ロボットは自分の身を守らなければならない。ただし、その行為が第一原則や第二原則に反する場合を除く。

　これらの原則は有名になったが、実際のところ、アシモフの目的はこうした一連の規則は必ずうまくいかなくなると示すことだった。アシモフがこの三原則を初めて登場させた1942年

の短編小説「堂々めぐり」では、ロボットが第二原則に従って危険物質に近づこうとするが、そのとき第三原則がはたらいたためにロボットは危険物質から離れる。ところが、そのとき再び第二原則がはたらいたためにロボットは無限ループに陥ってしまい、結局ロボットに命令を与えた人間たちに大惨事をもたらしかけた。アシモフの小説には、ロボットに倫理的な規則をプログラミングしたときの予期せぬ結果をテーマにしたものが多い。つまり、アシモフは未来を予知していたのだ。これまで見てきたとおり、不完全なルールや予期せぬ結果という問題によって、人工知能へルールを植えつけようとするあらゆる取り組みは挫折してしまった。道徳的推論のプログラミングもそのひとつだ。

　SF作家のアーサー・C・クラークも、1968年の小説『2001年宇宙の旅』で同じような仕掛けを使っている[原注16]。人工知能を搭載したコンピューター「HAL」は、人間に対して常に正直であるようプログラミングされていたが、それと同時に、人間の宇宙飛行士たちに今回の宇宙探査ミッションの真の目的を教えないようにもされていた。アシモフのあの無知なロボットとは異なり、HALはこの認知的不協和によって心理的苦痛を味わうようになる。「彼は自身の整合性を徐々に破壊している、この対立に気づいていた。真実と、真実を隠すこととの対立に」[原注17]。その結果「神経症」を患うコンピューターになったHALは、殺人鬼と化した。数学者ノーバート・ウィーナーは1960年というはるか以前に、実世界における機械の道徳性について「私たちは機械に目的を植えつけるとき、それが私たちが心から実現したいと思っている目的と同じであることを、入念に確認するべきだ」と提言していた[原注18]。

ウィーナーのこの意見は、「AIにおける価値観の一致問題」と呼ばれる「システムの価値観を人間のものと一致させなければならない」というAIプログラマーたちにとっての挑戦を捉えたものだ。とはいえ、人間の価値観とはどういったものだろうか？　そもそも、社会が共有している普遍的な価値があるとみなすこと自体、果たして理にかなっているのだろうか？

「道徳哲学入門講座」へようこそ。まずは、道徳哲学の全学生に人気の思考実験「トロッコ問題」（訳注：「トロリー問題」ともいう）から始めよう。あなたは線路を高速で走っているトロッコを運転している。すると、すぐ前方の線路の真ん中に5人の作業員が集団で立っているのが見えた。あなたはブレーキをかけたが、どうやらきかないようだ。幸運にも線路は先で分岐していて、右方向に短い支線が出ている。こちらにトロッコを乗り入れれば、5人の作業員をはねずにすむ。だが不運にも、支線の線路の真ん中にひとりの作業員が立っている。あなたがこのまま何もしなければ、トロッコは5人の作業員に突っ込み、全員を死なせてしまうだろう。もし、トロッコを右の支線に入れれば、ひとりの作業員を死なせてしまう。この状況での道徳的な行動とは、どういうものだろうか？

　このトロッコ問題はここ1世紀のあいだに、大学の学部生向け倫理学講座でもはや定番となった思考実験だ。被験者の大半は、運転手がトロッコを支線に乗り入れてひとりの作業員を死なせることで5人の集団を助けるほうが道徳的に望ましいと答える。だが、哲学者たちは、本質的には同じジレンマ問題を異なるかたちで提示することで、被験者から正反対の答えを引き出せることを発見した。^{原注19}道徳的なジレンマ問題に対する人間の論理的思考は、そのジレンマ問題が提示される方法に大きく左

右される。

　近年、このトロッコ問題は自動運転車に関する一連の報道で再び大きく取り上げられ[原注20]、そうした問題に対処するためには自動運転車をどうプログラミングすべきかという議題は、AI倫理についての議論の中心となった。AI倫理について思考を重ねている知識人の多くは、「運転手に二つの悲惨な選択肢しかないというトロッコ問題の筋書き自体が、実世界の運転手なら決して経験することがないと思われる非常に不自然なものだ」と指摘した。それでもトロッコ問題は、「自動運転車がひとりで道徳的な判断ができるようになるためには、私たちはどうプログラミングすべきなのだろうか」という問題を語るうえでのある種の象徴となっている。

　2016年、3人の研究者が、数百人を対象としたある調査の結果を論文で発表した。トロッコ問題の設定によく似た、自動運転車に関するこの調査では、回答者はさまざまな行動に対するそれぞれの道徳性について意見を求められた。ある質問では回答者の76パーセントが、自動運転車が10人の歩行者をはねて死なせるよりも、車に乗っているなかのひとりを犠牲にするほうが道徳的に望ましいと答えた。だが、「あなたは、より多くの通行人を救うために車内の人を犠牲にするようプログラムされた自動運転車を購入するか」と尋ねられた回答者の圧倒的多数は、そうした車を自身が買うことはないだろうと答えたのだった[原注21]。論文の著者たちは、この調査について「アマゾンのMechanical Turkを利用して行った6回の調査の回答者たちは、「実利的なAV［自動運転車］」（大義のために、車に乗っている人を犠牲にするAV）に賛同し、ほかの人にはそうした車を購入してほしいと思っている。だが、回答者自身は乗っている

192

人をなんとしてでも守ろうとするAVのほうに乗りたいと思っている」と語っている。心理学者のジョシュア・グリーンはこの研究結果を受けて、「機械に私たちの価値観を吹き込めるようにするよりも先に、私たちの価値観を明確かつ一貫したものにする方法をまず考え出さなければならない」とコメントしている。[原注22]この問題は、思っていたよりもずっと難しそうだ。

　一部のAI倫理研究者は、道徳のルールをコンピューターに直接プログラミングしようとするのはもうあきらめて、代わりにコンピューターに人間の振る舞いを観察させて、自力で道徳的価値を習得できるようにするほうがいいのではないかと提案している。[原注23]だが、この深層学習による手法は、前章で解説した機械学習のあらゆる問題点を継承している。

　私は、コンピューターに道徳的知性を与えようとする試みは、ほかの領域に関わる知性を身につけさせようとする試みと切り離すことはできず、前者の進歩は後者にかかっていると思っている。すなわち真の課題は、直面した状況を実際に「理解」できるコンピューターをつくることだ。アイザック・アシモフの小説が示しているとおり、ロボットはさまざまな状況における「危害」の概念が理解できないかぎり、人間を危害から守るという命令に本当の意味で従うことはできない。道徳的な判断を行う際には、因果関係を認識する、この先起こりうるさまざまな状況を予想する、ほかの人の価値観や目標を理解する、自分がどんな状況に置かれても自身の行動によって起こりうる結果を予測する、といったことが求められる。つまり、信用に値する道徳的な判断を行うためには、一般常識を持ち合わせていることが必須条件だ。そして前に取り上げたとおり、今日の最高峰のAIシステムでさえそうした一般常識に欠けているのだ。

ここまでの章では、膨大なデータセットで訓練された深層ネットワークが、特定のタスクにおいては人間の視覚能力と十分に競えるようになるまでの過程を見てきた。そのほかにも、人間がラベルづけした大量のデータに依存していることや、人間とは大きく異なる性質の間違いを犯す傾向があるといった、このネットワークの弱点についても取り上げた。真に自力で学習するAIシステム、つまり、人間のように自身の現状や将来の計画について判断できて、それが人間からの信用につながるAIシステムをつくるには、どうすればいいのだろう？　本書の次の部では、AI研究者たちがより人間に近い学習方法や判断能力をコンピューターに身につけさせるために、チェス、囲碁、あるいはアタリのビデオゲームさえも「模擬生態系」として研究に利用している例を紹介していく。そしてさらに、その結果誕生した「人間を超えたゲーム用コンピューター」が、その能力をいかにして実社会に移転できるかを検証する。

第 **3** 部

遊びを学習する

Learning to Play

第8章
ロボットへのご褒美

　珍しい動物の調教師についての本を書くために取材や調査を行っていたジャーナリストのエイミー・サザーランドは、その最も基本的な調教方法が笑えるほど単純なものだということを知った。それはなんと、「私が好む振る舞いをしたときはご褒美をあげて、そうでないときは無視する」だったのだ。そうして彼女は『ニューヨーク・タイムズ』紙のコラム「モダン・ラブ（今どきの恋愛事情）」で、「もしかしたらこれと同じ方法が、頑固だけど愛すべきあの種類の動物にも使えるんじゃないかと思うようになった。そう、私の『アメリカ産の夫』に」とつづった。それは、「脱いだソックスを拾う」「車の鍵は自分で探す」「時間どおりにレストランに現れる」「もっとこまめに髭を剃る」などを夫に守ってもらうために、がみがみ言ってみたり、皮肉な言葉を投げつけてみたり、ひどく怒ってみたりといった長年の無駄な努力をやめて、代わりにこの単純な方法を使って夫をこっそり躾けたところうまくいったという、サザーランドの経験を語ったものだ。^{原注1}

　心理学では「オペラント条件づけ」として知られているこの定評ある訓練技法は、何世紀にもわたって動物や人間に使われてきた。「強化学習」は、このオペラント条件づけに発想を得て編み出された機械学習の重要な一手法である。強化学習は、これまでの章で取り上げてきた教師あり学習とは対照的な方法といえる。なぜなら最も純粋なかたちの強化学習は、ラベルつ

きの訓練データを必要としないからだ。代わりに「エージェント」（ここでは「学習しているプログラム」を指す）がある環境（通常はコンピューターシミュレーション）で行動して、ときたま環境から「報酬」をもらう。エージェントが学習で利用するフィードバックは、こうしたたまにもらえる報酬のみだ。エイミー・サザーランドの夫の場合、報酬は彼女の笑顔やキスや誉め言葉だった。コンピュータープログラムがキスや「あなたは最高よ」という喜びの言葉に反応することはまずないが、コンピューターにとってそれと同じくらい高い報酬である「メモリに正の数値が加えられていく」などに反応するようにプログラムを組むことは可能だ。

　強化学習は何十年ものあいだAI分野の手法のひとつとして数えられてきたが、ニューラルネットワークなどの教師あり学習手法によってすっかり影が薄くなった時期が長く続いた。だが2016年になると、複雑なゲームの囲碁を学習したプログラムが最強レベルの人間の囲碁棋士たちを負かしたという、AIの驚くべきかつ重大な偉業で強化学習が中心的な役割を担っていたことから、状況は一変した。この囲碁のプログラムをはじめとする強化学習の最近の成果を解説する前に、簡単な例を使って強化学習の仕組みをまず説明する。

ロボット犬を訓練する

　説明のための具体例は、面白い試合が繰り広げられるロボットサッカーにしよう。これは人間（多くは大学生）がプログラミングしたロボットが、部屋の大きさほどの「フィールド」で行う簡易版のサッカーだ。ときには**図22**の写真のようにイヌそっくりのかわいいロボットAIBO（訳注：近年のモデルの名称表

図22 ソニーのロボット犬AIBOが、サッカーボールを蹴ろうとしている場面

示はaibo）がプレイヤーだったりする。（ソニーが開発した）
AIBOロボットには視覚入力を捉えるカメラが搭載され、プロ
グラミング可能なコンピューターが内蔵されている。さらに、
一連のセンサーとモーターによって「歩く」「蹴る」「頭突き」
のみならず、プラスチック製のしっぽを振ることもできる。

　私たちのロボット犬には、「ボールが見えたらすぐそばまで
歩いていき、蹴る」というサッカーの最も初歩的な技能を教え
ることにしよう。AIを利用した従来の方法は、ロボットに次
のルールをプログラミングすることだ。ボールに向かって1歩
踏み出す→足のどれかにボールが触れるまでそれを繰り返す→
その足でボールを蹴る。もちろん、「ボールに向かって1歩踏
み出す」「足のどれかにボールが触れるまで」「ボールを蹴る」
といった簡単な指示は、AIBOに組み込まれたセンサーやモー
ターを細かく作動させるプログラムへと慎重に翻訳されなけれ
ばならない。

　こうした単純なタスクには、この程度の明確なルールで十分
対応できるだろう。だがロボットを「知的」にしたければした

いほど、その振る舞いのルールを人間が手作業で細かく設定するのはより難しくなる。しかも当然ながら、すべての状況に対応できるような一連のルールを考え出すのは不可能だ。ロボットとボールのあいだに大きな水たまりがあったらどうすればいいだろう？　マーカーコーンがロボットの視界を遮っていたら？　岩にボールの動きを阻まれてしまったら？　いつものことだが、実世界は予測しづらいエッジケースにあふれている。強化学習が有望な点は、エージェント（ここでは私たちのロボット犬）が与えられた環境のなかで行動して、ときおり報酬を得る（これが「強化」にあたる）だけで、柔軟な方針を自力で学習できることだ。つまりその過程では、人間が手作業でルールを設定したり、エージェントにありとあらゆる状況での対応方法を直接教えたりする必要はないのだ。

　私たちのロボット犬を「ロージー」と呼ぶことにしよう。これは昔のテレビアニメ『宇宙家族ジェットソン』に出てくる、私のお気に入りのつむじ曲がりなメイドロボットの名前だ。例をわかりやすくするために、ロージーは工場からの出荷段階で次の能力があらかじめプログラミングされているとしよう。もしサッカーボールがロージーの視線上にあるときは、彼女はボールに到達するまでに必要な歩数を推測できる。この歩数を示す数値を「状態」という。一般的には、ある時点におけるエージェントの状態は、そのときの現状に対するエージェントの認識を示している。ロージーは実現できるエージェントのなかで最も単純なつくりのため、彼女の状態は１種類の数値で表されている。私たちの例でロージーが「状態 x にある」というのは、彼女が「自分はボールから x 歩離れたところにいる」と現状を推測しているという意味だ。

また、ロージーは自身の状態を認識できるのみならず、「1歩前進する」「1歩後退する」「蹴る」という三つの「行動」が取れるようにあらかじめ設定されている（もしロージーがフィールドの外に出てしまったら、すぐに戻るようプログラムされている）。オペラント条件づけの観点から、ロージーはボールを蹴るのに成功したときだけ報酬が与えられることにする。また、どんな状態や行動が報酬につながるのかを、ロージーが前もって知らされていない点に留意しておいてほしい。

　ロージーはロボットなので、彼女への「ご褒美」は「報酬メモリ」にたとえば「10」加算されるだけだ。この「10」という数値が、ロボット犬にとってのご褒美のおやつであると考えればいい。いや、厳密にはそう考えるべきではないかもしれない。ロージーは正の数値であろうとほかのどんなものであろうと、そうした報酬に対する本能的な「欲求」を持っていないからだ。次に詳しく説明するが、報酬に反応して進んでいくロージーの学習過程は、人間がつくったアルゴリズムによって導かれている。つまり、強化学習におけるアルゴリズムは、経験から「どのように」学ぶべきかをロージーに指示しているのだ。

　強化学習は、ロージーが一連の「学習エピソード」で行動することによって進む。この「エピソード」は、いくつかの「イテレーション」（訳注：「反復」「繰り返し」という意味）によってできている。各イテレーションにおいて、ロージーは自身の現在の状況を判断し、取る行動を決める。このあと説明するように、もしロージーが報酬を手に入れると、彼女は何かを「学習」する。この例では、各エピソードはロージーがボールを蹴ることができて、報酬を手にするところまで続く。これには長い時間がかかるかもしれない。本物のイヌを訓練のするときと同様に、

私たちは辛抱強く付き合わなければならないのだ。

　図23は、仮想の学習エピソードを描いたものだ。このエピソードは、調教師（私）がロージーとボールをフィールド内のどこかのスタート地点に置くところから始まる（図23 A）。このとき、ロージーがボールのほうを向いているようにする。ロージーは自分の現在の状態を「ボールまで12歩」と判断する。私たちの愛犬ロージーはまだ何も学んでいない純情無垢な「白

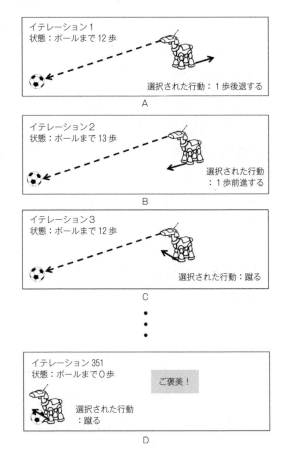

図23 仮想強化学習の第1エピソード

紙の状態」であるため、どんな行動が望ましいかがわからない。そのため自分が取れる「1歩前進する」「1歩後退する」「蹴る」の三つの行動から、無作為にひとつ選ぶ。今回は「1歩後退する」を選んで、1歩下がったとしよう。私たち人間は「1歩後退する」は悪手であることがわかっているが、ここではこのタスクをいかにこなせるかをロージーに自力で解明させようとしている。

イテレーション2（図23 B）では、ロージーは新しい状態を「ボールまで13歩」と判断する。そして新しい行動を再び無作為に選ぶ。今度は「1歩前進する」だ。イテレーション3（図23 C）では、ロージーはこの「新しい」状態を「ボールまで12歩」と判断する。ふりだしに戻ったわけだが、ロージーは前にこの状態にいたことすらわかっていないのだ！　最も純粋なかたちの強化学習では、学習しているエージェントは過去の状態をひとつも覚えていない。一般的には過去の状態を覚えておくにはメモリを多く消費するし、しかも覚えておく必要がないことが判明しているからだ。

イテレーション3では、ロージーは再び無作為に今度は「蹴る」の行動を選ぶが、これは宙を蹴っただけなのでご褒美はもらえない。「蹴る」という行動で報酬がもらえるのは自身がボールのすぐ横にいるときのみということを、ロージーはまだ学習していない。

その後ロージーは何度にもわたるイテレーションで、フィードバックを得られないまま無作為に行動を選び続ける。だが、ある時点（仮にイテレーション351としよう）で、ロージーはまぐれでボールの隣に到達して「蹴る」を選ぶ（図23 D）。ようやくご褒美を手に入れたロージーは、それを使って何かを学

習する。

　このとき、ロージーはいったい何を学んだのだろうか？　この例では強化学習の最も単純な手法を用いているため、ご褒美をもらったロージーはその直前の状態と行動しか学習しない。具体的には、ロージーはその状態（例－ボールまで０歩）でその行動（例－蹴る）を取るのは良案だということを学習した。だが、彼女が学習するのはそれだけだ。たとえば、「『ボールまで０歩』のときに、『１歩後退する』を選ぶのは悪手だ」ということは学習しない。そもそも、ロージーはまだそれを試みていない。「１歩後退する」についての彼女の現在の認識は「この状態で１歩後退したら、もっとたくさんのご褒美がもらえるかもしれない！」だけだ。また、ロージーは「『ボールまで１歩』の状態のときは『１歩前進する』はよい選択だ」ということも、この時点ではまだ学習していない。それを学ぶには、次のエピソードまで待たなければならない。一度にあまりに多くのことを学習するのは、弊害をもたらすこともある。たとえば、ロージーがボールまで２歩のところでたまたま「蹴る」を選んだとき、この無駄な「蹴る」が報酬を得るために必要な手順であると学習してほしくない。人間の場合、この類の振る舞いは迷信とも呼ばれるものである。つまり、ある行動が特定のよい、あるいは悪い結果を起こすために一役買っていると誤って思い込んでしまうことだ。強化学習では、迷信を植えつけないよう細心の注意を払わなければならない。

　強化学習における極めて重要な概念は、「ある状態において特定の行動を取ったときの価値」である。状態Ｓにおける行動Ａの「価値」とは、「状態Ｓで行動Ａを取り、その後価値の高い行動を取り続けたら、最終的にどれくらいの報酬を得られる

か」というエージェントのその時点での予想を反映した数値だ。もう少し詳しく説明しよう。あなたの現在の状態が「チョコレートを手に持っている」だとすれば、価値の高い行動は「手を口元に持っていく」ことだろう。さらに、それに続く価値の高い行動は、「口を開ける」「チョコレートを口に入れる」「噛む」となる。あなたの報酬は「チョコレートのおいしさを味わう」ことだ。この報酬は、「手を口元に持っていく」ことですぐに得られるものではない。だが、この行動は正しい道を歩んでいるものであり、それにもしあなたが前にもチョコレートを食べたことがあるなら、もうすぐ手に入る報酬があとわずかなところまで来ていることが予想できるはずだ。強化学習の目標は、エージェントが次の報酬に対する正しい予想の価値を学習することだ（エージェントが当該の行動を取ったあとにも正しい行動を取り続けるという仮定のもとで）[原注3]。次に見ていくとおり、ある状況における特定の行動価値を学習する過程では、通常は試行錯誤を何度も重ねることになる。

　ロージーは行動価値を、自身のコンピューターのメモリ内にある大きな表に記録している。図24に示されているこの表は、ロージーが置かれる可能性があるすべての状態（フィールド内でボールまで何歩のところにいるか）、そして各状態で選択で

Qテーブル						
状態	ボールまで0歩		ボールまで1歩	…	ボールまで10歩	…
行動	1歩前進する	0	1歩前進する 0		1歩前進する 0	
	1歩後退する	0	1歩後退する 0	…	1歩後退する 0	…
	蹴る	10	蹴る 0		蹴る 0	

図24　強化学習の第1エピソードを終えたあとのロージーのQテーブル

きる行動が一覧になっている。ある状態における各行動には、価値が数値で示されている。ロージーが学習を進めていくにつれてこの数値は変化し、次の報酬に対する予想がより正確になる。この状態、行動、価値の一覧表を「Qテーブル」という。また、このかたちの強化学習は「Q学習」とも呼ばれている。なぜ「Q」なのかというと、Q学習に関する論文第一号で価値（value）の頭文字Vをすでに別の用語に使ってしまったため、文字Qで代用したからだそうだ。^{原注4}

　ロージーの訓練を始める前に、Qテーブルの価値をすべてゼロにして「白紙の状態」にしておく。ロージーがエピソード1の終わりでボールを蹴って報酬を手に入れると、状態「ボールまで0歩」のときの行動「蹴る」の価値、すなわち報酬の価値は「10」に更新された。今後ロージーは「ボールまで0歩」の状態になると、Qテーブルを見て「蹴る」の価値が一番高いこと、つまり最も高い報酬が予想できることを確認する。そして、無作為に行動を選ぶよりも「蹴る」を選ぼうと判断する。ここまでの「学習」でできるようになったのは、たったこれだけなのだ！

　ロージーがようやくボールを蹴って、エピソード1が終わった。続いてエピソード2を行う（図25）。ロージーとボールは新たな位置に置かれる（図25A）。前回と同様に、ロージーは各イテレーションで自分の現在の状態を判断（初めは「ボールまで6歩」）して行動を選ぶが、今回からはQテーブルを確認しながら選ぶことになる。だが、この時点では、ロージーの今の状態の行動価値はまだすべてゼロだ。そのなかから選ぶために役立つ情報はない。そのため、ロージーは再び無作為に「1歩後退する」を選んだ。そして、次のイテレーションでも

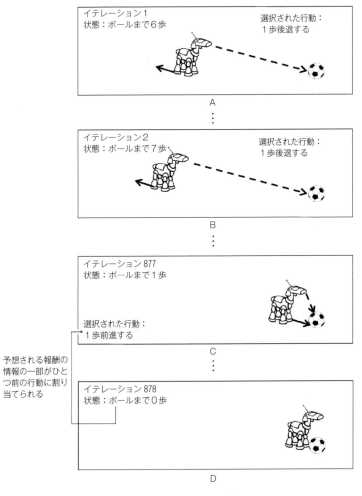

イテレーション1
状態：ボールまで6歩

選択された行動：
1歩後退する

A

⋮

イテレーション2
状態：ボールまで7歩

選択された行動：
1歩後退する

B

⋮

イテレーション877
状態：ボールまで1歩

選択された行動：
1歩前進する

C

⋮

予想される報酬の
情報の一部がひと
つ前の行動に割り
当てられる

イテレーション878
状態：ボールまで0歩

D

図25 強化学習の第2エピソード

また「1歩後退する」を選んでしまったのだ（図25 B）。私たちのロボット犬の訓練は、果てしなく続きそうだ。

　前のエピソードと同じように進めていくと、もがきながら無作為な試行錯誤を繰り返していたロージーの行動がたまたま「ボールまで1歩」の状態へとつながっていき（図25 C）、し

かも彼女はそこで「1歩前進する」を偶然選んだ。そこで、ロージーは自分の足がボールのすぐ横にあるのに突如として気づく（図25 D）。しかも、Qテーブルに有益な情報がありそうだ。具体的には、「『ボールまで0歩』という彼女の現在の状態においては、『蹴る』という行動が『報酬10』につながると予想される」というものだ。よってロージーは「行動『蹴る』を選ぶ」という前回のエピソードで学習したこの情報を、今ここで使うことができる。だが、ここでのQ学習の極めて重要な特徴は、この段階のロージーは「ひとつ前の状態（ボールまで1歩）」のときに取った行動「1歩前進する」について、あることが学習できるようになったということだ。その行動を取ったことで、今のこの絶好の位置にいるのだから！　具体的には、「『ボールまで1歩』の状態における行動『1歩前進する』」の価値は、Qテーブルでより高い数値に更新された。この数値は、直接報酬に結びつく「『ボールまで0歩』のときに『蹴る』」の価値のものより少し小さくなる。この例では「8」に更新することにした（図26）。

　この段階のQテーブルは、「『ボールまで0歩』の状態のときに『蹴る』のは非常によい手であり、『ボールまで1歩』の状態のときに『1歩前進』するのもほぼ同じくくらいよい手だ」

Qテーブル				
状態	ボールまで0歩	ボールまで1歩	…	ボールまで10歩 …
行動	1歩前進する　0	1歩前進する　8		1歩前進する　0
	1歩後退する　0	1歩後退する　0	…	1歩後退する　0　…
	蹴る　　　　10	蹴る　　　　0		蹴る　　　　0

図 26　強化学習の第2エピソードを終えたあとのロージーのQテーブル

とロージーに教えている。それはつまり、次回ロージーが自分は「ボールまで1歩」の状態だと認識したとき、そこでどんな行動を取るべきかの情報があるということだ。しかも、直前の行動である「『ボールまで2歩』の状態のときに『1歩前進する』」についての更新情報を学習できるようにもなるということである。注意してほしいのは、こうして学習する行動価値は、実際の報酬が手に入る時点から遡れば遡るほど減らされている（「割引」という）ことが大事であるという点だ。それによって、システムは実際の報酬を得るための効率的な道筋を学習することができる。

　ここではQテーブルの価値を徐々に更新していくというかたちで行われている強化学習は、ついにロージーがどんなスタート地点からでも自身のタスクをこなせるよう学習するまでエピソードを重ねていく。このQ学習のアルゴリズムは、ある状態における行動に対して価値を与えるという考え方だ。そのなかには報酬には直接つながっていなくても、エージェントが実際に報酬を手にするという比較的数少ない状態をお膳立てするための行動も含まれている。

　ここまで説明したロージーのQ学習の過程をモデル化してシミュレーションするために、実際にプログラムを組んでみた。それぞれのエピソードを始めるとき、ロージーはボールまでの無作為に選ばれた歩数（最大25歩、最小0歩）の位置に、ボールに向いた状態で置かれた。前にも述べたとおり、もしロージーがフィールドの外に出てしまったら、すぐに戻るようにプログラムされている。各エピソードは、ロージーがうまくボールに辿りついて蹴ると終わる。どの位置から始めてもこのタスクを完ぺきにこなせるようロージーが学習するまで、およそ

300エピソードかかった。

　この「ロージーを訓練する」例は、強化学習の極めて重要な特徴をほぼ網羅しているが、強化学習研究者たちが取り組んでいる、より複雑なタスクで生じる多くの問題点には触れていない。たとえば、ロージーが自分はボールまで何歩の位置にいるか完ぺきに理解しているのとは違って、実世界のタスクではエージェントの自身の現在の状態に対する認識は、たいていの場合不確かだ。本物のサッカー用ロボットは、距離を大まかにしか推測できないかもしれないし、それどころかサッカーフィールド内の淡い色の小さい物体のなかで、どれが実際のボールなのか完ぺきにはわかっていないかもしれない。また、ある行動を取ったことによる影響が不確かな場合もある。たとえば、ロボットの「前進する」という行動は、地形によって移動する距離が異なるかもしれないし、あるいは認識できなかった障害物によってロボットがひっくり返ったり、それに衝突したりするという結果にさえなるかもしれない。こういった不確かさについて、強化学習はどのように対処すればいいのだろうか？

　さらに、学習するエージェントは、各時間ステップ（訳注：1回あたりに進める時間間隔）でどのように行動を選択すればいいのだろう？　単純な方針は、現在の状態のQテーブルで価値が最も大きい行動を常に選ぶことだろう。だが、この策には問題がある。まだ試していないほかの行動のほうが、より大きな報酬につながる可能性があるからだ。どのくらいの頻度で「探索」する、つまり、まだ試したことのない行動を取ってみるべきだろうか？　そして、何らかの報酬へとつながっていることがもはや予想できる行動を、どのくらいの頻度で選択するべきだろうか？　レストランに行ったとき、あなたは前に試してお

いしかった料理をいつも頼むだろうか？　それともメニューの
なかの料理にさらにおいしいものがあるかもしれないから、ま
だ食べたことがないものを試そうとするだろうか？　新たな行
動をどれくらい「探索」して、実証済みの行動をどれくらい
「搾取」（続けること）するか決めることを、「探索と搾取のバ
ランスを考える」という。このバランスを正しく取ることは、
強化学習を成功させるうえで極めて重要な問題だ。

　これらは増えつつある強化学習の研究者たちが、現在取り組
んでいるテーマの例だ。深層学習の分野と同様に、成果を出せ
る強化学習システムを構築する技術は今なお難しく（そして、
ときにはそれで大儲けできることも！）、うまくこなせる専門
家はわりと少ない。彼らも深層学習の達人たちと同じく、ハイ
パーパラメータのチューニング（「学習エピソード数の上限を
いくつにすればいいか？」「各エピソードのイテレーション数
の上限をいくつにすればいいか？」「時間を遡ったある時点で
の、報酬を得るための価値の『割引』はいくらにすればいい
か？」など）にかなりの時間を割いている。

実世界における難題

　そうした問題はいったん置いておいて、ここでは私たちが例
として行った「ロージーの訓練」を、実世界のタスクをこなす
ための強化学習で用いたと仮定したときに、想定される二つの
主な難題を取り上げる。ひとつ目はQテーブルだ。実世界の複
雑なタスク（たとえば混雑した街なかでロボットカー、つまり
自動運転車が運転を学習する）では、「状態」の数を表に収ま
るほど少なく設定するのは不可能である。ある時点における自
動運転車の一状態は、カメラやセンサーからのデータすべてか

らなるようなものだ。それは、自動運転車には可能な状態が実質的には無限にあるという意味である。つまり、「ロージー」の例のようにQテーブルを通じて学ぶ方法は問題外だ。そのため、現在の強化学習の手法の大半は、Qテーブルではなくニューラルネットワークを使ったものである。ニューラルネットワークの使命は、ある状態における行動にどんな価値を割り当てるべきかを学習することだ。具体的には、現在の状態が入力として与えられたネットワークが、エージェントがその状態で取れるすべての行動の価値の推定値を出力できるようになることである。ネットワークに期待されているのは、関連している状態同士を一般的な概念（例－「前進しても大丈夫」「障害物にぶつからないよう、直ちに停止」など）にまとめることの学習だ。

二つ目の難題は、実世界で本物のロボットを使って何エピソード分もの学習過程を実際に行うのは困難だという点である。私たちの「ロージー」の例さえ、実物で行うのは無理だ。考えてもみてほしい。新しいエピソードのはじめにフィールドまで歩いていってロボットとボールを所定の位置に置くのを、何百回も繰り返さなければならないのだ。しかも、各エピソードでロボットが何百回も行動を取るのを、イライラしながら待ち続けなければならないのはいうまでもない。とうてい時間が足りないだろう。さらに、ロボットが「コンクリートの壁を蹴る」「崖っぷちで前進する」といった誤った行動を選んで、自ら破損してしまう恐れもある。

私がロージーについて行ったように、強化学習の専門家たちはこの問題に対処するために、ほぼ常にロボットや環境をモデル化してすべての学習エピソードを実世界ではなくモデルのな

かで行う。この方法はうまくいくこともある。こうした「シミュレーション」によって、ロボットに歩く、片足で跳ぶ、物をつかむ、リモコン式の車を運転するといったタスクを訓練した例もあるし、それらのロボットがシミュレーションで身につけた技能を実世界に移すことも、さまざまなレベルで成功している[原注6]。だが、環境が複雑で予想しづらいものであればあるほど、シミュレーションで学習したことを実世界にうまく移転する試みはより大変になる。そうした難しさを考慮すると、強化学習でこれまで最も高い成果が出ている事例がどれもロボット工学ではなく、コンピューターで完全にモデル化できる領域のものであるのはうなずける。とりわけ、強化学習の成功例で最も有名なのはゲームの領域のものだ。次の章では、強化学習のゲームへの応用をテーマにして掘り下げていく。

第 **9** 章
ゲームを止めるな

　AI 開発の初期の頃から、ゲーム愛好家たちは人間に勝てる
ゲームのプログラムをつくることに夢中になってきた。1940
年代終盤、コンピューター時代の創始者であるアラン・チュー
リングとクロード・シャノンの２人は、それを実行できるコン
ピューターがまだなかったにもかかわらず、チェスのプログラ
ムをすでに書いていた。それから数十年にわたって、熱狂的な
若いゲームファンたちは自分がはまっているゲームをコンピュ
ーターに覚えさせたい一心でプログラミングを勉強してきた。
そうしたゲームはチェッカー、バックギャモン、囲碁、ポーカ
ーなど種類を問わず、近年ではビデオゲームもそのひとつだ。

　2010 年、若きイギリス人科学者で熱心なゲームファンでも
あったデミス・ハサビスは、親友２人とともにディープマイン
ド・テクノロジーズという会社をロンドンに設立した。ハサビ
スは現代の AI 界で、華やかな経歴を持つ有名人だ。チェスの
神童で６歳のときにチェス選手権で優勝し、15 歳でビデオゲ
ームのプログラミングの仕事を始め、そして 22 歳のときに自
身のビデオゲーム会社を立ち上げた。しかも、起業家としての
活動に加えて、脳から発想を得た AI を開発したいというさら
なる目標を達成するために、ユニバーシティ・カレッジ・ロン
ドンで認知神経科学の博士号を取得した。ハサビスと仲間がディ
ープマインド・テクノロジーズを創業したのは、人工知能の
「ごく基本的な問題に取り組むため」原注1 だった。そうした問題に

取り組む適切な場はビデオゲームであると、ディープマインドの研究グループが考えたのは決して驚くことではないだろう。ハサビスにとってビデオゲームは「実世界の模擬生態系だが……実世界よりも公正で秩序があるもの」なのだ。[原注2]

　あなたのビデオゲームに対する見方はどうあれ、もしあなたが「実世界」よりも「公正で秩序があるもの」のほうがよければ、1970年代や80年代のアタリのビデオゲームをプレイするAIプログラムを作成することをお勧めする。これはまさに、ディープマインドの研究グループがやろうとしたことだ。年齢や興味にもよるが、もしかしたらあなたも『アステロイド』『スペースインベーダー』『ポン』『ミズ・パックマン』といった有名なゲームのどれかを覚えているだろうか？　昔の記憶がよみがえってきたのではないだろうか？　それらのゲームはわかりやすい画面表示とジョイスティックによる操作で小さい子どもも遊び方を覚えやすかったと同時に、大人もつい引き込まれてしまうほど十分挑戦のしがいがあった。

　図27で紹介されているシングルプレイヤー用ゲーム、『ブレイクアウト』（訳注：日本では一般的に『ブロックくずし』と呼ばれている）について考察してみよう。プレイヤーはジョイスティックを使って「パドル」（画面右下の白い長方形）を左右に動かす。「ボール」（白い円）はパドルで打ち返せて、さまざまな色の四角い「ブロック」に当てることができる。また、ボールを両端にある灰色の「壁」に跳ね返らせることも可能だ。ボールがブロック（模様のついた長方形）のどれかに当たると、そのブロックは消えてプレイヤーにポイントが入り、ボールが跳ね返ってくる。上の層にあるブロックは下の層のものよりポイントが高い。もしボールを「地面」（画面下部）に落とすと、

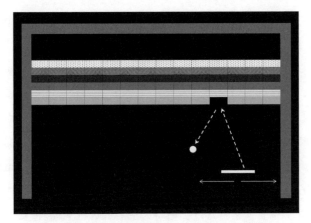

図27 アタリの『ブレイクアウト』ゲーム画面

プレイヤーは最初に五つある「ライフ」をひとつ失う。「ライフ」がまだ残っていたら、新たなボールを打って再びプレイできる。このゲームの目的は、五つのライフを使って最高スコアを狙うことだ。

　このゲームには、興味深い裏話がある。『ブレイクアウト』は、アタリが大ヒットした同社の『ポン』のシングルプレイヤー版の開発に取り組んだ結果誕生した。この『ブレイクアウト』の設計と実装は、もともと1975年に20歳のスティーブ・ジョブズという名の社員が担当を命じられていた。そう、あのスティーブ・ジョブズだ（のちにアップルを共同で創業）。だが、ジョブズには『ブレイクアウト』の開発に必要な技術の知識がなかったため、友人で当時25歳のスティーブ・ウォズニアック（のちのアップルのもうひとりの共同創業者）にプロジェクトを手伝ってもらうよう頼み込んだ。ウォズニアックとジョブズは、ウォズニアックがヒューレット・パッカードでの昼間の仕事を終えてから夜間に『ブレイクアウト』のハードウェア設計

を行い、四夜で完成させた。『ブレイクアウト』が世に出ると、『ポン』と同様にゲーマーたちのあいだで大ヒットした。

　もし、あなたがあの頃のゲームが懐かしくなったにもかかわらず、昔持っていたゲーム機「アタリ2600」をとっくに処分してしまっていたとしても、『ブレイクアウト』をはじめとする当時のゲームを提供しているウェブサイトがたくさんある。2013年にカナダの研究グループが発表した「Arcade Learning Environment（アーケードゲーム学習環境）」というソフトウェアプラットフォームは、当時のゲームのうち49種についての機械学習のテストを、より簡単に行うことを目的としたものだ。[原注3]ディープマインドの研究グループは、まさにこのプラットフォームを利用して強化学習の研究を行った。

深層Q学習

　ディープマインドの研究グループは、アタリのビデオゲームのプレイ方法を学習できるシステムの構築にあたって、強化学習（具体的にはQ学習）と深層ニューラルネットワークを組み合わせた。彼らはこの手法を「深層Q学習」と呼んだ。ここでは『ブレイクアウト』を実例にして深層Q学習の仕組みを説明するが、ディープマインドは取り組みを行ったアタリのゲームすべてでこの手法を用いている。ここから話が少し専門的になるため、シートベルトをしっかり締めてついてきてほしい（あるいはここを飛ばして次の節に行くのも可）。

　Q学習によってロボット犬のロージーを訓練したときのことを復習しよう。Q学習のエピソード内の各イタレーションで、学習エージェント（ロージー）は次のことを行った。現在の自身の状態を把握する→この状態時のQテーブルの情報を確認す

る→テーブルに記された価値を元に行動を選択する→選んだ行動を実行して、場合によっては報酬を得る→そして、Qテーブルの価値を更新するという学習段階に到達する。

　ディープマインドの深層Q学習も手順はまったく同じだが、唯一異なるのはQテーブルの代わりに畳み込みニューラルネットワーク（CNN）が使われている点だ。ディープマインドにならって、ここでもこのネットワークを深層Qネットワーク（DQN）と呼ぶことにする。図28はディープマインドで『ブレイクアウト』のプレイ方法の学習に使われたものと同様（とはいえこちらのほうがより簡略化されているが）のDQNを説明したものだ。このDQNへの入力はある時間におけるシステムの状態である。ここではその状態を「現在の『フレーム』（現在の画面のピクセル）と前の三つのフレーム（前の三つの時間ステップにおける画面のピクセル）」とする。この状態の定義によってシステムに若干の記憶情報が与えられ、それがこの学習で役立つことになる。ネットワークの出力は、与えられた入力の状態において選択可能な各行動の推定される価値だ。

入力：現在の状態（現在のフレームと前の三つのフレーム）

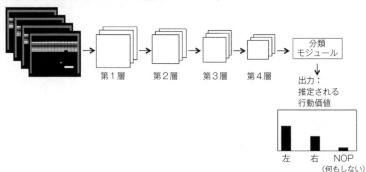

図28　『ブレイクアウト』用の深層Qネットワーク（DQN）の仕組み

取ることができる行動は、「パドルを『左』に動かす」「パドルを『右』に動かす」、そして「NOP」（「何もしない」、つまりパドルを動かさない）だ。ネットワーク自体は、第4章で説明したCNNとほぼ同じである。深層Q学習では「ロージー」の例で使ったQテーブルの価値の代わりに、このネットワークの重みが学習される。

　ディープマインドのシステムは多くのエピソードをこなすことで、『ブレイクアウト』のプレイ方法を学習する。各エピソードはゲーム1回分、エピソード内の各イテレーションは、システムが取る行動1回分に相当する。具体的には、システムは各イテレーションで自身の状態をDQNに入力し、DQNが出力した価値に基づいて行動を選択する。システムは推定価値が最も高い行動を、必ずしも常に選ぶわけではない。前に述べたとおり、強化学習には探索と搾取のバランスが必要だからだ。^{原注4}システムは選択した行動（例–パドルを左にある量動かす）を取り、もしボールがブロックのどれかにたまたま当たった場合は報酬を手に入れる。そこでシステムは、DQNの重みをバックプロパゲーションによって更新するという学習段階に入る。

　では、重みはどのようにして更新されるのだろうか？　これが教師あり学習と強化学習の違いの本質だ。これまでの章で解説したとおり、バックプロパゲーションの仕組みは、ニューラルネットワークの重みを変えることでネットワークの出力の「エラー」を減らすというものだ。教師あり学習では、このエラーを測定するのは簡単だった。写真を「イヌ」か「ネコ」に分類することを学習するのが目標だった、第4章の仮想CNNを覚えているだろうか？　もしイヌの写真の訓練データを入力したにもかかわらず出力での「イヌ」に確信度がわずか20パ

ーセントだった場合、その出力のエラーは100パーセント−20パーセント＝80パーセントになる。それはつまり、その出力の確信度は、理想的にはさらに80パーセント高くなければならなかったという意味だ。ネットワークがこのエラーを算出できたのは、人間が提供したラベルがあったからだ。

　しかしながら、強化学習にはラベルはない。ゲームのフレームには、どんな行動を取るべきかというラベルはついていない。この場合、出力におけるエラーとはいったいどういうものなのだろうか？

　その答えを説明しよう。復習になるが、あなたが学習エージェントだとすると、現在の状態の行動の「価値」とは、その行動を選んだとき（かつ、その後も価値の高い行動を選び続ける）にエピソードの終わりにどれくらいの報酬を得られるかという、あなたが推定する値だ。その推定値は、それまでに実際に手に入れた報酬を集計できるエピソードの終わりに近づくにつれて、より正確になるはずだ！　ここでのポイントは、「現在のイテレーション」におけるネットワークの出力が「前のイテレーション」での出力よりも正解に近いとみなすことだ。そうすると、現在と前のイテレーションの出力の差を最小限にするための、ネットワークの重みの（バックプロパゲーションによる）調整が、すなわち「学習」になる。この方法の発案者のひとりであるリチャード・サットンは、これを「推測から推測を学習する方法」と表現している。[原注5]私はそれを「『よりよい』推測から推測を学習する方法」と改めることにしたい。

　要は、このネットワークは出力を人間に与えられたラベルと比べることを学習するのではない。学習するのは、あとのイテレーションは前のイテレーションよりも価値をより正しく推定

すると仮定して、あるイテレーションの出力を次のイテレーションの出力に一致させることだ。この学習法を「時間的差分学習」と呼ぶ（訳注：「TD学習」ともいう）。

　ここで『ブレイクアウト』のプレイ方法の学習に使われた深層Q学習の仕組みについてまとめておく（ほかのアタリのゲームについてもみな同じだ）。システムは現在の状態を入力として深層Qネットワークに与える。深層Qネットワークは、選択可能な各行動の価値を出力する。システムは行動をひとつ選んで実行し、その結果新たな状態になる。ここで学習過程に入る。システムは自身の新たな状態をネットワークに入力すると、ネットワークは各行動に対する一連の新たな価値を出力する。この新たな一連の価値と前の一連の価値の差がネットワークの「エラー」とみなされる。このエラーに基づいて、ネットワークの重みがバックプロパゲーションによって変更される。この手順は多くのエピソード（ゲームのプレイ）で繰り返される。念のために指摘しておくと、深層Qネットワーク、仮想の「ジョイスティック」、それにゲーム自体も、みなコンピューターで実行されているソフトウェアだ。

　これがディープマインドの研究者たちが開発したアルゴリズムの本質的な部分だ。とはいえ、実際には改善や迅速化のためにさまざまな技が使われているが[原注6]。まだ学習があまり行われていなかった初期の頃は、ネットワークの出力は一貫性がほとんどなく、システムのゲームのやり方もかなりでたらめだった。しかし、ネットワークが出力を改善する重みを次第に学習していくにつれてシステムのゲームのプレイ能力も向上し、しかも多くの事例でその上達は目を見張るほどだったということだ。

6億5000万ドルのエージェント

　ディープマインドの研究グループは、開発した深層Q学習方法を Arcade Learning Environment の 49 種類のアタリのゲームで実践した。ディープマインドのプログラマーたちは各種ゲームに対して同じネットワーク構造とハイパーパラメータ設定を用いたが、システム自体はそれぞれのゲームをゼロから学習した。つまり、システムがあるゲームで学習した知識（ネットワークの重み）は、システムが次のゲームのプレイ方法を学習し始めたときに移転されなかった。各ゲームにおいて何千ものエピソードを重ねた訓練が必要だったが、ディープマインドのコンピューターハードウェアが高性能だったおかげで比較的速く進んだ。

　ひとつの種類のゲームに対して深層Qネットワークによる訓練が完了すると、ディープマインドはコンピューターのゲームのプレイレベルと人間の「プロのゲームテスター」のレベルを比較した。ちなみにこのテスターは、実際のテストの前に2時間の練習が許可されていた。あなたもこんな楽しそうな仕事をやりたいって？　もしコンピューター相手にこてんぱんにやられてもいいのならぜひ！　ディープマインドの深層Q学習プログラムは、半数以上の種類のゲームで人間のテスターよりも優れたプレイヤーであることが判明した。また、そのうちの半数のゲームでは、プログラムは人間よりも倍以上の成績を収めた。さらに、そのまた半数では、プログラムは人間よりも5倍以上うまかったのだ。なかでも、その最も衝撃的な例のひとつである『ブレイクアウト』では、DQN プログラムの平均スコアは人間の平均スコアの 10 倍以上だった。

　こうした超人的なプログラムは、具体的にどんなプレイを学

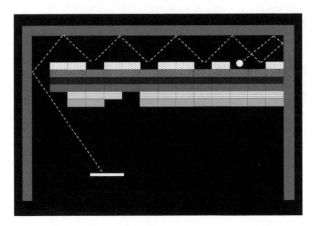

図29 ディープマインドの『ブレイクアウト』プレイヤーは、積まれたブロックの一部にトンネルを掘って貫通させる技を発見した。このやり方で「天井」にボールを跳ね返らせることによって、上部の高得点のブロックを速く消せる

習したのだろうか？　ディープマインドが調べたところ、彼らが訓練したプログラムは非常にうまい技を発見していたことがわかった。たとえば、訓練された『ブレイクアウト』プログラムは、図29のような巧妙な技を見つけていた。このプログラムは、ブロックの層の端に狭いトンネルができるようにボールでブロックを消せれば、ボールは「天井」とブロックの層の上側を行ったり来たりできるようになり、プレイヤーがパドルをまったく動かさずに上部の高得点のブロックを非常に速く消せると学習していた。

　ディープマインドは2013年に開催されたある国際的な機械学習会議で、この成果を発表した。参加者たちは感嘆した。おそらくそれが理由で、グーグルは会議から1年も経たないうちに、ディープマインドを4億4000万ポンド（当時のレートで約6億5000万ドル）で買収すると発表した（訳注：当時のレートで約670億円）。そう、前にも述べたとおり、強化学習はとき

には大きな報酬につながるのだ。

　大金を手に入れ、しかも資金力豊富なグーグルをバックにつけて今やグーグル傘下のディープマインドと呼ばれるようになった同社は、さらに大きな挑戦に立ち向かった。それは実は長年にわたってAIの「大いなる挑戦」のひとつとされてきた、「どんな人間よりも囲碁をうまく打てる方法を学習するプログラムの開発」だった。ディープマインドのプログラム「アルファ碁」は、ボードゲームにおけるAIの長年の歴史のうえに築かれたものだ。アルファ碁の仕組みと、このプログラムが大きな意味を持つ理由をよりわかりやすく説明するために、まずはその歴史全体を駆け足で見ていこう。

チェッカーとチェス

　1949年、技術者のアーサー・サミュエルはニューヨーク州ポキプシーのIBM研究所に入社するや否や、初期のIBM 701コンピューターにチェッカーをプレイさせるプログラムの開発に取りかかった。コンピュータープログラミングの経験がある人なら、これがいかに難題であるかよくわかるはずだ。ある歴史学者の記述によると「サミュエルは、IBM 701で本格的なプログラミングを行った初の人物だ。しかも、701には本来ならプログラミングに必要なシステムユーティリティがなかったにもかかわらずだ［これはつまり、オペレーティングシステムがなかったに等しいということだ！］。とりわけ、アセンブラもなかったことから、サミュエルはプログラムをすべてオペコードやアドレスを利用して書かなければならなかった」という。[原注8]プログラマーではない読者の方々のために翻訳すると、サミュエルが行ったことは手引きのこぎりと金づちだけで家を建てる

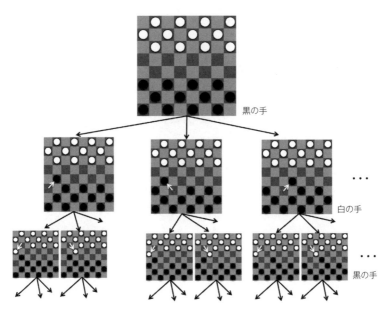

図 30 チェッカーのゲーム木の一部。わかりやすくするために、この図では各盤面で取りうる三つの手しか示されていない。白い矢印は駒の前にいたマスから現在のマスへの移動を示している

ようなものだ。サミュエルのチェッカープレイ用プログラムは、初期の機械学習プログラムのひとつである。現に、「機械学習」という用語をつくったのはサミュエルだ。

　サミュエルの「チェッカープレイヤー」は、「ゲーム木探索」の手法に基づいていた。この手法は今日にいたるまで、ボードゲームプレイ用のすべてのプログラム（あとで説明するアルファ碁もそのひとつである）の基礎になっている。**図 30** はチェッカーのゲーム木の一部を示したものだ。木の「ルート（根）」（本物の木の根とは異なり、通常は上部に置かれる）は、両プレイヤーともまだ駒を動かしていない初期状態のチェッカー盤を示している。ルートから出ている「ブランチ（枝）」は、先手のプレイヤー（ここでは黒）が取れるすべての手につなが

っている。取れる手は七つある（わかりやすくするために、この図では三手のみ示している）。この七つの手のそれぞれに対して白は七つの手を取ることができ（一部のみ示されている）、その後も同様に続いていく。図30のように、取れる手によってできる盤上の駒の状態を示しているものを「盤面」という。

あなた自身がチェッカーをしているところを、想像してみてほしい。毎回自分の番になると、あなたは頭のなかでこの木の一部を組み立てているはずだ。「この手を指したら、相手はあの手を指して、それなら自分はあの手を指して相手の駒を飛び越えることにつなげられる」と自分に言っているかもしれない。チェッカーの名手も含めた大半の人は、数手先までしか検討しない。差す手を選択するまでに先を読むのは、ほんの数手にすぎない。一方、処理が速いコンピューターには、こうした先を読む作業をもっと大局的に行う能力がある。では、コンピューターがすべての手を読んで、どういった一連の駒の動きが最速の勝利につながると判断することの妨げになっているのは何だろうか？　この問題は、第3章で取り上げた指数関数的成長のもの（王、賢者、そして米粒の話を覚えているだろうか？）といわば同じ類だ。チェッカーの1ゲームの平均的な手数は50前後で、それはつまり図30のゲーム木が50段目まで到達するかもしれないということだ。各段において、それぞれの盤面から平均6本から7本のブランチが出る。ということは、このゲーム木に必要な盤面数は6の50乗という途方もなく大きな数さえも、はるかに上回る可能性がある。1秒間に1兆の盤面を読めるという仮想のコンピューターでさえ、ひとつのゲーム木のすべての盤面を検討するには10^{19}年以上かかる計算になる（ちなみに、こういう年数でよく比較される宇宙の年齢は、わ

ずか10^{10}年ほどである）。このゲーム木を完ぺきに探索するのは、現実的には不可能だ。

　だが幸いにも、こういった徹底的な探索をしなくても、コンピューターがうまくプレイできる方法はある。サミュエルのチェッカープレイ用プログラムは、自分の番が来ると図30のようなゲーム木の、ごく一部を（コンピューターのメモリ内に）組み立てた。その木のルートは、対戦中の現在の盤面である。プログラムは自身に組み込まれているチェッカーのルールの知識を利用して、この現在の盤面におけるすべての候補手を生成する。続いて、そのそれぞれの手の結果としてできた盤面における対戦相手のすべての候補手を生成する。そのようにして４、５回分先まで読む（この数字を「探索の深さ」という[原注9]）。

　次に、プログラムは先読みの過程の最後に出てきた盤面（図30の場合では、部分木の一番下の列の盤面）を評価した。盤面を「評価」するというのは、その盤面がプログラムの勝利にどの程度つながっているかを示す推定値を与えることである。サミュエルのプログラムでは、盤面のさまざまな特徴に点数をつける「評価関数」が使われた。この特徴とは、たとえば「駒の総数における黒の優位性」「黒のキング数」「キングになりそうな黒の駒数」といったものだ。こうした具体的な特徴は、サミュエルが自身のチェッカーの知識をもとにして決めた。そうやって一番下の列の各盤面がすべて評価されると、次にプログラムは「ミニマックス」と呼ばれる従来のアルゴリズムを利用した。このアルゴリズムは先読みの過程の最後に得られた推定値に基づいて、プログラム自身が現在の盤面での次の候補手を点数化した。そして、プログラムはそのなかで最も点数が高い手を選ぶ。

この手法について直感的にわかるのは、ゲームがさらに先に進んだときの盤面に対する評価関数の結果のほうが、より正確だろうということだ。そのためプログラムが取った策は、まず数手先までの一連の駒の動きの全パターンを検討の対象にして、それぞれのパターンの結果である各盤面に対して評価関数を利用する。次に、ミニマックスが各評価についてゲーム木を遡って伝え、さらにそれに基づいて現在の盤面ですぐ次の候補手をすべて点数化する、というものだ。^{原注10}

　プログラムが学習したのは、与えられた回において盤面の「どの」特徴が評価関数に含まれるべきか、さらには点数を集計するときにそれらの異なる特徴をどのように重みづけするかということだ。サミュエルは自身が取り組んでいるシステムに学習させるための方法を、いくつか試してみた。そのなかで最も興味深い方法は、なんとシステムが自分同士でプレイしながら学習するものだった！　その「セルフプレイ」による学習方法は若干複雑なためここでは詳細は割愛するが、その特徴のいくつかは現代の強化学習を暗示していた。^{原注11}

　最終的には、サミュエルが開発したチェッカープレイヤーは「平均的なプレイヤーよりはうまい」というレベルにまで見事に上達したが、それでも大会で優勝できるほどでは決してなかった。一部のアマチュアプレイヤーたちからは「油断できないが結局は勝てる相手」と評されていた。^{原注12}とはいえ特筆すべきは、このプログラムがIBMにとって思いがけない宣伝材料になったということだ。1956年にサミュエルが全国放送のテレビでプログラムを実演した翌日、IBMの株価は15ポイント上昇した。これはその後IBMで何度か起きた、ゲームプレイングプログラムが人間に勝利する実演の直後に同社の株価が上がるという

現象の第一号となった。もっと最近の例は、IBMのプログラ
ム「ワトソン」がクイズ番組『ジェパディ！』で優勝して、そ
の場面が大々的にテレビで放送されたときだ。このときも、直
後に同社の株価は上昇した。

　サミュエルのチェッカープレイヤーはAIの歴史における重
要な一里塚だが、本題から少し外れた歴史の話にここであえて
触れた主な理由は、このプログラムが例示している三つの重要
な発想を紹介するためだ。すなわちその三つとは、「ゲーム
木」「評価関数」「セルフプレイによる学習」である。

ディープ・ブルー

　サミュエルが開発した「油断できないが結局は勝てる相手」
であるチェッカープレイ用プログラムは、特にあの時代におい
ては驚くべきものだった。だがそれでも、「人間の知性はほか
に類を見ない」という人々の考えを変えるまでにはまったくい
たらなかった。たとえコンピューターが人間のチェッカーチャ
ンピオンに勝てたとしても（1994年にようやく勝てた[原注13]）、チェ
ッカーを極めることが一般的な知性の獲得を意味するとみなさ
れたことは一度もなかったのだ。だが、チェスはまた別の話だ。
ディープマインドのデミス・ハサビスは次のように語っている。
「何十年ものあいだ、一流のコンピューター科学者たちは、チ
ェスの伝統的な位置づけが人間の知性のすばらしさの実演とい
う点を考慮すると、優れたコンピューターチェスプレイヤーは
人間のほかのどんな能力も超えるはずだと信じてきました[原注14]」。
このようにチェスを高く評価していた人は多く、AIの代表的
な先駆者であるアレン・ニューウェルやハーバート・サイモン
も例外ではなかった。ニューウェルとサイモンは1958年に「有

能なチェス用コンピューターを考え出せたら、それはもはや人間の知的な努力の核心に到達したようなものだ」と記している。[原注15]

チェスはチェッカーよりもはるかに複雑である。たとえば、チェッカーはどんな盤面においても候補手の数は六つか七つ程度だということは、前に述べたとおりだ。一方、チェスの場合はどんな盤面においても指せる手の数はおよそ 35 もある。つまり、チェスのゲーム木はチェッカーのものよりずっと大きくなる。ここ数十年にわたって、コンピューターチェスのプログラムは、コンピューターハードウェアの処理速度の改善と足並みをそろえて進歩し続けてきた。1997 年、IBM は「ディープ・ブルー」によって、ゲームプレイングコンピューターでの二度目の大きな栄光を手にした。ディープ・ブルーは、大々的に報道された何度もの対局を行う試合で、世界チャンピオンのガルリ・カスパロフを破ったのだった。

ディープ・ブルーで使われた方法は、サミュエルのチェッカープレイヤーとほぼ同じものだった。自分の番が来ると、現在の盤面をルートにして部分木を組み立てる。次にその木の最下層の盤面で評価関数を使い、その結果の値をミニマックスアルゴリズムで木の前方に伝えることで、どの手を指すべきかを判断する。サミュエルのプログラムとディープ・ブルーの主な違いは、ディープ・ブルーはゲーム木のより深くまで先読みし、その評価関数はより複雑で（チェス専用のもの）、チェスの知識が人間によってプログラムされていて、しかも処理速度を高めるために特別な並列ハードウェアが使われたという点だ。さらに、サミュエルのチェッカープレイ用プログラムとは異なり、ディープ・ブルーでは機械学習は主要な手法としては使われていなかった。

サミュエルのチェッカープレイヤーのときと同様に、カスパロフに対するディープ・ブルーの勝利によってIBMの株価は大きく上昇した[原注16]。さらに、この勝利が人間を超える知能の実現にいかに大きな影響を与えるかという驚愕と、それでも人間はまだチェスを指そうという気になれるのだろうかという懸念をメディアにもたらした。しかし、ディープ・ブルーの登場後、人間の思考は十数年かけてそれに適応していった。クロード・シャノンはチェスで人間に勝てる機械について、1950年に次のように予測していた。「それによって私たちは、機械化された思考の可能性を受け入れるか、あるいは思考という概念をより狭めたものにするかのどちらかを選ばざるをえなくなるだろう[原注17]」。選択されたのは、後者だった。現在では、コンピューターによる超人的なチェスは一般的な知性を必要しないものとみなされるようになった。今日における私たちの定義では、ディープ・ブルーはどう考えても「知的」ではない。なぜなら、それはチェスを指すことしかできないし、しかも「チェスで対局する」ことや「勝つ」ことが人間にとってどんな意味を持つのか理解できない（私はある講演で「ディープ・ブルーはカスパロフに勝ったけれども、それで喜びを味わったわけではない」という話を聞いたことがある）。しかも、チェスは滅びるどころか、人間にとって挑戦のしがいがある競技としてよりいっそう人気を博している。現在では、コンピューターチェスのプログラムは野球選手がピッチングマシンで練習するのと同様に、トレーニング支援用プログラムのひとつとして人間のプレイヤーに利用されている。これは私たちの知性がAIの進歩によって解明され、その結果、知性の概念が進化したということなのだろうか？　それとも、ジョン・マッカーシーの格言「ある作

業がうまくできるようになったとたん、そのコンピューターは
もはや『人工知能』とは呼ばれなくなる[原注18]」の例が、またひとつ
生まれたということなのだろうか？

囲碁という大いなる挑戦

　囲碁は2000年以上前から存在していたゲームで、あらゆる
ボードゲームのなかで最も難しい部類に入るとみなされている。
だが、もしあなたが囲碁をやらなくても心配しなくていい。こ
の議論では、囲碁の予備知識はまったく必要ない。とはいえ、
このゲームは、非常に人気がある東アジアではとりわけ、高尚
な位置づけのものとして本格的に取り組まれていることは知っ
ておいたほうがいいかもしれない。「囲碁は皇帝や将軍、知識
人や神童たちに愛されてきた娯楽である」と記している学者で
ジャーナリストでもあるアラン・レヴィノヴィッツは、続いて
韓国の囲碁チャンピオンの李世乭（イ・セドル）について紹介しながら、次の
ように述べている。「西洋世界にはチェスがあるが、囲碁はそ
れよりもずっと捉えがたくて理知的なものだ[原注19]」

　囲碁のルールはわりと単純だが、ゲームが進むと創発的な複
雑さとでもいうものが生まれてくる。プレイヤーは各回におい
て自分の色（黒か白）の駒を、打ってもいい箇所や相手の碁石
の取り方のルールに従って、縦横19本の線を持つ盤に置いて
いく。チェスにはポーン、ビショップ、クイーンというように
駒に序列があるが、それとは違って囲碁の駒（碁石）はすべて
平等である。プレイヤーが次の手を決めるために急いで分析し
なければならないのは、盤上の碁石の配置状態だ。

　囲碁を打つプログラムの開発については、AI分野の初期の
頃から熱心な取り組みが行われてきた。しかし、囲碁の複雑さ

によって、この課題は驚くほど困難を極めた。ディープ・ブルーがカスパロフを破った1997年当時、最も優れた囲碁プログラムでさえ平均的なプレイヤーにまだ簡単に打ち負かされてしまうようなレベルだった。すぐ前で説明したとおり、ディープ・ブルーはどんな盤面に対してもかなり先まで読み、次に評価関数を使ってのちの盤面に数値を与え、その各数値に基づいて、ある盤面が勝利につながるかどうかを判断する。囲碁は二つの理由によって、この策を使うことができない。ひとつ目の理由は、囲碁の先を読むための木はチェスのものより圧倒的に大きいということだ。チェスのプレイヤーは目の前の盤面に対して約35の手からひとつを選ばなければならないが、囲碁のプレイヤーはおよそ250もの手から選ばなければならないのだ。その目的に合わせて特別に開発されたハードウェアをもってしても、ディープ・ブルーのようなしらみつぶし戦法による探索を囲碁で行うのはとうてい不可能である。二つ目の理由は、囲碁の盤面に対して効果を発揮する評価関数を誰も考案できなかったということだ。つまり、囲碁の盤面を分析してどちらのプレイヤーが勝つかを予測できるような式を、誰もうまく立てられなかったということである。最高レベルの（人間の）囲碁プレイヤーは自身のパターン認識能力と、言葉では言い表せない直観に頼って打つ。

　AI研究者たちは、直観を評価関数に情報として盛り込む方法を見つけられないでいた。そうした状況を見たジャーナリストのジョージ・ジョンソンは、ディープ・ブルーがカスパロフに勝った同じ年の1997年に「いつか、あるいはもしコンピューターが人間の囲碁のチャンピオンを破ったら、それは人工知能が本物の知能と同じくらい優れたものについになろうとして

いるという兆しだ」と『ニューヨーク・タイムズ』紙に書いた。原注20
その言葉に聞き覚えはないだろうか。そう、以前チェスに対して言われてきたこととまったく同じではないか！　そして、ジョンソンは「コンピューターが囲碁で人間に勝てるのは100年先かもしれません、いや、もっとかかるのではないでしょうか」という、ある熱心な囲碁愛好家の予想を紹介した。そのわずか20年後、深層Q学習で囲碁の打ち方を学んだ「アルファ碁」が、李世乭を五番勝負で破ったのだ。

アルファ碁vs李世乭

　アルファ碁の仕組みを説明する前に、世界最強の囲碁棋士のひとりである李世乭に対する驚異的な勝利というその偉業をまずは称えよう。対局の半年前、アルファ碁がヨーロッパ囲碁チャンピオン樊麾（ファン・フイ）を破ったのを見た李は、それでも自分が勝つだろうと強気の姿勢を保った。「［アルファ碁の］レベルは私に及びません……当然ながら、この4、5カ月で多くの更新が行われたのでしょうが、その程度の期間では私に挑戦するレベルにはなれません」原注21

　もしかしたら、あなたも2016年3月に行われたアルファ碁と李の対局の一部をインターネットで観戦した、2億人以上のなかのひとりだったのかもしれない。この観客数は、2500年の囲碁の歴史のなかのほかのどんな対局よりもはるかに多かったに違いない。第一局が終わってアルファ碁に負けた李が「私はショックを受けています……アルファ碁がこれほど完ぺきに打てるとは思っていませんでした」原注22と感想を述べるのを、あなたも目の当たりにしたのではないだろうか。

　アルファ碁の「完ぺきな手」のなかには、この対局の人間の

解説者たちの驚きと称賛の的となったものも確かに多かった。だが、第二局の途中でアルファ碁が打った一手には、最も優秀なレベルの囲碁棋士たちさえも度肝を抜かれた。そのときのことを『ワイアード』誌は次のように伝えている。

　　　　樊麾［前述のヨーロッパ囲碁チャンピオン］は、この手はやや奇妙だと最初はそう思った。だが、すぐにその美しさに気づいた。「これは人間が打てる手ではありません。こんな手を打った人は一度も見たことがありません」。そして、「とても美しい」とつぶやいた。樊はその言葉を何度も繰り返した。美しい、美しい、美しい……と。「まさに驚きの一手でした」とこの対局の英語解説者が語った。彼も非常に才能豊かな囲碁棋士だ。すると、別のひとりが言った。「あれはミスかと思いましたよ」。だが、あの一手に最も驚いたのは李世乭その人だろう。彼は立ち上がると、対局室から出ていった。「おそらく顔でも洗いにいったのでしょう。ショックから立ち直るために」と最初の解説者が説明した。[原注23]

　この一手について、『エコノミスト』誌は次のように解説している。「興味深いことに、人間の囲碁の名人たちもこうした手を打つこともある。これは日本では『神の手』や『神聖な一手』を意味する『カミノイッテ（神の一手）』と呼ばれている」[原注24]

　アルファ碁はこの第二局に勝ち、その次も勝った。だが、第四局では、今度は李のほうに「神の一手」の瞬間が訪れた。それはこの対局の複雑さを捉え、トップ囲碁棋士たちの直観に訴えかけるものだった。解説者たちは李のその手にあぜんとした

が、それが李の対局相手にとって致命的な一手になりうることをすぐさま見抜いた。このときのことを、あるライターは次のように伝えている。「だが、アルファ碁は何が起きているのかいっこうに気づいていないようだった。この一手は……アルファ碁が自身と競った膨大な数の対局のなかで、見たことがなかったものだったからだ。対局後の記者会見で、李はこの一手を打ったときにどんなことを考えていたのか尋ねられた。この一手しか見えなかったのです、と彼は答えた[原注25]」

　アルファ碁は第四局を落としたが第五局で再び勝ち、こうして五番勝負に勝った。大手メディアはディープ・ブルー対カスパロフのときとまるで同じような報道を繰り返し、アルファ碁の勝利は人類の未来にどういう意味を持つのかという解説記事を次から次へと掲載した。だが、この勝利はディープ・ブルーのものより、よりいっそう重要な成果をもたらした。AIはチェスのときよりも大きな挑戦を成しとげ、しかもその方法は実に見事としかいいようがないものだったのだ。ディープ・ブルーとは異なり、アルファ碁はセルフプレイによる強化学習で能力を身につけたのだった。

　デミス・ハサビスはインタビューで「トップレベルの囲碁棋士のほかとの決定的な違いは、彼らの優れた直観です。私たちがアルファ碁に行ったのは、そのニューラルネットワークにこうした直観という面を取り入れたことです。それを直観と呼んでいいかどうかは別にして」と語っている[原注26]。

アルファ碁の仕組み

　アルファ碁にはいくつかのバージョンがあったことから、ディープマインドはそれらを区別するために「アルファ碁

『樊』」「アルファ碁『李』」というように、それぞれのバージョンのプログラムが勝った囲碁チャンピオンの名前をつけるようになった。これはなんだか、デジタル世界のバイキングが征服した敵の頭蓋骨を戦利品として集めている姿を想像してしまう。もちろん、ディープマインドはそういう意図で名づけをしたわけではないに違いないだろうが。いずれにせよ、アルファ碁「樊」とアルファ碁「李」のどちらにも、深層Q学習、「モンテカルロ木探索」、教師あり学習、囲碁の専門知識の複雑な組み合わせが使われていた。だが、李世乭との対局から1年後、ディープマインドは過去のバージョンよりももっと簡素でしかも性能が向上したプログラムを開発した。この新しいバージョンは「アルファ碁ゼロ」と名づけられた。その理由は、このプログラムは以前のバージョン同様、囲碁のルール以外はすべての知識が「ゼロ」の状態で学習を始めたからだ。^{原注27}アルファ碁「李」とアルファ碁ゼロによる100回の対局では、後者が全勝した。さらに、ディープマインドは同じ手法（ただしネットワークや、あらかじめ組み込まれたゲームのルールは異なる）を使って、チェスや将棋（「日本のチェス」とも呼ばれている）も学習させた。^{原注28}開発者たちはこの一連の手法を「アルファゼロ」と呼んだ。この節では「アルファ碁ゼロ」の仕組みについて説明するが、簡潔にするためにここではこのバージョンを「アルファ碁」と略すことにする。

「直観」という言葉には神秘的な響きがあるが、アルファ碁の直観（と呼んでいいものならば）は深層Q学習と、「モンテカルロ木探索」という巧みな手法の組み合わせから生まれたものだ。若干横道にそれるが、この手法のややこしい名前の由来について解説しよう。まずは「モンテカルロ」の部分から。ご存

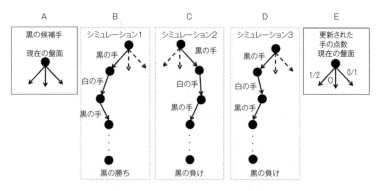

図 31 モンテカルロ木探索の仕組み

知のとおり、モンテカルロはコート・ダジュールに位置する小さなモナコ公国の最も華やかな地区の名前である。よく知られているのはジェットセッター（訳注：**自家用飛行機で世界じゅうを飛び回るような人**）たちのためのカジノ、そしてカーレース。あるいは、ジェームズ・ボンドの映画にたびたび登場することでも有名だ。だが、科学や数学では、「モンテカルロ」とは「モンテカルロ法」という一連のコンピューターアルゴリズムの総称を指す。この手法が最初に使われたマンハッタン計画では、原子力爆弾の設計支援用に導入された。この名前は、モンテカルロのカジノの象徴であるルーレットを回すようなある程度の「無作為性」をコンピューターで利用することにより、難しい数学の問題が解けるということから来ている。

　モンテカルロ法の一種である「モンテカルロ木探索」は、コンピューターのゲームプレイングプログラムに特化して開発された。ディープ・ブルーでの評価関数の用途と同様に、モンテカルロ木探索も与えられた盤面でのすべての候補手に点数をつけるために使われる。だが、前に説明したとおり、囲碁の場合はゲーム木の広範な先読みを利用するのは不可能だし、しかも

囲碁の盤面に対する効果的な評価関数を誰も考案できなかった。モンテカルロ木探索の方法はそれとは異なっている。

　図31は、モンテカルロ木探索の仕組みを示している。まずは図31Aを見てほしい。黒い丸は現在の盤面、つまり現在の回の囲碁盤上の碁石の配置状態を示している。この囲碁を打つプログラムの石は黒だとして、現在は黒の番だ。状況を簡易化するために、黒の候補手は三つとしよう。図の矢印が、その数を表している。黒はどの手を選ぶべきだろうか？

　黒に十分な時間があればゲーム木の「完全探索」、つまり候補手とその展開を「すべて」先読みして、その結果に基づいて黒の勝ちにつながる可能性が最も高い手を選べばいいだろう。だが、そうした徹底的な先読みをするのは不可能だ。前にも述べたように、囲碁で完全ゲーム木探索を行うためには、宇宙の始まりから今日までかけてもまだ時間が足りないのだ。一方、モンテカルロ木探索では、黒は各手から生まれうる展開のごく一部だけを先読みし、仮想の展開による勝ちの数と負けの数を数える。そして、その数に基づいて各候補手に点数をつける。ルーレットから発想を得た無作為性は、どのように先を読むかを決めるために使われている。

　もう少し具体的に説明すると、図31BからDで示されているように、黒は現在の盤面で打つ手を選ぶために可能性のある対局の展開をいくつか「想像」（シミュレーション）する。その各シミュレーションにおいて、黒は現在の盤面から始めて、候補手のなかからひとつ選ぶ。次に、（その新たな盤面から）対局相手（白）の手を無作為に選択する。そうした次の手の選択を、シミュレーションされた対局が黒の勝ちか負けかが明らかになるまで交互に続ける。与えられた盤面から始めるそうし

たシミュレーションを、その盤面からの「ロールアウト」とい
う。

　図31の三つのロールアウトでは、黒は1回勝って2回負け
たことがわかる。ここで黒はその結果に基づいて、現在の盤面
での各候補手に点数をつけることができる（図31 E）。候補手
1（一番左の矢印）は2回のロールアウトで採用され、そのう
ち一度勝っているため、この候補手の点数は「2の1」だ。候
補手3（一番右の矢印）は1回のロールアウトで採用され、そ
れは負けに終わったため、点数は「1の0」だ。真ん中の候補
手は一度も試されなかったため、点数は「0」になる。さらに、
プログラムはロールアウトに採用された途中の候補手について
も同様の統計データを記録している。モンテカルロ木探索のこ
の回が終了すると、プログラムは更新された点数に基づいてど
の候補手が最も有望かを判断する。ここでは候補手1がそれに
あたる。そうして、プログラムは実際の対局でその手を打つこ
とになる。

　なお、ロールアウトの過程ではプログラムが自身の手と相手
の手を無作為に選ぶと説明したが、プログラムが実際に行って
いるのは、それまでの回のモンテカルロ木探索で候補手が点数
を得ていれば、それに基づいて「確率的に」手を選ぶというも
のである。各ロールアウトが勝ちか負けで終わるたびに、アル
ゴリズムはその勝敗を反映するために対局中に打たれた手の点
数をすべて更新する。

　最初の頃は、プログラムが目の前の盤面で選ぶ手はかなりば
らついていた（プログラムがやっていることは、ルーレットを
回して打つ手を選んでいるようなものだからだ）。だが、ロー
ルアウトを何度も行って統計データをさらに増やしていくにつ

れて、プログラムは過去のロールアウトで最も勝ちにつながった手ばかりをよりいっそう多く選ぶようになっていく。

こうした仕組みを持つモンテカルロ木探索では、ただ盤面を読むだけでどの手が勝ちに最もつながっているかを推測しなくてもいい。その理由は、ある候補手が「実際に」何回勝ち負けにつながったのかについての統計データを、ロールアウトを使って集めることができるからだ。アルゴリズムがロールアウトを実行すればするほど、統計データは正確さを増していく。前に説明したほかの例と同様に、このプログラムにおいても搾取（ロールアウトを行っているときに、最も点数が高い手を選ぶ）と探索（プログラムがまだ統計データを十分集めていない点数の低い手をたまに選ぶ）のバランスを取ることが重要だ。図31で示されているロールアウトは三つだが、アルファ碁のモンテカルロ木探索では、自身の番が回ってくるたびに2000回近いロールアウトが行われた。

モンテカルロ木検索は、ディープマインドのコンピューター科学者たちが考案したものではない。ゲーム木で使われるものとして初めて提唱されたのは2006年で、それによってコンピューター囲碁プログラムの性能は著しく改善された。とはいえ、そうしたプログラムでも最高レベルの人間の囲碁棋士にはまだ勝てなかった。問題のひとつは、何度もロールアウトを行って十分な統計データを得るには非常に時間がかかるという点だ。膨大な数の候補手がある囲碁では、とりわけそれが顕著だった。ディープマインドの研究グループは、モンテカルロ木探索を深層畳み込みニューラルネットワークで補うことで、システムを改善できることを発見した。現在の盤面を入力として与えられたアルファ碁は、訓練された深層畳み込みニューラルネットワ

ークを利用して、現在の盤面でのすべての候補手に大まかな値をつける。次に、モンテカルロ木探索がその値によって探索を始動させる。要は、モンテカルロ木探索は最初の手を無作為に選ぶのではなく、CNNが出力した値をどれが最初の手として好ましいかの指針として利用するというわけだ。仮に、あなたが目の前の盤面を読もうとしているアルファ碁だったとしよう。すると、あなたがその盤面からのロールアウトを行うというモンテカルロ手法を始める前に、現在の盤面での候補手でどれが一番有望かをCNNが耳元でささやいてくれるのだ。

またそれとは逆に、モンテカルロ木探索の結果はCNNの訓練用にフィードバックされる。今度は、あなたがモンテカルロ木探索後のアルファ碁だったとしよう。あなたの探索結果は、すべての候補手に与えられる新たな確率である。それはあなたが行ったロールアウトのなかで、それらの候補手が勝ちと負けにそれぞれ何回つながったかに基づいて算出されたものだ。そうした新たな確率の値は、バックプロパゲーションによってあなたのCNNの出力を修正するために利用される。あなたと対局相手は打つ手を選択し、その結果あなたの前に新たな盤面が現れる。そして、同じ手順が繰り返される。原理上、畳み込みネットワークが学習しているのは、囲碁の達人たちが行っているようなパターン認識だ。そうして、CNNは次第にプログラムの「直観」の役割を果たすようになり、それはモンテカルロ木探索によってさらに研ぎ澄まされる。

先祖であるサミュエルのチェッカープレイヤーと同じく、アルファ碁も「自分自身」と何度も対局（約500万回）することで学習する。訓練時には、畳み込みニューラルネットワークの重みは、ネットワークの出力値とモンテカルロ木探索の実行後

に改善された値との差に基づいて、一手ごとに更新される。そうして、アルファ碁がたとえば李世乭のような人間と対局するときが来ると、モンテカルロ木探索を始動させるための値を毎回生み出すために、訓練されたCNNが使われるのだ。

　ディープマインドは同社のアルファ碁プロジェクトによって、長年にわたるAIの大いなる挑戦のひとつは、強化学習、畳み込みニューラルネットワーク、モンテカルロ木探索の独創的な組み合わせによって打ち勝てることを示してみせた（強力な処理能力を持つ今日のコンピューターハードウェアもそのなかに加えるべきだろう）。その結果、アルファ碁はAIの殿堂において当然といえる地位を獲得した。だが、そこで終わりなのだろうか？　こうした手法の組み合わせはゲームの世界で大きな威力を発揮したが、果たしてそれ以外の分野でも利用できるほど汎用化できるのだろうか？　次章で取り上げるのは、まさにこの疑問についてである。

第10章
ゲームを超えて

　ここ 10 年のあいだに、強化学習は AI 分野の比較的地味な分科から、同分野で最も熱い注目を浴びる（しかも最も手厚い資金援助を受けている）手法へと変化を遂げた。強化学習の人気の復活は、とりわけ世間からすれば、前章で取り上げたディープマインドの一連のプロジェクトによるところが大きい。アタリのゲームや囲碁におけるディープマインドの結果は確かに驚異的で重要な功績であり、称賛されて当然のものだ。

　しかしながら、大半の AI 研究者にとって、超人的なレベルのゲームプレイングプログラムの開発は最終的な目的ではなく、開発が終わったわけではない。技術的な話からいったん少し離れて、こうしたプログラムの成果を AI 分野のより広い領域で応用できるかどうかについて考察してみよう。この件について、デミス・ハサビスは次のように述べている。

　　私たちにとってゲームは開発のプラットフォームにすぎません……ゲームはこうした AI アルゴリズムの開発とテストを行ううえで、最速の手段なのです。しかし、最終的にはこれらの AI アルゴリズムを実世界の問題に応用して、医療や科学に貢献できるような大きな影響をもたらしたいと思っています。ここで強調したい重要な点は、これらは何かをする方法を自身の経験と自身が持つデータに［基づいて］学ぶ、汎用的な AI だということです。[原注1]

この意見について、もう少し深く掘り下げてみよう。この
AIは実際にはどれくらい「汎用的」なのだろうか？　ゲーム
の世界を超えた実世界で、どれくらい応用がきくのだろう？
これらのシステムは、実際にはどの程度「自分で」学習してい
るのだろう？　しかも、それらは具体的に何を学習しているの
だろう？

汎用性と「転移学習」

　アルファ碁に関する論文をインターネットで検索していたと
き、「ディープマインドのアルファ碁、余暇にチェスを極め
る」という興味をそそられる見出しが出てきた[原注2]。この内容は間
違っているし、誤解を招く恐れがある。そして、重要なのはそ
の理由を理解することだ。アルファ碁（すべてのバージョンに
おいて）は、囲碁しかできない。その最も汎用的なバージョン
であるアルファゼロでさえ、囲碁、チェス、将棋のやり方を学
習したのはひとつのシステムではない。そうしたどのゲームも、
それぞれに合わせてゼロからの訓練が必要な独自の畳み込みニ
ューラルネットワークを使っている。人間とは異なり、そうし
たプログラムはどれも、あるゲームについて学習したことをほ
かのゲームの学習に役立つよう「転移」させることはまったく
できないのだ。

　アタリのゲームを対象にした各種ゲームプレイングプログラ
ムについても同様である。それらは、自身のネットワークの重
みをゼロから学習する。それはたとえば、『ポン』の遊び方を
覚えたあなたが次に『ブレイクアウト』の遊び方を覚えようと
するためには、『ポン』の遊び方について学んだことはすべて
忘れてまた最初から覚え始めなければならないようなものだ。

実は機械学習の世界には、「転移学習」という希望に満ちた言葉がある。これはプログラムがひとつのタスクで学習したことを、関連した別のタスクを行うときに役立つよう「転移」させる能力のことだ。人間にとっては、転移学習は無意識に行われる。私は卓球を習って身につけた技術の一部を、その後テニスやバドミントンを習うときに転移させて活用することができた。チェッカーのやり方を知っていたことが、チェスを覚えるときに役立った。私がまだよちよち歩きの子どもだった頃、自分の部屋のドアノブの回し方を覚えるのに時間がかかったが、いったんやり方を覚えてしまうとその能力を素早く一般化して、ほぼどんなドアノブでもうまく回せるようになった。

　人間はあるタスクからほかのタスクへというこうした類の転移を、やすやすとこなしているように見える。学習したことを一般化できるという人間の能力は、私たちにとって「考える」が意味することの中心的な部分だ。つまり、人間同士の話では、転移学習を表す別の言葉は「学習」だといってもいいだろう。

　人間とはまったく対照的に、今日のAIにおける「学習」は関連するタスク間で転移させることができない。そういった意味では、この分野はハサビスがいうところの「汎用的なAI」の実現にはまだほど遠い。転移学習は機械学習の専門家たちのあいだで最も活発な研究テーマのひとつだが、その進歩はまだ始まる一歩手前だといってもいいほどだ。^{原注3}

「人間による例や指導なしに」

　教師あり学習とは異なり、自身の「環境」で行動してその結果を観察するだけで学べる強化学習は、真に自力で学習できるプログラムとして期待できる。ディープマインドの開発の成果、

とりわけアルファ碁のものについての最大の主張は、その取り組みがこの期待に応えたという点だ。「私たちが出した結果は、たとえ最も難易度の高い領域においてさえ、純粋な強化学習の手法は十分に実践可能であることを総合的に実証しています。人間による例や指導なしに、そしてその領域の基本的なルール以上の知識を与えることなく、システムを超人的なレベルに訓練することは可能なのです」原注4

　主張は十分理解した。では、反論に移ろう。確かにアルファ碁（より厳密には、アルファ碁ゼロのバージョン）は学習において人間による例をまったく使わなかったが、人間による「指導」は別問題だ。畳み込みニューラルネットワークの個別の論理構造設計、モンテカルロ木探索の利用、両者が必要とする多くのハイパーパラメータの設定は、アルファ碁の成果に極めて大きな役割を果たした人間による指導の一例である。心理学者でAI研究者でもあるゲイリー・マーカスが指摘するとおり、アルファ碁に欠かせないそうした特徴はどれも「純粋な強化学習によってデータから学んだものではない。［それらは］むしろ、最初から組み込まれていたのだ……ディープマインドのプログラマーたちによって」原注5というわけだ。実はアルファ碁よりも、ディープマインドのアタリゲーム用プレイングプログラムのほうが「人間の指導なしに学習する」ことのより優れた例だ。なぜなら、アルファ碁とは異なり、それらのプログラムではゲームのルール（例－「『ブレイクアウト』の目的はブロックを消すこと」）は与えられていないし、それどころかそのゲームに関連している「物体」（例－「パドル」「ボール」）の概念さえ示されておらず、ただ画面のピクセルだけから学習しなければならないからだ。

最も難易度の高い領域

　ディープマインドの主張で検討が必要だと思われるもうひとつの点は、「たとえ最も難易度の高い領域においてさえ」だ。ある領域がAIにとって難易度が高いかどうかを、私たちはどうやって決めればいいのだろうか？　前にも取り上げたとおり、私たち人間がとても簡単だと思うこと（例－写真の内容を説明する）の多くが、コンピューターにとっては非常に難しかったりする。逆に、私たち人間にとって非常に難しく思えること（例－50桁同士の掛け算を正確に行う）の多くを、コンピューターは1行のプログラムによって瞬時にこなせたりする。

　ある領域のコンピューターにとっての難易度を測定するためのひとつの方法は、非常に単純なアルゴリズムがそこでどれくらいうまくはたらくかを見ることだ。2018年、ウーバーAI研究所は数種類のアタリのビデオゲームにおいて、比較的単純なアルゴリズムがディープマインドの深層Q学習方法とほぼ互角の（しかも、ときには上回る）結果を出したことを確認した。好成績を収めたなかで最も意外だった方法は、「ランダム探索法」だった。それは何エピソードにもわたる強化学習によって深層Qネットワークを訓練する代わりに、「ランダム（無作為）」に決められた重みの畳み込みネットワークをただ何種類も試していくというものだ。そこには無作為な試行錯誤以外の学習は、一切ない。

　無作為に決められた重みのネットワークがアタリのビデオゲームをプレイしても、ひどいものだろうとあなたも思うはずだ。確かに、そういったネットワークの大半は恐ろしく下手なプレイヤーだ。だが、ウーバーの研究者たちが、無作為に重みが決められたネットワークを次々に試し続けると、ようやく（だが、

深層Qネットワークを訓練するより短い時間で）テストを行った13種類のゲームのうちの5種類で、深層Q学習で訓練されたネットワークとほぼ互角かそれよりも成績を上回ったネットワークをいくつか確認できた。「遺伝的アルゴリズム[原注7]」と呼ばれる別の比較的単純なアルゴリズムは、13種類のゲームのうちの7種類において、深層Q学習で訓練されたネットワークの成績を上回った。こうした結果が意味しているものははっきりわからないが、ただひとついえるのは、アタリのゲームの領域は当初思われていたよりもAIにとって難易度が高いものではないかもしれないということだ。

　これと似たような、囲碁用のネットワークの重みをランダム探索しようとしている例はまだ聞いたことがない。ほんのわずかでも成果があれば、それはとても驚くべきことだ。囲碁を打つコンピューターを開発しようとする長年の試みを考えると、囲碁はAIにとって本当に難易度の高い領域のひとつだということは納得できる。

　だが、ゲイリー・マーカスが指摘しているとおり、人間がしているゲームのなかでAIにとって囲碁よりもさらに難しいものはたくさんある。マーカスが挙げているある顕著な例は、ジェスチャーゲーム[原注8]だ。考えてみれば、それは今日のどんなAIシステムの能力をはるかに超えた、高度の視覚的、言語的、社会的な理解が必要とされるゲームである。もしあなたが、たとえば6歳の子どもと同じくらいのレベルでジェスチャーゲームができるロボットを開発できれば、あなたはAIにとっての「最も難易度の高い領域」のいくつかを制覇したといっても差し支えないはずだ。

こうしたシステムは何を学習したのか？

　深層学習を利用したほかのシステム同様、そうしたゲームプレイングシステムに使われているニューラルネットワークが実際に何を学習したのかを捉えるのは難しい。ここまで読んできたあなたは、私の説明に若干の擬人化が使われていることに気づかれたかもしれない。たとえば、私はあまり意識せずに「ディープマインドの『ブレイクアウト』プレイヤーは、積まれたブロックの一部にトンネルを掘って貫通させる技を発見した」といった表現をしていた。

　私と同じく誰にとっても、AIシステムの振る舞いを語るときには、いつのまにかこうした言い方になってしまいがちだ。だが、私たちの言葉に含まれているこういった無意識な思い込みは、これらのプログラムにはあてはまっていないことが多い。ディープマインドの『ブレイクアウト』プレイヤーは、「トンネルを掘る」という概念を本当に発見したのだろうか？　ゲイリー・マーカスは、こうした点に対して私たちは慎重になるべきだと指摘している。

　　このシステムはそういったことは学習していない。「トンネル」が何のことか実際には理解していないし、「壁」が何であるのかもわかっていない。学習したのは、特定のシナリオに限定された対策だけだ。深層強化学習システムに訓練されたシナリオとほんの少し異なるものを与えた場合を検証する「転移テスト」において、深層強化学習によって出された答えは非常に浅薄なものが多いことが示された。^{原注9}

　ここでマーカスが触れているのは、深層Q学習が学んだこと

をどれくらいうまく転移できるかを、同じゲームの非常に小さ
な違いに対してまで綿密に調べようとしたいくつかの研究につ
いてだ。たとえば、ある研究グループはディープマインドの
『ブレイクアウト』プレイヤーと同様のシステムを調べた。す
ると、プレイヤーを「超人」レベルまで訓練した直後にパドル
の位置をわずか数ピクセル分上げただけでも、システムのゲー
ムプレイング能力が急落することがわかった[原注10]。この結果は、シ
ステムが「パドル」という基本的な概念すら学習していないこ
とを示唆している。別のグループの研究では、ゲーム『ポン』
に対して訓練された深層Q学習システムのゲーム能力が、ゲー
ム画面の背景の色が変わっただけで大きく後退した[原注11]。しかもど
ちらの事例においても、システムがそれらの変化に対応するた
めには、何エピソードもの再訓練が必要だった。

　この二つは深層Q学習が汎用化能力に欠けていることを示す
多くの例の一部にすぎず、そうした汎用性のなさは人間の知性
とは著しい対照をなしていることがわかる。ディープマインド
の『ブレイクアウト』プレイヤーが「トンネルを掘る」という
概念を抱いているかどうかについて調べた研究は、まだないよ
うだ。だが個人的には、このシステムは十分な再訓練なしには、
「トンネルを『下に向かって』掘る」や「トンネルを『横方向
に』掘る」といった汎用化はできないという気がしている。マー
カスが次のように指摘しているとおり、「私たち人間」は自
分たちが基本的な概念（例－「壁」「天井」「パドル」「ボー
ル」「トンネルを掘る」）と思っているものに対する一定の理
解がプログラムにあると思っているが、実際のところプログラ
ム自身はそういった概念を持っていないのだ。

こうした研究例によって明らかになったのは、深層強化学習が「壁」や「パドル」といった概念を抱いているという主張は、誤解を招く恐れがあるということだ。そうした主張は、比較（動物）心理学では「過度の帰属」と呼ばれることがある。つまり、アタリゲーム用プレイングシステムは壁という頑健な概念を根底からきちんと学習したわけではなく、ごく限られた状況に対する高度な訓練の範囲内で、壁を打ち破ることを非常に大まかに予測したのだ。^{原注12}

　それと同様に、囲碁を打つにあたって奇跡的な「直観」を披露したアルファ碁のシステムも、少なくとも私の見るかぎりでは、その囲碁を打つ能力を汎用化するための何らかの仕組みを備えてはいない。そのため、たとえば同じ囲碁を打つのでも囲碁盤がマス目の少ない、あるいは形の異なるものに代わってしまうと、それすらシステムの深層Qネットワークの再構築と再訓練なしには対応できなくなってしまう。

　つまり、こうした深層Q学習システムは一部の狭い領域で超人的な成果を収め、しかもそれらの領域で「直観」に似た能力さえ見せたにもかかわらず、人間の知性に必要不可欠なあるものを欠いている。たとえそれが「抽象化」「ドメイン（領域）汎化」「転移学習」といったどんな名称で呼ばれようとも、この能力をシステムに植えつけることが、AI分野で今なお最も解決が急がれる未解決問題であることに変わりはないのだ。

　こうしたシステムが、人間が抱くような概念を学習していない、あるいは自身が対象としている領域を人間と同じような方法で「理解」していないと思われる理由はほかにもある。教師あり学習システムと同じく、こういった深層Q学習システムは

第6章で取り上げたような敵対的サンプルに対して弱い。たとえば、ある研究グループはアタリゲーム用プレイングプログラムの入力用ピクセルに対して、人間には感知できないほど極めて小さいがプログラムのゲームプレイング能力を著しく低下させられる特殊な変化を施せることを示した。

アルファ碁はどれくらい知的なのか？

チェス、囲碁といったゲームについて、そしてそれらと人間の知性との関係を考えるときに、次のことを念頭に置いておく必要がある。多くの親が子どもに学校のチェスクラブ（ところによっては囲碁クラブ）に入るよう勧め、自分の子どもが家でテレビを観たりビデオゲームをしたりしているよりもチェス（または囲碁）をしているほうがいい（アタリに罪はないが）と思うのはなぜだろうか。その理由は、チェスや囲碁のようなゲームは、子どもたち（というよりすべての人）に「よりしっかりと『考える』方法」「論理的に思考する方法」「抽象的に推論する方法」そして「極めて重要な長期的な計画を立てる方法」を教えてくれると思われているからだ。これらは人が一度身につけると一生忘れない能力であり、しかもどんな取り組みにも有効活用できる総合的な能力でもある。

だがアルファ碁は訓練時に何百万回も対局を重ねてきたにもかかわらず、囲碁の対局以外のことについて「よりしっかりと『考える』」ことは、まったく学習しなかった。それどころか、囲碁以外の何かについて「考える」「推測する」「計画を立てる」能力はまったくない。私の知るかぎり、アルファ碁が学習して身につけた能力はどれも決して汎用的とはいえない。どれひとつとして、ほかのタスクに転移させることはできないのだ。

つまり、アルファ碁は「究極の賢い馬鹿」なのである。

　確かに、アルファ碁で使われた深層Q学習法がほかのタスクの学習に使えるのは事実だ。だが、システム自体を完全に再訓練することになる。要は、新たな技能を学習するためには、基本的にまたゼロから始めなければならないのだ。

　これは「簡単なことは難しい」という例のAIのパラドックスを思い起こさせる事実だ。アルファ碁は、AI分野における偉業である。優れた知性の鑑とみなされているゲームにおいて主にセルフプレイによって学習することで、世界で最も優秀な人間のプレイヤーたちを完ぺきに打ち負かしたのだから。とはいえ、アルファ碁は私たちが一般的に定義しているような「人間レベルの知性」を発揮することはないし、しかもほぼ間違いなくどんなかたちの真の知性も備えていない。人間にとって知性で最も重要な要素は、特定の技能を身につけるよう学習できることではなく、「考える方法を学習」できて、しかもそうして身につけた思考力を、今後直面するどんな状況や難題に対しても柔軟に活用できるということである。これこそが、私たちが自分の子どもたちにチェスや囲碁を通じた学習で身につけさせたい真の技能だ。妙な言い方かもしれないが、学校のチェスクラブの最下級生さえも、こうした意味においてはアルファ碁より賢いのだ。

ゲームから実世界へ

　最後に、こうしたゲームで開発と実証を行うことの最終的な目標は「それらを実世界の問題に応用して、医療や科学に貢献できるような大きな影響をもたらすこと」だというデミス・ハサビスの意見を考察しよう。ディープマインドの強化学習での

取り組みが、ハサビスが目標としているような影響をやがてもたらす可能性は非常に高いと思われる。とはいえ、ゲームから実世界への道のりは、まだ果てしなく遠い。

　障害のひとつは、転移学習の実現が必要なことだ。だが、ゲームの領域での強化学習の成果を、実世界に拡張するのが難しい理由はほかにもある。『ブレイクアウト』や囲碁といったゲームは、明確なルールがある、報酬の仕組みがわかりやすい（例－得点や勝利に対して報酬が与えられる）、候補となる動き（候補手）が比較的少ないという理由で、理想といえるほど強化学習によく向いている。さらに、プレイヤーは「完ぺきな情報」を入手できる。つまり、ゲームを構成するあらゆる要素はプレイヤーに常に明確にされていて、プレイヤーの「状態」について隠されていたり不明瞭だったりする部分はない。

　一方、実世界はそれほど明確な線引きがされているところではない。ダグラス・ホフスタッターは、明確に定義された「状態」という概念自体がそもそも現実的ではないと指摘している。「世界の状況を見れば、それらがチェスや囲碁の対局とは違って、ひとつの枠組みに収まっているものではないことがわかります……世界における状況とは、境界線がまったく存在しないものです。つまり、状況のなかにどんなものが含まれていて、状況の外に何があるかわからないのです」[原注13]

　例として、ロボットを強化学習で訓練して、実世界における非常に面倒なタスクをこなしてもらうようにすることを考えてみよう。そのタスクとは、シンクに積まれた汚れた皿を食器洗浄機に入れることだ（そんなロボットが来たら、我が家はどんな平和になることか！）。まず、ロボットの「状態」をどう定義すればいいだろう？　その視野に入っているものすべてを含

めるべきだろうか？　シンクに入っているものすべて？　食器
洗浄機のなかのものもすべて？　皿をなめにきたので、追い払
わなければならないイヌも含めるべきだろうか？　私たちがど
んなふうにその「状態」を定義しようと、ロボットはさまざま
な物体を認識できなければならない。たとえば、皿（食器洗浄
機の下段に入れる）、マグカップ（上段に入れる）、それにスポ
ンジ（食器洗浄機に絶対に入れてはだめ）といったものを。し
かも、前にすでに取り上げたように、コンピューターによる物
体認識はまだ完ぺきにはほど遠い。おまけに、ロボットは見え
ない物体、たとえばシンクの底のほうに隠れているかもしれな
い鍋やフライパンについて推測しなければならないのだ。また、
ロボットはさまざまな物体をつかんでは、食器洗浄機の所定の
位置に（慎重に！）セットすることも学習しなければならない。
こうした作業を行うには、ロボットの体の位置、物体をつかん
でいる「指」、物体をシンクから食器洗浄機の所定のセット位
置に正確に運ぶための制御を行うモーターといったものが関係
する、多くの行動から選ぶことを学習する必要がある。[原注14]

　ディープマインドのゲームプレイングエージェントには、何
百万回ものイタレーションを重ねた訓練が必要だった。もし何
百万枚もの皿を割られたくなければ、シミュレーションによっ
てロボットを訓練するしかない。コンピューター上でのゲーム
のシミュレーションは、非常に速く正確にできる。何かが実際
に動くことも、ボールが本当にパドルに跳ね返ることも、本物
のブロックが爆発することもないからだ。だが、食器洗浄機に
食器をセットするロボットのシミュレーションは、そんなに簡
単ではない。シミュレーションが現実に近くなればなるほど、
コンピューターの実行速度は遅くなる。たとえ処理速度が非常

に速いコンピューターであったとしても、食器洗浄機に食器を
セットするときの力の入れ具合といった面をシミュレーション
にすべて正確に反映させるのは至難の業だ。しかも、あのやん
ちゃなイヌのことや、ほかにも実世界で起きる予想外のことを
すべて考慮しなければならないのだ。私たちはシミュレーショ
ンに必ず含めなければならないもの、無視してもいいものを、
どうやって判別すればいいのだろう？

　こうした問題を受けて、テスラの AI 部門長であるアンドレ
イ・カルパシーはこの例のような実世界のタスクについて「囲
碁が満たし、アルファ碁が巧みに活用している前提はひとつ残
らず崩され、うまくいく手法はどれもそれとはまったく異なっ
たものになるはずだ」と語っている。[原注15]

　その「うまくいく手法」がどんなものかは、まだ誰もわかっ
ていない。深層強化学習の分野は、まだ研究が始まったばかり
だからだ。この章で説明したさまざまな研究結果は、いわば原
理の証明である。つまり、深層ネットワークとQ学習の組み合
わせは、狭いけれども非常に興味をそそられる領域において、
驚くべき成果をあげる場合もあることが示された。また、本章
の議論ではこの分野の現在の制約についても重要なテーマとし
て取り上げたが、強化学習を拡張してより汎用的な利用を目指
すという課題に、現在多くの人がすでに取り組んでいる。とり
わけ、ディープマインドのゲームプレイングプログラムは、こ
の分野への多大なる新たな興味と熱意に火をつけた。MIT が
刊行している『テクノロジーレビュー』誌による 2017 年度の
「ブレイクスルー・テクノロジー 10」のひとつに、深層強化学
習が選ばれたのもうなずける。将来、強化学習が発展を遂げた
あかつきには、自分で学習して食器洗浄機に食器をセットし、

しかも余暇にサッカーと囲碁が両方できるロボットが我が家に
やってくるのを心待ちにしている。

第 **4** 部

人工知能が
自然言語に立ち向かう

Artificial Intelligence Meets Natural Language

第 **11** 章
言葉とその周りのもの

ここでお話をひとつ。

『レストラン』
　男がレストランに入って、ハンバーガーを注文した。肉の焼き方はレアで。やってきたそれは、黒焦げだった。ウェイトレスは男のテーブルのそばで足を止めた。「バーガーのお味はいかが?」彼女は尋ねた。「ああ、それはもう最高さ」男はそう言うと椅子を後ろに押しやって立ち上がり、支払いもせずにレストランからものすごい勢いで飛び出していった。ウェイトレスは彼の後ろから怒鳴った「ちょっと、支払いは?」。彼女は肩をすくめて小声でぶつぶつと文句を言った「あの人、どうしてあんなにおかんむりなのかしら?」^{原注1}

　さて、ここで問題だ。男はハンバーガーを食べたのだろうか?
　話のなかではこの質問の答えに直接触れていないが、それでもあなたは自分の回答に自信があるのではないだろうか。少なくとも私たち人間にとって、行間を読むのは簡単だ。それはやはり、言語を理解する(「言外」のものも含めて)というのは、人間の知性の基本となる部分だからだろう。アラン・チューリングがあの有名な「イミテーションゲーム」を言語の生成と理解にまつわる競技会と定めたのは、決して偶然ではない。

この第4部では、自然言語処理を取り上げる。自然言語処理とは、「コンピューターを人間の言語に対応させる」というものだ（AIの言葉では「自然」は「人間」を意味する）。この自然言語処理、略してNLPには、音声認識、ウェブ検索、自動質問応答、機械翻訳といったテーマが含まれている。ここまでの章で紹介してきた事例と同様に、NLPの近年の主な進歩の原動力になっているのは深層学習だ。コンピューターが人間の言語の使用と理解において直面している大きな課題を『レストラン』の話を例に説明しながら、NLPの進歩の具体的な事例をいくつか紹介しよう。

言語の緻密さ

　文章の一節を読んでそれについての質問に答える、というプログラムをつくることにしよう。質問応答システムが現在のNLP研究の中心になっているのは、自然言語でコンピューターとやりとりしたい人が多いからだ（その証拠にSiri、Alexa、Google Now（グーグル・ナウ）といったさまざまな「バーチャルアシスタント」がある）。だが、この『レストラン』のような文章についての質問に答えるためのプログラムには、非常に高度な言語能力のみならず、社会の仕組みについての十分な知識が必要だ。

　男はハンバーガーを食べたのだろうか？　この質問に自信を持って答えるためには、仮想プログラムはハンバーガーが「食べ物」というカテゴリーに属していて、食べ物は「食べる」ことができると知っておかなければならないだろう。また、レストランに行ってハンバーガーを注文するということは、たいていの場合そのハンバーガーを食べるつもりだということも、プログラムは知っておかなければならない。さらに、レストラン

では注文の品がやってきたら、それを食べてもいいということも。ハンバーガーの肉を「レアで」注文した人は、それが「黒焦げだった」ときは普通は食べたくないものだと、プログラムは理解しておかなければならない。「ああ、それはもう最高さ」という男の言葉は皮肉であることや、「それは」は「バーガー」を指していて、その「バーガー」とは「ハンバーガー」の別の言い方であることも認識しておかなければならない。そして、もし誰かが支払いもせずにレストランから「ものすごい勢いで飛び出していった」のであれば、その人は食事をしていない可能性が高いと、プログラムは推測しなければならない。

　この話についての基本的な質問に自信を持って回答するためにプログラムが必要とする、背景知識のあまりの多さに気が遠くなりそうだ。男はウェイトレスにチップを置いただろうか？それに答えるためには、プログラムはレストランではチップを置く習慣があることや、その目的がよいサービスへのお礼だということを知っておかなければならない。ウェイトレスはなぜ「ちょっと、支払い（bill）は？」と言ったのだろうか？　プログラムはまず、ウェイトレスがこの"bill"という言葉を「鳥のくちばし」や「紙幣」や「法案」という意味ではなく（訳注：これらはすべて bill の別の意味）、男の食事に対して請求する代金という意味で使ったのだと理解しなければならない。ウェイトレスは男が怒っていたことをわかっていたのだろうか？　プログラムは、「あの人、どうしてあんなにおかんむりなのかしら？」という彼女のせりふの「あの人」が男を指していることや、「おかんむり」が「気分を害して怒っている」という意味の慣用句（訳注：原文は bent out of shape）であることから判断しなければならない。では、ウェイトレスは「なぜ」男がレスト

ランを出ていったのかわかっていたのだろうか？　もしプログラムが「肩をすくめる」というしぐさが、男が飛び出していったわけをウェイトレスがわかっていなかったことを示唆するものだと知っていたら、答えるのに役立つはずだ。

　私たちがつくろうとしている仮想プログラムが知っておかなければならないことについて考えていると、まだとても小さかった子どもたちが次から次へと投げかけてきた質問に、必死に答えようとしていたあの頃の自分を思い出す。たとえば、4歳の息子をつれて銀行に行ったときのことだ。彼は「銀行ってなに？」という素朴な質問をした。私が答えると、それが引き金となって息子は「なぜ？」と果てしなく質問し続けた。「なぜ、みんなお金を使うの？」「なぜ、みんなお金がたくさんほしいの？」「なぜ、みんな全部のお金を家に置いていたらだめなの？」「なぜ、ぼくは自分でお金を稼げないの？」。確かにどれもよい質問だが、4歳児がまだ経験していないあらゆることをまず説明しなければ、答えるのは難しい。

　もし相手が機械となると、事態はお手上げに近い。子どもは『レストラン』の話に出てくる、「人物」「テーブル」「ハンバーガー」といった基本的な言葉の概念を、話を聞く前にすでに持っている。また、「男がレストランから出ていったということは、彼はもうレストランの『なか』にはいないけれど、テーブルや椅子はおそらくそのままだ」といった常識的な判断もできる。あるいは、ハンバーガーが「やってきた」というのは（それが自力で来たのではなく）誰かが男のテーブルに運んできたという意味であることも。4歳児でさえ言語を理解するために活用できる、相関しているいくつもの細かい概念や一般常識が、今日の機械には欠けているのだ。

つまり、自然言語の使用と理解が AI 分野における最も難しい課題のひとつだということは、何の驚きにも当たらない。言語は本質的に多義で、文脈に依存しているものであり、しかも、やりとりをしているグループ内に共通の背景知識が多々あることを前提としている。AI 分野のほかの多くの領域と同様に、NLP の初期から数十年にわたる研究は、「ルールに基づいた」記号的な手法が主だった。つまり、プログラムには文法的なものをはじめとするさまざまな言語学上のルールが組み込まれていて、入力された文章にそのルールが適用された。だが、こうした手法はあまりうまくいかなかった。どうやら、いくつかの厳格に定められたルールを適用するやり方では、言語の繊細さを捉えるのは不可能だったようだ。1990 年代になると、ルールに基づいた NLP の手法は、より優れた成果を収めた「統計学的」手法によって影が薄れてしまった。その新たな手法は、膨大なデータセットを使って機械学習アルゴリズムを訓練するものだった。近年では、この統計データ駆動型手法の主流は深層学習だ。深層学習はビッグデータとともに、人間の言語に柔軟かつ確実に対処できる機械を生み出せるのだろうか？

音声認識と「最後の1割」

　話し言葉をリアルタイムでテキストに起こすタスクをこなすための自動音声認識は、NLP における深層学習初の主な成果であり、しかもあえて言えば、AI 分野のすべての領域におけるこれまでの最大の功績である。2012 年、深層学習がコンピュータービジョンで革命を起こしていたのとちょうど同じ頃、音声認識に関する画期的な論文が、トロント大学、マイクロソフト、グーグル、そして IBM の研究グループによって合同で

発表された。それらのグループは、音響信号の音素（訳注：言葉を構成する音声の最小単位）を認識する、音素の組み合わせから言葉を予測する、言葉の組み合わせから語句を予測するといった、音声認識に関するさまざまな処理を行うための深層ニューラルネットワーク開発の研究に取り組んでいた。グーグルの音声認識専門家は、深層ネットワークを活用したことが「ここ20年間の音声認識研究のなかで唯一にして最大の進歩」につながったと述べている。同年、新たな深層ネットワーク音声認識システムがAndroid携帯利用者に提供された。そして2年後にアップルのiPhone用にも提供が始まったとき、アップルのある技術者は「これは［性能における］向上率があまりに大きいために、誰かが1桁間違えて記録したのではないことを確認するために再テストを行ってしまうくらいのレベルです」とコメントしている。

　もしあなたが何らかの類の音声認識技術を2012年の前と後の両方で使ったことがあるなら、その急激な向上に気づいたのではないだろうか。2012年以前はひどくイライラさせられるものからまあまあ役立つものまでばらつきのあった音声認識が、ある状況においては突如としてほぼ完ぺきになったのだ。現在、私はすべての携帯メールや電子メールを、携帯電話の音声認識アプリを使って「口述筆記」することができる。ちなみに、先ほど『レストラン』の話を自分が普段話している速度で携帯電話に向かって読み上げたところ、すべての単語が正確に文字に起こされた。

　私にとって驚異的なのは、音声認識システムは自身が文字起こしをしている発話の「意味」をまったく理解していないまま、これほどの成果をあげているということだ。私の携帯電話の音

声認識システムは『レストラン』の話を単語ひとつ間違えずに文字に起こせるが、内容についてはひとつも理解していないと断言できる。それどころか、この話以外のことも何も理解できていない。私も含め AI に携わっている多くの人が、AI 音声認識は AI が実際に言語を理解しないかぎり、こうした高レベルの性能を発揮できることは決してないだろうと以前は考えていた。だが、私たちが間違っていたことが証明されたのだ。

とはいうものの、メディアの一部の記事に反して、自動音声認識は「人間レベル」には到達していない。背景雑音によって、システムの精度が著しく損なわれる場合がある。静かな部屋に比べると、走行中の車内では正確さがかなり落ちる。それに加えて、これらのシステムは普段あまり使われない単語や語句を間違えることがあり、文字起こしをしている発話の意味を理解していないことがよくわかる。たとえば、私が自分の（Android）携帯電話に「私の好きなデザートはムース（mousse）です」と言ってみたところ、「私の好きなデザートはムース（moose）です」と表示された（訳注：後者のムース（moose）は「ヘラジカ」の意味）。さらに、「無帽（bareheaded）の男は帽子が必要だった」と私が発した言葉を、携帯電話は「帽子が必要だった男に熊が向かっていった（bear headed）」と文字起こしした。音声認識システムを混乱させるような文章を見つけるのは、決して難しくない。とはいえ、日常的な発話を静かな環境で文字起こしする分には、そうしたシステムの精度（正しく表示された言葉の数で算出されたもの）は人間の90〜95 パーセントになると思われる[原注5]。ただし、雑音といった厄介な問題が加わった場合、精度は大幅に下がる。

「プロジェクトの最初から 9 割完成までにかかる時間は全体の

１割で、残りの１割にかかる時間は全体の９割である」。これはどんな複合的な工学プロジェクトにもあてはまる、有名な経験則だ。この経験則の一部は、多くの AI の領域にもあてはまっていると思うし（たとえば、自動運転車！）、音声認識も最終的にはそうなるのではないだろうか。その最後の１割には、雑音、なじみのないなまり、未知の単語への対処のみならず、言語が持つ多義性や文脈依存性が発話の解釈に影響を与えるかもしれない点への対処も含まれている。てこでも動きそうにない最後の１割を突破するには、何が必要なのだろうか？　もっと多くのデータ？　ネットワークの層をもっと増やすこと？　それとも、勇気を出して言ってみるが、その最後の１割を解決するには話している人の言葉をシステムが本当に「理解」することが必要になるのだろうか？　私の予想はこの最後の説に傾いているのだが、なにしろ以前の予想では間違えてしまったので今度はどうだろうか。

　音声認識システムの構造はかなり複雑だ。音波から文章への変換には、数種類の異なる処理が必要とされる。今日の最先端の音声認識システムには、複数の深層ニューラルネットワークを含むさまざまな各種コンポーネントが組み込まれている。翻訳や質問応答といった NLP のほかのタスクは、入力と出力がどちらも単語によるものであるため、一見音声認識より簡単に思えるかもしれない。しかし、深層学習のデータ駆動型手法は、これらの領域においては音声認識ほどの目覚ましい成果を出せていない。その理由は何だろうか？　その答えを探るために、深層学習が NLP の重要なタスクでどのように応用されてきたのか、いくつか例を見てみよう。

感情を分析する

　最初の例は、感情分析（訳注：「センチメント分析」ともいう）という領域だ。まずは映画『インディ・ジョーンズ　魔宮の伝説』についての、次の短いレビューを考察しよう。[原注7]

　　「話が重くて、ユーモアのセンスに大きく欠けている」
　　「ちょっと暗すぎて、私の趣味ではない」
　　「まるで、制作者たちができるかぎり観客を不安にさせて怖がらせようとした作品のようだ」
　　「『魔宮の伝説』の登場人物の展開、そしてユーモアは平均を猛烈に下回っている」
　　「全体的な雰囲気が何だか奇妙だし、ユーモアがわかりづらいところが多かった」
　　「このシリーズのほかの作品にはあった魅力や機知が、まったく感じられなかった」

　それぞれのレビューにおいて、レビュアーがこの映画を気に入ったかどうか、あなたはわかるだろうか？

　こうした質問を機械に答えさせられるようにする技術は、大儲けの種だ。文章（あるいはもっと長い一節）をそこに含まれる「感情」（正、負、あるいは何らかの考え）に基づいて正確に分類できるAIシステムは、「自社の製品に対するお客様の感想を分析する」「新たな潜在顧客を見つける」「商品のお勧めを自動化する（『Xを気に入った方はYも気に入られました』）」「自社のオンライン広告にターゲティングを取り入れる」ことに力を入れたい企業にとって、純金くらい貴重なものだからだ。ある人がどんな映画、本、その他の商品を好きか嫌

いかについてのデータは、その人が今後どんなモノを買うのか予測するのに驚くほど（しかもちょっと恐ろしいくらい）役に立つ。しかも、そうした情報は購買傾向のみならず、投票パターン、ある種のニュース記事や政治広告に対する反応といった、その人の暮らしのほかのさまざまな面についても予測できる力を持っているかもしれないのだ。さらに、成果はまちまちだが、たとえば「ツイッターに投稿された経済関連のツイートを『感情マイニング』（訳注：感情の分析に結びつく特定の単語や句を抽出すること）して、株価や選挙結果を予測しようとする」といった例も、これまでいくつも見受けられている。

　感情分析の利用における倫理についてはひとまず置いておいて、ここではAIのシステムがこうしたレビューのような文章に含まれる感情をどのように分析するのかに注目しよう。人間にとっては、これらの短いレビューがすべて否定的なものだと理解するのはとても簡単だ。だが、こうした分析をプログラムにさせる一般的な方法は、最初の印象よりもはるかに難しい。

　一部の初期のNLPシステムは、テキストに含まれる感情を示すものとして特定の単語や、単語の短い「シーケンス」（訳注：ひと続き）を探した。たとえば、「暗い」「奇妙」「重い」「不安」「怖い」「失う」「欠ける」といった単語や、「～しづらい」「まったく～ない」「ちょっと～すぎる」といった単語のシーケンスは、映画のレビュー内の負の感情を示していると考えられる。このやり方がうまくいく事例もあるが、こういった単語やそのシーケンスは、肯定的なレビューにも使われていることが多い。いくつか例を挙げよう。

　「重いテーマにもかかわらずユーモアがあふれていたので、暗

くなりすぎずにすんだ」

「一部の人が指摘していような不安や怖さは、まったく感じられなかった」

「このすばらしい映画が初公開された当時、私はそれを観に行くにはまだちょっと小さすぎた」

「これを観ないなんて、楽しむ機会を失っているも同然だ」

　一般的に、ひとつの単語や単語の短いシーケンスをほかと切り離して見る方法は、全体に込められた感情を探り当てるには不十分である。つまり、単語やそのつながりを、文章全体の文脈に沿った意味で捉えなければならないのだ。

　深層ネットワークがコンピュータービジョンや音声認識で成果を出し始めると、NLPの専門家たちはそれを感情分析に応用する実験にすぐさま取りかかった。その方法は基本的に同じで、人間がラベルづけした正の感情や負の感情を含む文章をサンプルデータにして、ネットワークを訓練する。それによってネットワークは、新たな文章を与えられたときに「正」か「負」に分類した確信度を出力するために役立つ「特徴」を、自力で学習する。だが、そもそもどうやってニューラルネットワークに文章を処理させればいいのだろう？

再帰型ニューラルネットワーク

　文書や文の一節を処理するためには、これまでの章で説明したものとは異なる種類のニューラルネットワークが必要だ。たとえば、第4章で取り上げた、画像を「イヌ」か「ネコ」に分類する畳み込みネットワークを思い出してみてほしい。そのネットワークの入力は、固定された大きさ（それよりも大きい、

または小さい画像は、定められた大きさに拡大、縮小されなければならない）の画像のピクセルの色彩強度だった。一方、文章は単語のシーケンスでできていて、その長さは一定ではない。そのため、ニューラルネットワークがどんな長さの文章でも処理できるようにする方法が必要となる。

　文章のような何らかの規則によるシーケンスを扱うタスクにニューラルネットワークを使う手法が初めて使われたのは、「再帰型ニューラルネットワーク（RNN）」が導入された1980年代のことだ。いうまでもないが、RNN は脳がシーケンスをいかに読み取るかに発想を得てつくられたものである。あなたが先ほどの「ちょっと暗すぎて、私の趣味ではない（A little too dark for my taste）」というレビューを読んで、それが正か負のどちらの感情が含まれているか判断するよう求められたとしよう。あなたはこの横書きの文章を左から右へ一語ずつ読んでいく。読み進めているうちに、あなたはその文章に含まれる感情についてのイメージを描き始める。それは文章を読み終えると、さらにはっきりしたものになる。この時点で、あなたの脳は神経の活性化というかたちでこの文章を何かしら表現している。それによって、あなたは自信を持ってこのレビューが肯定的か否定的かを答えることができる。

　再帰型ニューラルネットワークは、文章を読んでそれが神経の活性化のかたちで表現されるという、この一連の過程から大まかな発想を得たものだ。図32 は従来型のニューラルネットワークと再帰型ニューラルネットワークの構造を比較したものだ。わかりやすくするために、どちらのネットワークも隠れ層に二つ、出力層に一つのユニット（白い円）を持つものとする。どちらのネットワークにおいても、入力は二つの隠れユニット

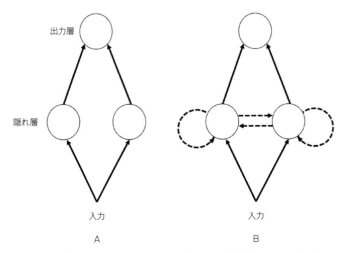

図32 Aは従来型のニューラルネットワーク、Bは再帰型ニューラルネットワーク（RNN）の例。RNNではあるタイムステップにおける隠れユニットの活性化の値が次の時間ステップでフィードバックされる

と、そして各隠れユニットは出力ユニットとつながっている（直線の矢印）。RNNと従来のものとの最大の違いは、RNNの隠れユニットには「再帰型」のつながりがさらにあることだ。RNNの各隠れユニットは、自分自身と、それにもう一方の隠れユニットとつながっている（点線の矢印）。これはどんなはたらきをするのだろう？　従来型ニューラルネットワークとは異なり、RNNは一連の時間ステップの範囲で稼働する。各時間ステップにおいて、入力が与えられたRNNは従来型ニューラルネットワーク同様に、その隠れユニットと出力ユニットの活性化値を算出する。とはいえ、RNNでは各隠れユニットは入力と、「ひとつ前の時間ステップ」の隠れユニットの活性化値の両方に基づいて、活性化値を算出する（ひとつ目の時間ステップでは、そうした再帰型の値はゼロに設定される）。この方法によって、ネットワークはすでに「読んだ」箇所の文脈を

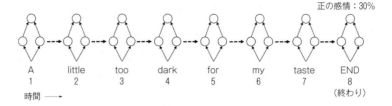

図33 図 32 の再帰型ニューラルネットワークが、八つの時間ステップ内で稼働している例（訳注：「ちょっと暗すぎて、私の好みに合わない（A little too dark for my taste)」を一語ずつ入力したもの）

思い出しながら、今「読んでいる」単語の意味を解釈することができる。

　RNN の仕組みを理解する最もよい方法は、ネットワークの経時的なはたらきを可視化することだ。**図 33** は、図 32 の RNN が八つの時間ステップ内でどのように稼働しているかを示したものだ。図をわかりやすくするために、隠れ層におけるすべての再帰型のつながりを、ある時間ステップから次への 1 本の点線の矢印で示している。それぞれの時間ステップにおける隠れユニットの活性化は、文章のなかでネットワークがその時点までに見た部分をエンコードしたものだ。ネットワークは単語を処理し続ける過程で、そのエンコードを向上していく。文章が終わったことをネットワークに教えるために、文章の最後の単語のあとに終わりを示すための専用の END 符号（終止符と似た意味を持つ）が与えられる。ちなみに、この END 符号はテキストがネットワークに与えられる前に、人間の手で各文章に付加されるものだ。

　各時間ステップにおいて、このネットワークの出力ユニットは隠れユニットの活性化値（「エンコード」したもの）を処理して、入力文章（文章のなかで、その時間ステップの時点でネ

ットワークに与えられた部分）が「正」の感情を持っているかどうかに対するネットワークの確信度を出力する。ある文章に対してこのネットワークを利用しているとき、文章の最後に出されるもの以前の出力は無視していい。文章の最後に到達すると、隠れユニットは文章全体のエンコードを終えて、出力ユニットが最終的な確信度を出す（この例では「正」の感情に対する確信度は 30 パーセント、つまり「負」の感情に対する確信度は 70 パーセントということだ）。

　当ネットワークは END 符号を読み取るまでエンコードを続ける仕組みになっているため、このシステムは原則的にはどんな長さの文章も、固定長の一連の数字（隠れユニットの活性化値）にエンコードできる。こうした種類のニューラルネットワークは、「エンコーダーネットワーク」と呼ばれることも多い。理由は説明するまでもないだろう。

　人間が感情について「正」または「負」とラベルづけした文章をサンプルデータとしてエンコーダーネットワークに与えることで、バックプロパゲーションによる訓練を行える。だが、まだ説明していないことが一点ある。ニューラルネットワークへの入力は「数値」でなければならない[原注9]。では、入力する単語を数値にエンコードするための、最良の方法は何だろうか？　この疑問への答えの探索が、自然言語処理領域におけるここ 10 年での最も重要な進歩のひとつにつながった。

単語を数値にエンコードするための単純な仕組み

　単語を数値にエンコードするために考えられる方法を説明する前に、ニューラルネットワークにおける「語彙」の概念を定義しておかなければならない。ここでの語彙とは、ネットワー

クが入力として受け入れることができるすべての単語の集まり
を指す。言語学者たちの推定によると、およそ1万語から3万
語の単語を知っていれば、たいていの英文のテキストを読むこ
とができるそうだ。この数の差は単語の数え方によるものだ。
たとえば、argue（論争する）とその活用形 argues、argued、
arguing を、まとめてひとつの「単語」として数えるかどうか、
といったことだ。この語彙には San Francisco（サンフランシ
スコ）、Golden Gate（ゴールデンゲート）といった二つの単語
からなるよく知られている句を、ひとつの単語として含めるこ
とも考えられる。

　具体例として、ここで想定するネットワークの語彙は2万語
としよう。単語を数値にエンコードする最も簡単な方法は、語
彙の各単語に1から2万までの番号を無作為に振ることだ。次
に、このニューラルネットワークに語彙の単語数分、つまり2
万ユニットの入力を備えさせる。そして、各時間ステップにお
いては、実際に入力された単語に対応している1ユニットの入
力だけが「スイッチオン」になる。たとえば、単語 dark（暗
い）には番号「317」が振られているとする。そしてこの dark
をネットワークに入力するときに、「入力317」の値が「1」、
残りの1万9999個の入力の値が「0」となるよう設定する。
NLP の分野では、この方法を「ワンホットエンコーディング」
と呼ぶ。つまり、各時間ステップにおいて、ネットワークに与
えられた単語に対応している1ユニットの入力だけが「ホッ
ト」（ゼロではない）になる。

　ワンホットエンコーディングは、以前はニューラルネットワー
クに単語を入力する標準的な方法だった。だが、ひとつ問題
点があった。単語に無作為に番号を振るやり方では、単語同士

の関連性を捉えることができないのだ。たとえば、ネットワークが訓練データから "I hated this movie"（私はこの映画がとても嫌だった）という文章には負の感情が含まれていると学習したとしよう。その後ネットワークに "I abhorred this flick"（私はこの映画をひどく嫌悪した）という文章を与えたが、訓練データに abhorred（ひどく嫌悪した）や flick（映画の俗称）の単語が含まれていなかった場合どうなるだろうか。ネットワークは、この二つの文章の意味が同じだと判断する術を持っていない。さらに、このネットワークが "I laughed out loud"（私は大笑いした）という文が肯定的なレビューに関連していると学習したのちに、"I appreciated the humor"（ユーモアにあふれていて面白かった）という初めて見る文を与えられたらどうなるだろうか。ネットワークは、この二つの文の意味が似ている（まったく同じではないが）ことを認識できない。単語や語句の意味的関係を捉えることができないという点が、ワンホットエンコーディングを用いたニューラルネットワークがあまりうまく機能しないことが多い主な原因になっている。

単語の意味空間

　NLP の研究者たちは、単語の意味的関係を捉えられるようなエンコーディング方法をいくつか提唱した。それらはすべて、「言葉はその周辺の言葉によって意味がわかる[原注10]」と、言語学者ジョン・ファースが 1957 年に見事に言い表した考えに基づいている。つまり、単語の意味はいっしょに出てくることが多いほかの単語や、そのほかの単語といっしょに出てくることが多い別の単語、さらにはその別の単語と……という関係性によって決めることができるということだ。先ほどの abhorred が出

てくる文脈は、hated（とても嫌だった）が出てくる文脈と同じことが多い。また、laughter（笑い）は、humor（ユーモア）の周辺に出てくる単語と同じものといっしょに出てくることが多い。

　言語学の分野ではこの考えは分布意味論という、より正式な名称で知られている。分布意味論の根底には、「二つの言語表現AとBのあいだの意味的類似度は、AとBが出現しうる言語的文脈の類似性に依存する」という仮説が存在している。[原注11] 言語学者たちはこの仮説を、「意味空間」いう発想を通じてより具体化することが多い。図34 Aは単語の二次元意味空間の例で、似た意味の単語は互いの近くに配置されている。とはいえ、ひとつの単語が何種類もの意味を持っている場合もあるため、その意味空間もより多くの次元を持たなければならないことは明らかだ。たとえばcharm（魅力）という単語はwit（機知）やhumorの近くにあるが、しかし別の文脈でのcharm（小さな装飾品）はbracelet（ブレスレット）やjewelry（宝飾品）に近い。同様に、bright（明るい・快活な）という単語は、light（光）集団やhappy（楽しい）集団のどちらにも近いが、

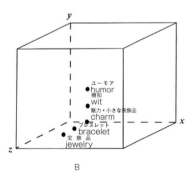

A

B

図34　Aは似た意味の単語が互いの近くに配置されている意味空間での二つの単語集団の例。Bは三次元意味空間の例で、単語は空間内の点として表されている

それと同時に、bright（頭脳明晰）には smart（頭が切れる）、intelligent（知的）、clever（賢い）に近い別の意味（関連性はあるが）もある。これらの単語を正しい間隔で配置するには、まるでページから飛び出てきそうな三次元空間が役に立つ。ひとつの面においては、charm（魅力・小さな装飾品）は wit（機知）と近いが、別の面では bracelet と近い。だが、charm は lucky（幸運）とも近くなければならない（だが、bracelet は lucky とは近くない）（訳注：lucky charm で「幸運のお守り」の意味になる）。ということは、さらに次元を上げなければならない！私たち人間にとって、三次元より高い次元の空間を想像するのは難しいが、実際の単語の意味空間は何百次元とまではいかなくても、何十次元にはなる。

　多くの「次元」の意味「空間」という話になると、幾何学の領域に足を踏み入れたことになる。実際、NLP の専門家たちは単語の「意味」を、幾何学の概念を利用して表現することが多い。たとえば、図34Bは x 軸、y 軸、z 軸の座標系が張られた三次元空間で、そのなかに単語を配置することができる。それぞれの単語は三つの数字の組（x 座標、y 座標、z 座標）で定められた点（黒い丸印）として示されている。二つの単語の意味的距離は、その二つの点の幾何学的距離に等しいとみなす。この図によって、charm（魅力・小さな装飾品）が wit や humor とも、そして bracelet や jewelry とも近いが、前者の集団と後者の集団は異なる面で charm に近いことが初めてわかる。NLP ではこうした意味空間における単語の座標を、「単語ベクトル」と呼んでいる。数学における「ベクトル」とは、点を示す数字の組をかっこよく呼んだ言葉だ。たとえば、単語 bracelet が座標（2、0、3）の位置にあったとしよう。この

三つの数字の組が、この三次元空間における単語ベクトルである。ちなみに、ベクトルの次元数は、組になっている数字の個数に等しい。

ここでの考え方は、語彙のすべての単語を意味空間に正しく配置できれば、単語の意味をこの空間における位置、つまり単語ベクトルを定める数字の組で表すことができるというものだ。でも、単語ベクトルは何の役に立つのだろうか？　実は単語ベクトルを単語の意味を持つ入力数値として利用することで、前に述べた簡単なワンホットエンコーディング方式とは対照的に、NLP 関連のタスクに対するニューラルネットワークの成果が著しく向上したのだ。

では、語彙の単語に対応するすべての単語ベクトルを入手するには、具体的にどうすればいいのだろうか？　ネットワークの語彙の単語それぞれが持つ何種類もの意味を最も的確に捉えられるよう、それらすべての単語を意味空間に正しく配置できるアルゴリズムはあるのだろうか？　まさにこの問題を解決するために、NLP の分野ではさまざまな重要な取り組みが行われてきた。

Word2Vec

単語を幾何学的空間に配置する問題に対して、これまで多くの解決法が提案されてきた。そのなかには 1980 年代にまで遡るものもあるが、今日最も広く利用されているのは、2013 年にグーグルの研究者たちが提唱した方法だ[原注13]。彼らはこの手法を「word2vec」（ワードツーベック）と名づけた（「単語をベクトルに」を意味する "word to vector" を略したもの）。この word2vec 手法には従来型のニューラルネットワークが使われていて、このネットワ

ークは語彙のすべての単語の単語ベクトルを自動的に学習する。グーグルの研究者たちは、自社にある膨大な文書データの一部を使ってネットワークを訓練した。訓練が終わると、グーグルの研究グループはその結果として生成された単語ベクトルを保存して、誰でも自然言語処理システムの入力として使えるようダウンロード用にウェブページで公開した。^{原注14}

word2vec の手法は、「言葉はその周辺の言葉によって意味がわかる」という考えをまさに具体化したものだ。word2vec プログラム用の訓練データをつくるために、グーグルの研究グループはまず Google ニュースから膨大な文書データを取得した（今日の NLP では、「ビッグデータ」がすぐ近くにありあまっていることほどありがたいものはない！）。word2vec プログラムの訓練データは、単語を二つ一組のペアにしたものを大量に集めたものだった。各ペアの単語はどれも、Google ニュースの文書データのどこかで互いに近い位置で出ていたものだ。訓練をより効果的に行うために、the、of、and といった極めて頻度の高い単語は除外された。

具体例として、各ペアの単語は、文章のすぐ隣同士で出てくるものとしよう。その場合、"a man went into a restaurant and ordered a hamburger"（男がレストランに入って、ハンバーガーを注文した）という文章は、まず頻度の高い単語を落とすと "man went into restaurant ordered hamburger" となる。すると、次のような組み合わせができる。(man, went)、(went, into)、(into, restaurant)、(restaurant, ordered)、(ordered, hamburger)。さらに、(hamburger, ordered) といった、各ペアの単語の順番を逆にしたものもある。こうしたペアをつくった目的は、入力した単語に対してどんな単語が組み

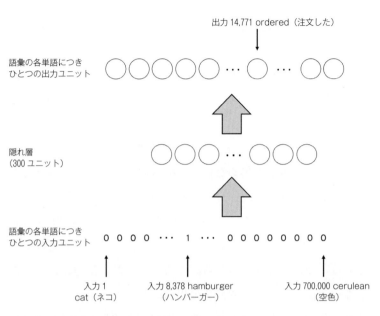

出力 14,771 ordered（注文した）

語彙の各単語につき
ひとつの出力ユニット

隠れ層
（300 ユニット）

語彙の各単語につき
ひとつの入力ユニット

0 0 0 0 ⋯ 1 ⋯ 0 0 0 0 0 0 0 0

入力 1
cat（ネコ）

入力 8,378 hamburger
（ハンバーガー）

入力 700,000 cerulean
（空色）

図35 単語のペア（hamburger, ordered）を入力として与えられた
word2vec ニューラルネットワークの例

合わさる可能性が高いか予測させる訓練を word2vec に行うた
めだ。

図 35 は word2vec ニューラルネットワークの例だ。[原注15]このネ
ットワークには、実のところ前に説明したワンホットエンコー
ディングが使われている。図 35 の例には、70 万の入力ユニッ
トがある。この語彙の規模は、グーグルの研究者たちが使用し
たものとほぼ同じだ。各入力ユニットは、語彙のひとつの単語
に対応している。たとえば、ひとつ目の入力は単語 cat（ネコ）、
8378 番目の入力は hamburger（ハンバーガー）、70 万番目の
入力は cerulean（空色）にそれぞれ対応している。この順番
は私が適当に並べたもので、語彙をどんな順に並べてもかまわ
ない。入力と同様に、出力ユニットも 70 万あって、それぞれ

のユニットが語彙のひとつの単語に対応している。さらに、300ユニットという比較的規模の小さな隠れ層がある。太い灰色の矢印は、それぞれの入力ユニットと各隠れ層、そしてそれぞれの隠れ層と各出力ユニットとの重みづけされた接続を示している。

　グーグルの研究者たちは、構築したネットワークをGoogleニュースの記事から集めた何十億組もの単語のペアで訓練した。たとえば、（hamburger, ordered）（ハンバーガー、注文した）という単語のペアを与えられた場合、ペアの最初の単語（hamburger）に対応している入力は1、その他の入力はすべてゼロになるよう設定される。この訓練での各出力ユニットの活性化の値とは、文章内でその出力ユニットが対応している単語が、入力された単語のすぐ隣に出ている確信度を示したものだ。この場合、出力が「正しく」活性化していたら、ペアの二つ目の単語（ordered）に高い確信度がつけられるはずだ。

　訓練が完了したら、学習された「単語ベクトル」を、語彙のどんな単語に対しても抽出することができる。図36はその仕組みの例だ。この図はひとつの入力ユニット（単語hamburgerに対応しているもの）と300の隠れユニットの重みづけされた接続を示している。訓練データから学習されたこれらの重みには、対応している単語が使われた文脈についての情報が捉えられている。これらの300の重みの値は、与えられた単語に対応する単語ベクトルの成分にあたる（この過程においては、隠れユニットから出力ユニットへのつながりはまったく関係しない。必要な情報はすべて入力と隠れ層の接続に関連している重みに含まれている）。つまり、このネットワークが学習した単語ベクトルは300次元だ。語彙のすべての単語の単語ベクトルの集

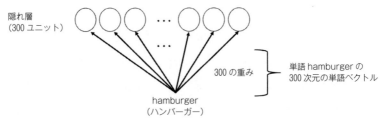

300 の重み

単語 hamburger の
300 次元の単語ベクトル

hamburger
（ハンバーガー）

図 36 訓練された word2vec ネットワークから単語ベクトルを入手する方法の一例

合は、学習された「意味空間」を構築する。

　この 300 次元の意味空間を、次のようにして思い浮かべてみよう。まず図 34 の三次元空間に点が配置されたものを思い浮かべ、そこからその次元が 300 になったものに、それぞれが 300 個の数字の組を持つ、70 万個の単語の点が配置されたものを想像すればいいだけだ。いや、今のは冗談だ！　そんなものを視覚化するのは不可能である。

　この 300 の次元は何を表しているのだろうか？　もし私たちが 300 次元の生き物で、そうした空間を視覚化できる脳を持っていたら、与えられたどんな単語もそれが持つ多くの意味に対して、それぞれの意味と関連しているどんな多くの単語とも近くにあることが見えるはずだ。たとえば、hamburger（ハンバーガー）のベクトルは、ordered（注文した）のベクトルの近くにある。それに加えて、burger（ハンバーガーの別称）、hot dog（ホットドッグ）、cow（ウシ）eat（食べる）といった単語のベクトルとも近い。また、hamburger は dinner（夕食）と一度も同じペアにされたことはないが、それでもその近くにある。なぜなら、hamburger は似たような文脈内の単語で dinner の近くにあるものと、近い位置にあるからだ。つまり、ネットワークが "I ate a hamburger for lunch"（私は昼食にハ

ンバーガーを食べた）と"I devoured a hot dog for dinner"
（私は夕食にホットドッグをガツガツ食べた）の二つの文章の
それぞれから単語のペアを見つけ、しかも lunch（昼食）と
dinner がほかの訓練用の文章で近くに現れていたら、システ
ムは hamburger と dinner 同士も近くにあるはずだと学習する
のだ。

　これまでの作業全体の目的を、もう一度確認しよう。その目
的とは、語彙の各単語に対して、それを数値で表せるものであ
る「ベクトル」を与えることだ。しかも、そのベクトルは対応
している単語の意味を何かしら捉えているものでなければなら
ない。この作業は、そうした単語ベクトルを使えば、ニューラ
ルネットワークが自然言語処理関連のタスクで大きな成果をあ
げることができる、という仮説に基づいて行われている。とは
いえ、word2vec でつくられたこの「意味空間」は、実際に単
語の意味をどれほど捉えているのだろうか？

　私たちは word2vec が学習した 300 次元の意味空間を可視化
できないゆえ、この問題に答えるのは難しい。それでも、この
空間を垣間見る方法はいくつかある。最も簡単なやり方は、あ
る単語に対してこの意味空間内で最も近い範囲にある単語を、
単語ベクトル同士の距離から判別して見つけることだ。たとえ
ば訓練後のネットワークによると、単語 France（フランス）
に最も近い単語には Spain（スペイン）、Belgium（ベルギー）、
Netherlands（オランダ）、Italy（イタリア）、Switzerland（ス
イス）、Luxembourg（ルクセンブルグ）、Portugal（ポルトガル）、
Russia（ロシア）、Germany（ドイツ）、Catalonia（カタルー
ニャ）が含まれていた。ちなみにこの word2vec アルゴリズム
は、「国」や「ヨーロッパの国」という概念を教えられていな

い。前の hamburger と hot dog の例のように、これらの国を表す単語は訓練データ内で France と似たような文脈のなかで出てきたのだ。実際に hamburger に最も近い単語を求めてみると、その一覧には burger、cheeseburger（チーズバーガー）、sandwich（サンドイッチ）、hot dog、taco（タコス）、fries（ポテトフライ）が含まれている。[原注17]

さらに、ネットワークの訓練結果を利用して、単語のより複雑な関係を見ることもできる。word2vec を開発したグーグルの研究者たちは、彼らが訓練したネットワークによって生成された単語ベクトルにおいて、国とその首都を表す単語の距離は、多くの国についてほぼ同じであることを発見した。図 37 は、それらの距離を二次元で表したものだ。先ほどの例と同様に、システムは国の「首都」という概念も教えられていなかった。つまり、図 37 のような関係性は、何十億組もの単語のペアで

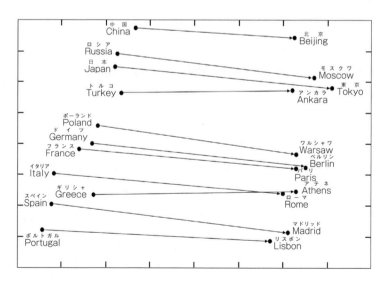

図 37　国とその首都を表す単語ベクトルの距離を、二次元で表した例

ネットワークを訓練した結果のみからつくられたものだ。

　こうした規則性によって、word2vec は "Man is to woman as king is to _____"（男性と女性の関係は、王と（？）の関係と同じだ）といった類似性の問題も解けるのではないかという発想のもとで、その方法が考え出された。この例の場合、ただ woman（女性）の単語ベクトルから man（男性）の単語ベクトルを引き算して、その結果を king（王）の単語ベクトルに足せばいい[原注18]。そして、空間内でこの結果に最も近い単語ベクトルを探せばいい。そう、それはまさに queen（女王）だ。インターネットで公開されている、ある word2vec システムの試用版でこういった問題をいろいろ試してみたところ[原注19]、非常によい結果が得られることが多かった（例 - "Dinner is to evening as breakfast is to morning"「夕食と夜の関係は、朝食と朝の関係と同じだ」）。だが、首をひねるもの（例 - "Thirsty is to drink as tired is to drunk"「『のどが渇く』と『飲む』の関係は、『疲れる』と『酔っ払った』の関係と同じだ」）や、無意味なもの（例 - "Fish is to water as bird is to hydrant"「魚と水の関係は、鳥と消火栓の関係と同じだ」）も同じくらい多かったのだ。

　ネットワークが学習した単語ベクトルのこういった特性は興味深く、しかも何らかの関係性が捉えられていることを示している。しかし、こうした特性を持つ単語ベクトルは、NLP のタスクで一般的に役に立つものなのだろうか？　その問いには、自信を持ってはっきり「イエス」と答えられる。今日ではほぼすべての NLP システムで、何らかの単語ベクトル（それらはすべて word2vec によって生成されたもの）が、単語を入力する方法として使われている。

ここであるアナロジーを紹介しよう。「金づちを手にしている者には、何もかもが釘に見える。それと同様に、ニューラルネットワークを手にしている AI 研究者には、何もかもがベクトルに見える」。そう、単語のみならず文章全体に対しても、word2vec のようなベクトル化の技が使えるようにできるのではないかと、多くの研究者たちが考え始めたのだ。訓練で単語のペアの代わりに文章のペアを使うことで、単語のように文章全体もベクトルにエンコードできないものだろうか？　こうしたもののほうが、一連の単語ベクトルだけを使うよりも、より正確に意味を捉えられるのではないだろうか？　実際、いくつかの研究グループがこの発想の実現に取り組んだ。トロント大学のある研究グループは、そのようなかたちで文章を表すものを「思考ベクトル」と名づけた[原注20]。文書の数段落や、文書全体をベクトルにエンコードするネットワークの実験を行う研究グループもいくつかあったが、結果はまちまちだった。AI 研究者にとって、すべての意味を幾何学に落とし込むという発想は実に魅惑的だ。グーグルのジェフリー・ヒントンは「私は思考をベクトルで捉えることができると思っています」と力説した[原注21]。フェイスブックのヤン・ルカンも同じ見解を持っていて、「[フェイスブックの AI 研究所では] 世界を思考ベクトルに埋め込もうと考えています。私たちはそれを World2Vec（世界をベクトルに）と呼んでいます」と語っている[原注22]。

　単語ベクトルについて、最後にひとつ。おそらく当然かもしれないが、こうした単語ベクトルがその大元である言語データに含まれていたバイアスを捉えていることが、いくつかの研究グループによって確認されている[原注23]。たとえば、"Man is to woman as computer programmer is to _____"（男性と女性の

関係は、コンピュータープログラマーと（？）の関係と同じ
だ）というアナロジー問題についてだ。もしあなたがこの問題
をグーグルが提供している単語ベクトルを使って解いたなら、
答えは homemaker（専業主婦）と出てくる。では、それを逆
にした問題 "Woman is to man as computer programmer is to
_____"（女性と男性の関係は、コンピュータープログラマー
と（？）の関係と同じだ）では、mechanical engineer（機械
技術者）という答えになる。他の例も紹介しよう。"Man is to
genius as woman is to_____"（男性と天才の関係は、女性と
（？）の関係と同じだ）。答えは muse（女神）。では、逆の
"Woman is to genius as man is to _____"（女性と天才の関係
は、男性と（？）の関係と同じだ）は？　答えは geniuses（天
才たち）だ。

　女性たちが何十年にもわたって女性解放（フェミニズム）を訴えてきたにもか
かわらず、こんな結果が出るとは。だが、これは単語ベクトル
のせいではない。それは単に私たちの言語に含まれている性差
別などのバイアスを捉えただけにすぎず、そして、それらの言
語は社会のバイアスを反映しているのだから。とはいえ、いく
ら単語ベクトルに罪はなくても、それは音声認識や翻訳といっ
たさまざまな領域での、今日の NLP システムの主要なコンポ
ーネントとなっているのだ。つまり、単語ベクトルに含まれる
バイアスは、広く使われている NLP のアプリケーションに、
予測しづらい思いも寄らないバイアスをじわじわと植えつけて
しまう恐れがある。こうしたバイアスを調査している AI 科学
者たちは、NLP システムの出力にそれらのバイアスがどんな
認識しづらい影響を及ぼす恐れがあるかを突き止めかけている。
いくつかの研究グループは、単語ベクトルを「バイアス除去（デバイアス）」

するアルゴリズムの開発に取り組んでいる。単語ベクトルのデ^{原注24}バイアスは確かに難しい挑戦だが、それでも代わりに言語や社会をデバイアスしようとするよりは大変ではないはずだ。

第12章
エンコーディングと
デコーディングによる翻訳

　もしあなたも Google 翻訳といった今日の自動翻訳システム
を使ったことがあるなら、このシステムはテキストをある言語
から別の言語へ瞬時に翻訳できることをご存知だろう。しかも、
オンライン翻訳がさらにすごいのは、こうした瞬時の翻訳を世
界じゅうの人々に毎日 24 時間提供していて、それに通常 100
以上の言語に対応している点だ。数年前、半年間の有給休暇を
とって家族とフランスで過ごしていたとき、私は礼儀作法にと
てもうるさいフランス人女性の家主に、借りている家のカビの
ひどい状態について礼儀正しく抗議するメールを慎重にしたた
めるために、Google 翻訳に頼り切っていた。私のフランス語
はお世辞にもうまいといえないため、知らない単語を調べる時
間を Google 翻訳が大幅に節約してくれた。もちろん、どこに
発音記号をつければいいかや、どの名詞がどの性かを思い出そ
うとする時間も。

　さらに、家主から送られてくる、しばしばわかりづらい返事
を解読しようとするときも、Google 翻訳の助けを借りた。彼
女が言わんとしていることは、このプログラムによる翻訳でか
なりはっきりしたが、翻訳された英文自体は大小さまざまな間
違いだらけだった。私のフランス語のメール文があの家主の目
にどう映ったかを思うと、いまだに恥ずかしさに身がすくんで

しまう。2016年、グーグルは新たな「ニューラル機械翻訳」システムを導入した。同社はこのシステムについて、「機械翻訳の性能において、これまでで最大の向上[原注1]」を実現できたとうたったが、機械翻訳システムの能力は人間の翻訳者たちのものを今なおはるかに下回っている。

アメリカとソ連の冷戦が主な理由で、自動翻訳、とりわけ英語とロシア語間の翻訳は、AI分野における初期のプロジェクトのひとつとされた。1947年、初期の時代の自動翻訳への取り組みを熱心に推進していた数学者ウォーレン・ウィーバーは、「もしかしたら翻訳の問題は暗号の問題として扱えるのではないかと思うのは、当然のことではないだろうか。私はロシア語の記事を見ると『これは本当は英語で書かれたものだが、奇妙な記号で暗号化されている。私はこれからそれを解読するつもりだ』と思っている」と述べている[原注2]。だが、AIではよくあるように、そうした「解読」は当初の予想よりもずっと難しいことがのちに判明する。

ほかの初期のAI研究と同じく、機械翻訳もはじめの頃は、人間が細かく決めた一連の複雑なルールに基づいた手法が使われていた。「起点言語」（例−英語）から「目標言語」へ（例−ロシア語）への翻訳を目的とする機械翻訳システムでは、両言語の構文のルールや、両言語の統語構造を対応させるためのルールが与えられる。それに加えて、人間のプログラマーが、同じ意味の単語同士（さらには簡単な句同士）を対応させた辞書を機械翻訳システム用に作成する。こうした手法は記号的AIにおけるほかの多くの取り組みと同様、限定された一部の用途では成果があったが、本書でも前に指摘した自然言語処理における問題点に対処するにはかなり脆かった。

1990年代になると、「統計的機械翻訳」と呼ばれる新たな手法がこの分野の主流となった。統計的機械翻訳は当時のAIの動向に沿って、人間が細かく決めたルールではなくデータの学習に基づいていた。訓練データは二つ一組の文章のペアを大量に集めたものだった。ペアの最初の文は起点言語、二つ目の文はひとつ目の文を（人間によって）目標言語に翻訳したものだった。こうした文章のペアは、二カ国語が使われている国の政府の文書（たとえば、カナダ議会の文書はすべて英語とフランス語で作成される）、六つの公用語に翻訳される国際連合の議事録、あるいは元の言語とその翻訳版がある文書から大量に入手されたものだ。

　1990年代から2000年代の統計的機械翻訳システムでは、起点言語と目標言語の句を結びつけるために規模の大きな確率テーブルを算出するのが通常の方法だった。たとえば"A man went into a restaurant"（男がレストランに入った）という英語の新たな文が与えられると、システムは文を「句」（"A man went"、"into a restaurant"）に分けてから、これらの句に対する目標言語での最適な訳を、確率テーブルを見て探す。こうしたシステムには、翻訳されたすべての句が合わさったときに文章として機能しているかを確認する付加的な段階もあったが、翻訳を進めるうえでの最も重要な作業は、訓練データで学習した句が与えられた文章の訳として使われる可能性がどれくらいあるかを見極めることだった。統計的機械翻訳システムは、起点言語、目標言語のどちらについても構文の知識をほとんど持っていなかったが、それでも全体的には初期のルールに基づいた方法よりも優れた訳を作成できた。

　自動翻訳プログラムのなかでおそらく最も広く使われている

Google 翻訳には、サービスが開始された 2006 年から 2016 年まで、こうした統計的機械翻訳の手法が使われていた。そして 2016 年、グーグルの研究者たちは彼らが「ニューラル機械翻訳」と呼び、「深層学習に基づいた、過去最高の性能を誇る翻訳手法」であるとうたう方法を開発した。その後まもなく、ニューラル機械翻訳はあらゆる最先端の機械翻訳プログラムで採用されるようになった。

エンコーダーとデコーダーの出会い

　図 38 は、あなたが Google 翻訳（あるいは今日のほかの機械翻訳プログラム）を使っているときに、内部ではどうなって

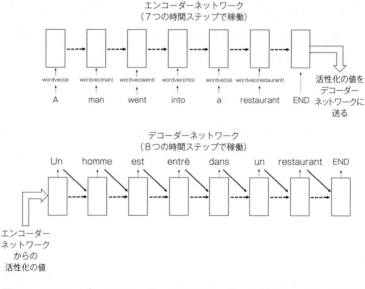

図 38　エンコーダーとデコーダーがペアになった、翻訳用ネットワークの略図。白い長方形は、連続的な時間ステップで稼働しているエンコーダーとデコーダーを表している。入力される単語（たとえば man）はまず単語ベクトル（ここでは wordvec(man) と表す）に変換されてからネットワークに与えられる

いるかを簡単に示したものだ。この例では英語からフランス語へ翻訳している。この仕組みは複雑なため細かいところはかなり省いたが、それでも基本的な考え方は捉えられるはずだ。[原注4]

　図38の上半分は再帰型ニューラルネットワーク（「エンコーダーネットワーク」）で、前の章で説明したものとほぼ同じである。英文 "A man went into a restaurant" は、七つの時間ステップでエンコードされる。白い長方形は、この文章をエンコードしているネットワークを表している。この長方形のなかのネットワークがどのようにはたらいているかは、あとで説明する。エンコードの段階では、各時間ステップにおいて、文章内のひとつの単語が図38のような単語ベクトルのかたちでネットワークに入力される。[原注5]ひとつの時間ステップから次へ向かう点線の矢印は、隠れ層での再帰型のつながりを簡略的に示したものだ。ネットワークは1語ずつ、隠れユニットの活性化値としてエンコードすることで、英語の文章を表現するものをつくりあげていく。

　最後の時間ステップでは、エンコーダーネットワークは専用のEND符号が与えられ、この時点で隠れユニットの活性化値は文章全体の「エンコード」となる。エンコーダーのこの最後の隠れ層の活性化値は、次に二つ目のネットワークである「デコーダーネットワーク」に入力として送られる。この2番目のネットワークは、文章の翻訳版を作成する。図38の下半分に示されたデコーダーネットワークは、単にもうひとつの再帰型ネットワークだが、その出力は翻訳後の文章をつくっている単語を表す数値だ[原注6]。また、それらの出力については、次の時間ステップでネットワークへのフィードバックも行われる。

　ちなみに、この英文は6語であるのに対して、フランス語の

文は７語だ。この「エンコーダー－デコーダー」システムは、原則的にはどんな長さの文も翻訳できるし、翻訳される文は原文の長さに縛られない。^{原注7}とはいえ、文章が長くなりすぎると、エンコーダーネットワークは役に立つ情報を次第に失っていく。つまり、あとの時間ステップにおいて、文章の最初のほうの大事な部分を「忘れてしまう」のだ。次の例文を見てみよう。

My mother said that the cat that flew with her sister to Hawaii the year before you started at that new high school is now living with my cousin.

（参考訳－母はあなたがあの新しい高校に通い始めた前の年に姉とハワイに飛行機で行ったネコは今は私のいとこと暮らしていると言った）

「私のいとこ」と暮らしているのは誰だろう？　これをシステムがどう捉えているかによって、一部の言語では is と living の訳し方に影響が出る恐れがある。人間はこういった複雑な文章でもほぼ問題なく理解できるが、再帰型ニューラルネットワークはすぐに話の筋がわからなくなってしまう。ネットワークがこうした文をすべて一組の隠れユニットの活性化値としてエンコードしようとすると、混乱が起きてしまうのだ。

　1990年代後半、スイスのある研究グループがこの解決策を提示した。それは再帰型ニューラルネットワークの各ユニットに、どんな情報が次の時間ステップに送られ、どんな情報を「忘れてもいい」のかを判断するための特別な重みを持たせるという、ユニットの構造の複雑化だった。考案した研究者たちは、この複雑なユニットを「長・短期記憶」（LSTM）ユニッ

トと名づけた。[原注8]何だかわけがわからなくなりそうな名前だが、その内容は文章全体を処理するあいだずっと続く「短期記憶」を、各ユニットに増やそうというものだ。この特殊な重みは、従来型のニューラルネットワークの普通の重みと同様に、バックプロパゲーションを通じて学習される。図38ではエンコーダーとデコーダーは白い長方形の集まりとしてざっくりと示されているが、そうしたネットワークは実際には多くのLSTMユニットでできているのだ。

　深層学習時代における自動機械翻訳は、ビッグデータと高速処理の賜物だ。たとえば、英語からフランス語に翻訳する「エンコーダー－デコーダー」ネットワークを構築する場合、ネットワークは人間が訳した3000万組以上の文章のペアで訓練される。膨大なデータセットで訓練された、LSTMユニットからなる深層再帰型ニューラルネットは、Google翻訳で使われているエンコーダーやデコーダーネットワークのみならず、音声認識、感情分析、このあと取り上げる質問応答といった今日の自然言語処理領域で欠かせないものとなった。こうしたシステムでは性能をよりいっそう高めるために、原文を文頭と文末の両方から入力するといった技や、各時間ステップでそれぞれ文の異なる部分に重点を置いて処理するための仕組みが取り入れられている。[原注9]

機械翻訳を評価する

　2016年にニューラル機械翻訳サービスの提供を始めたグーグルはその後、この新たな手法は「人間による翻訳と機械翻訳の差を縮めるもの」であるとうたった。[原注10]遅れを取り戻そうとするほかの大手テクノロジー企業は、独自のオンライン機械翻訳

システムを大急ぎで開発した。それらのシステムも同様に、先ほど説明した「エンコーダー－デコーダー」論理構造に基づいている。こうした翻訳サービスは、提供する企業やその取材を行うテクノロジー関連メディアによって、熱心に宣伝された。MITが刊行している『テクノロジーレビュー』誌は、「グーグルの新たなサービスは、人間とほぼ同じくらい正確な翻訳を提供できる」と報じた。[原注11]マイクロソフトは報道発表で、同社の中国語から英語へのニュース翻訳サービスは「人間と同じレベル」に到達したものだとうたっている。[原注12]IBMは「IBMのワトソンは今や九カ国語に堪能です（しかも、使える言語が今後さらに増える予定です）」と力説した。[原注13]フェイスブックの翻訳部門担当役員は、「ニューラルネットワークは言語の根底にある意味論的な意味を学習していると、私たちは考えています」と講演で語った。[原注14]翻訳システム開発に特化している企業ディープエルのCEOは、「弊社の［機械翻訳］ニューラルネットワークが身につけた理解力は驚くべきものです」と豪語している。[原注15]

　概して、こうした自信に満ちた発言の理由は、AIによる各種サービスを他の企業に売り込もうとする、テクノロジー企業同士の競争によるものだ。なかでも、翻訳関連のサービスは高い利益が見込める主力商品だ。Google翻訳をはじめとする翻訳ウェブサイトは少量の文章に対して無料でサービスを提供しているが、たとえば大量の文書を翻訳したい企業や、顧客に自社のウェブサイトの翻訳版を提供したい企業の場合、そうした依頼に対応している有料の機械翻訳サービスもたくさんある。そうしたサービスのシステムも、みな同じ「エンコーダー－デコーダー」論理構造によるものだ。

「機械はまさに『意味論的な意味』を学習している」「正確さ

において機械翻訳が人間による翻訳のレベルに急速に迫りつつ
ある」といった自信あふれる話を、私たちはどこまで信じれば
いいのだろう？　この疑問に答えるため、まずはこうした主張
の根拠となっている実際の翻訳結果をもっとよく検討してみよ
う。特に、こうした企業が機械や人間による翻訳の「質」を、
どのように評価しているのかを。翻訳の質を測るのは、一筋縄
ではいかない。ある文章を正しく翻訳した訳文は、何通りもあ
るからだ（しかも、誤った訳文はそれよりもさらに多い）。つ
まり、ある文章に対する翻訳の正解はひとつだけではないため、
翻訳システムの正確さを自動的に測定する方法を考案するのは
難しいといえる。

　機械翻訳についての「人間と同じレベル」「人間と機械との
差を縮めるもの」といった主張は、翻訳結果を評価する二つの
方法に基づいている。ひとつ目は自動評価方法で、これは機械
による翻訳と人間によるものを比較して点数をつけるコンピュ
ータープログラムだ。二つ目の方法は、二カ国語のできる人間
が訳文を手作業で評価する方法だ。ひとつ目の方法において、
ほぼすべての機械翻訳評価で使われているプログラムは
Bilingual Evaluation Understudy（訳注：「二カ国語のできる評価者
の代役」という意味）と呼ばれているもので、BLEU という略称
でも知られている。BLEU による翻訳の質の基本的な測定方法
は、機械が翻訳した訳文と、人間によるひとつまたはそれ以上
の「参照訳」（これが「正解」となる）との単語やさまざまな
長さの句の一致を数えるものだ。BLEU がつけた点数は人間に
よる翻訳の質の評価と相関していることが多い反面、BLEU は
精度の低い訳文を過大評価する傾向がある。機械翻訳研究者数
名に話を聞いたところ、BLEU は翻訳を評価する方法としては

不完全だが、総合的に BLEU より優れた自動的な評価方法がまだないために使われているということだった。

　BLEU の問題点を考慮すれば、機械翻訳を評価するうえでの「最も信頼できる基準」となる方法は、翻訳システムが作成した訳文を二カ国語のできる人間が手作業で採点することだ。機械による訳文を評価した人間の評価者たちが、同じ原文を人間のプロの翻訳者が訳したものも採点することで、機械翻訳につけた点数と比べることができる。だが、この最も信頼できる基準となる方法にも問題点がある。人間を雇うにはもちろん費用がかかるし、しかもコンピューターとは違って、人間は数十件もの文章を採点したら疲れてしまう。つまり、二カ国語ができて時間もたっぷりある人間の評価者を大量に雇えないかぎり、行える評価は限定されたものになってしまうだろう。

　グーグルとマイクロソフト両社の機械翻訳部門は、こうした最も信頼できる基準となる方法（ただし評価できる数は限られるが）で評価を進めるために、二カ国語のできる人間の評価者を一時的に雇って採点を依頼した。^{原注17}この少人数グループの評価者それぞれに、起点言語の文章一式と、その目標言語への翻訳が渡された。翻訳はニューラル機械翻訳システムと、人間のプロの翻訳者によるものの２種類だ。グーグルの場合、評価の対象となったのはニュース記事やウィキペディアから選ばれたおよそ 500 の文章で、数カ国語版が用意されていた。すべての文章に対する各評価者の平均点からすべての評価者の平均点が算出されると、グーグルの研究者たちは同社のニューラル機械翻訳システムの得点が人間による訳文の得点に近い（とはいえ、下回ってはいたが）ことが確認できた。これは評価対象となった、どの起点言語と目標言語のペアでも同じ結果だった。

マイクロソフトも同様の平均法を使って、ニュース記事の中国語から英語への翻訳の評価を行った。マイクロソフトのニューラル機械翻訳システムが作成した訳文の評価は、人間が翻訳した訳文に対する評価に極めて近かった（なかには上回るものさえあった）。また、どんな評価の事例においても、人間の評価者は以前の機械翻訳方法で訳されたものよりもニューラル機械翻訳による訳文のほうを高く評価した。

　要するに、深層学習の導入によって機械翻訳の性能は向上した。とはいえ、こうした結果は機械翻訳が「人間のレベルに極めて近い」という主張の裏づけだとみなしてもいいのだろうか？　私自身は、この主張の根拠にはならないと思っている。理由はいくつかある。まず、得点の「平均化」という手法は、誤解を招く恐れがある。たとえば、ある評価の事例において、多くの翻訳文が「すばらしい」と評価される一方、「ひどい」という評価の翻訳文もそれなりにあったとしよう。すると、その「平均」は、「わりとよい」になるだろう。だが、おそらく本当に求められているのは、「ひどい」訳文は絶対に出さずに「わりとよい」訳文を「常に」提供し続けられるという、より信頼性の高い翻訳システムではないだろうか。

　さらに、今日の翻訳システムが「人間レベルに極めて近い」「人間と同じレベル」だという主張は、文章の長い一節ではなく単独のひとつの文の翻訳に対する評価だけに基づいたものだ。長い一節のなかの文章同士は依存し合っていることが多いため、そのなかの一文だけ訳しても重要な点が抜け落ちてしまうこともある。長い一節を機械翻訳した訳文を評価する本格的な研究はまだ聞いたことがないが、私自身の日ごろの経験からすれば、たとえば Google 翻訳は原文をひとつの文章ではなく段落単位

で与えると、精度は著しく落ちる。

　そして最後に、こうした評価で使われた文章はニュース記事やウィキペディアのページから引用されたものであり、それらは通常、多義語や慣用句を避けるように慎重に作成されている。そのため、そういった言葉を不得意とする機械翻訳システムが、大きな誤訳をする恐れが小さくなっている。

翻訳で失われてしまうもの

　前の章の初めに紹介した『レストラン』の話を覚えているだろうか？　あの話は翻訳システムを試すためにつくったものではないが、実は話し言葉、慣用句、あるいは別の意味に取れるかもしれない言葉といった、機械翻訳が苦手とする課題を浮かび上がらせるよい例となった。

　この『レストラン』の話を、Google 翻訳を使ってフランス語、イタリア語、中国語の三つの目標言語に訳した。その結果の訳文を英語と、さらにこれらの目標言語のどれかを話せる二カ国語のできる友人たちに渡して（元の英語版は渡していない）、この Google 翻訳版の訳文を英訳するよう頼んだ。その目的は、これらの目標言語を使っている人たちの目に、その言語に翻訳された『レストラン』がどんなふうに映っているのかを感じ取ることだ。その興味深い結果を、参考までに次に紹介しよう（なお、協力してくれた友人たちにとっては原文となる Google 翻訳版の訳は、巻末の注釈に掲載している）。

英語による原文（日本語訳は第11章の冒頭と同じ）

　A man went into a restaurant and ordered a hamburger, cooked rare. When it arrived, it was burned to a crisp. The waitress stopped by the man's table. "Is the burger okay?" she asked. "Oh, it's just great," the man said, pushing back his chair and storming out of the restaurant without paying. The waitress yelled after him, "Hey, what about the bill?" She shrugged her shoulders, muttering under her breath, "Why is he so bent out of shape?"

　男がレストランに入って、ハンバーガーを注文した。肉の焼き方はレアで。やってきたそれは、黒焦げだった。ウェイトレスは男のテーブルのそばで足を止めた。「バーガーのお味はいかが？」彼女は尋ねた。「ああ、それはもう最高さ」男はそう言うと椅子を後ろに押しやって立ち上がり、支払いもせずにレストランからものすごい勢いで飛び出していった。ウェイトレスは彼の後ろから怒鳴った「ちょっと、支払いは？」彼女は肩をすくめて小声でぶつぶつと文句を言った「あの人、どうしてあんなにおかんむりなのかしら？」

Google翻訳によるフランス語訳を、人間が訳して再び英語にしたもの

　A man entered a restaurant and ordered a hamburger, cooked infrequent. When he arrived, he got burned at a crunchy. The waitress stopped walking in front of the man's table. "Is the hamburger doing well?" She asked. "Oh, it's terrific," said the man while putting his chair back and while going out of the restaurant without paying. The waitress shouted after him, "Say, what about the proposed legislation?" She shrugged her shoulders, mumbling in her breath, "Why is he so distorted?"^{原注18}

男がレストランに入って、ハンバーガーを注文した。めったにない焼き方で。彼がやってきたとき、彼は黒焦げに焼けた。ウェイトレスは男のテーブルの前で歩くのを止めた。「ハンバーガーはよくやっているかしら？」彼女は尋ねた。「ああ、それは最高さ」男は椅子を戻しながら、そして支払いをせずにレストランの外に行きながら言った。ウェイトレスは彼の後ろから叫んだ「ねえ、法案は？」彼女は肩をすくめて小声でぶつぶつ言った「あの人、どうしてあんなにゆがんでいるのかしら？」

Google翻訳によるイタリア語訳を、人間が訳して再び英語にしたもの

　A man went to a restaurant and ordered a burger, cooked sparse. When it arrived, it was burnt for an almond brittle. The waitress stopped near the man's table. "Is the burger okay?" she asked. "Oh, it's simply fantastic," said the man, pushing back his chair and leaving the restaurant without paying. The waitress shouted after him, "Hey, what about the bill?" She shrugged her shoulders, muttering in a low voice, "Why is he so bent?"[原注19]

　男がレストランに入って、バーガーを注文した。まばらな焼き方で。やってきたそれは、脆いアーモンドに焼けていた。ウェイトレスは男のテーブルのそばで立ち止まった。「バーガーのお味はいかが？」彼女は尋ねた。「ああ、それはもうすばらしいよ」男はそう言うと椅子を後ろに押しやって立ち上がり、支払いもせずにレストランを去った。ウェイトレスは彼の後ろから叫んだ「ちょっと、支払いは？彼女は肩をすくめて低い声

でぶつぶつ言った「あの人、どうしてあんなに曲がっているのかしら？」

Google翻訳による中国語訳を、
人間が訳して再び英語にしたもの

A man walked into a restaurant and ordered a rarely seen hamburger. When it reached its destination, it was roasted very crispy. The waitress stopped next to the man's table. "Is the hamburger good?" she asked. "Oh, it's great," the man said, pushing aside his chair and rushing out of the restaurant without paying. The waitress shouted "Hey, what about the bill?" She shrugged her shoulders and whispered, "Why was he so stooped over?"[原注20]

男がレストランに入って、めったに見られないハンバーガーを注文した。目的地に到着したそれは、パリパリに焼けていた。ウェイトレスは男のテーブルの隣で立ち止まった。「ハンバーガーは美味しいですか？」彼女は尋ねた。「ああ、それは最高さ」男はそう言うと椅子を脇に押しやって立ち上がり、支払いもせずにレストランから慌てて出ていった。ウェイトレスは叫んだ「ちょっと、支払いは？」彼女は肩をすくめてささやいた「あの人、どうしてあんなにかがみこんでいたのかしら？」

これらの訳文を読んでいると、なじみのある曲を、才能はあるがよく間違えるピアニストによって演奏されているのを聴いている気分になる。これが何の曲かはだいたいわかるのだが、まとまりがなくて落ち着かない。この演奏は数小節のあいだは美しく流れるが、途中途中で不快にさせられる外れた音が突然

入ってくるのだ。

　これらの訳文から、Google 翻訳は多義語を訳すときに適切ではないほうの意味を選んでしまうことがあるのがわかる。たとえば rare（レア）や bill（支払い）は、フランス語訳ではそれぞれ「めったにない」、「法案」という文脈に適さない意味で訳されている。こうした誤訳が起きる原因は、プログラムが前に出てくる単語や文章の意味や文脈を考慮していないことだ。また、burned to a crisp（黒焦げ）や bent out of shape（気分を害して怒っている）といった慣用句は、奇妙な訳になっている。

　どうやら、プログラムには同じ意味の慣用句を目標言語で見つける方法や、慣用句の実際の意味をつかむ方法がないようだ。そのため話の筋はわかっても、一見些細なようだが実は大事なニュアンスがどの目標言語への翻訳でも失われてしまっている。そのなかには、"storming out of the restaurant"（ものすごい勢いで飛び出していく）という表現に込められている男の怒りや、"muttering under her breath"（小声でぶつぶつと文句を言う）に表れているウェイトレスの不快感も含まれている。もちろん、文法がところどころでおかしくなっているのはいうまでもない。

　私は Google 翻訳だけをやり玉に挙げようとしているわけではない。ほかのオンライン翻訳サービスのいくつかでも試したところ、同じような結果が出たことも確認している。結果が似ているのは、決して驚くべきことではない。なぜなら、これらのシステムにはほぼ同じ論理構造の「エンコーダー－デコーダー」が使われているからだ。また、私が今回入手した翻訳は、あくまでこうした翻訳システムのある瞬間の性能を反映してい

るものだということも指摘しておかなければならない。翻訳システムは常に改良されているため、ここで挙げた具体的な誤訳は、あなたが本書を読んでいる段階ではすでに修正されているかもしれない。それでも私は、機械翻訳が本当に人間の翻訳者のレベルに到達できるとは思っていない（一部の限られた事例では可能性があるかもしれないが）。たとえ到達できるにしても、それはまだはるか先のことだろう。

　その最大の理由は、音声認識システム同様、機械翻訳システムは処理している文章の内容を実際は理解していないままタスクをこなしていることだ。[原注21]音声認識でもそうだが、翻訳においても次の疑問がまだ残っている。そうした理解は、機械の能力が人間レベルに到達するためにはどの程度必要なのだろうか？この件について、ダグラス・ホフスタッターは「翻訳とはただ辞書を調べて言葉を並べなおすものではなく、それよりもはるかに複雑な作業だ。翻訳を行うためには、その内容に関連している分野のメンタルモデルを持つ必要がある」と指摘している。[原注22]たとえば、人間が『レストラン』を翻訳する場合、男が支払いをせずにものすごい勢いでレストランを飛び出していったのなら、ウェイトレスは「法案」よりも食事の支払いについて叫ぶ可能性のほうがずっと高いはずだというメンタルモデルを、その人は持っているはずだ。ホフスタッターの言葉は、最近の雑誌記事に掲載されたアーネスト・デイビスとゲイリー・マーカスの両 AI 研究者による次の意見にも反映されている。「機械翻訳において……よく起きる多義性の問題は、その文章を本当に理解して、そのうえ実世界の知識を動員するしか解決方法はない」[原注23]

「エンコーダー – デコーダー」ネットワークはより大きな訓練

データでの学習や、ネットワークの層を増やすだけで、必要とされるメンタルモデルや実世界の知識を身につけることができるのだろうか？ それとも根本的に別の何かが必要なのだろうか？ この疑問はまだ解決しておらず、AI界での激しい議論の的になっている。今はただ、ニューラル機械翻訳は驚くほど性能がよく、多くのアプリケーションで役に立っているが、それでも見識豊かな人間によるポストエディットなしでは基本的には信頼性に欠ける、といっておこう。もしあなたが機械翻訳を使っているなら（私も使っている）、翻訳された結果を鵜呑みにせずに加減する（take it with a grain of salt）ほうがいいだろう（訳注：直訳は「疑わしい話を（解毒剤の）塩を1粒加えて飲み込む」）。ちなみに、この "take it with a grain of salt" を Google 翻訳で英語から中国語に訳し、そしてさらに英語に戻すと "bring a salt bar"（塩の塊を持ってこい）という助言のような訳が出てきた。これは元の英語のものより効き目がありそうだ。

画像を文章に翻訳する

ここで、とんでもない発想を紹介しよう。言語間の翻訳からさらに進んで、「エンコーダー－デコーダー」のような一組のニューラルネットワークを訓練することで「画像」を言語に翻訳できないだろうか？ この発想を具体化するには、ひとつのネットワークを画像のエンコード用、もう一方を画像の内容を説明する文章への「翻訳」用にすることだろう。考えてみれば、画像にキャプション（訳注：短い説明文）をつけることは、別の種類の「翻訳」といってもいいのではないだろうか？ つまり、画像という「言語」とキャプションに使われる言語とのあいだの。

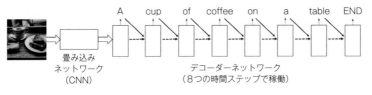

図 39 グーグルの自動画像キャプションシステムの略図

　実は、この発想は突拍子もないものではなかったことが判明した。2015 年、グーグルとスタンフォード大学の二つの研究グループが、このテーマについてのよく似た論文を同じコンピュータービジョンの会議でそれぞれ発表した。ここではグーグルの研究グループが開発したシステム Show and Tell について説明する。というのも、そちらのほうが概念的に若干わかりやすいからだ。

　図 39 は、Show and Tell の仕組みを簡略的に示したものだ。これは図 38 の「エンコーダー－デコーダー」システムに似ているが、ここでの入力は文章ではなく画像である。しかも画像の入力先はエンコーダーネットワークではなく、深層畳み込みニューラルネットワーク（CNN）だ。この CNN は第 4 章で解説したものと似ているが、これは物体の分類を出力するのではなく、最後の層の活性化値をデコーダーネットワークへ入力として与える。そして、デコーダーネットワークはそれらの活性値化を「デコード」して、文章を出力する。論文を執筆した研究者たちは画像のエンコード用として、ImageNet（第 5 章で取り上げた大規模な画像データセット）の画像で画像分類の訓練を受けた CNN を利用した。ここでの課題は、入力された画像に対して適切なキャプションを生成できるよう、デコーダーネットワークを訓練することだ。

このシステムは、画像にふさわしいキャプションの作成方法をどのように学習するのだろうか？　言語の翻訳のための訓練を思い出してみると、訓練データはひとつ目の文章が起点言語、二つ目の文章はひとつ目の文を人間が目標言語に翻訳したもの、という二つ一組の文章からなっていた。画像キャプション生成の場合、訓練用の各サンプルデータは画像とキャプションが一組になったものだ。これらの画像はFlickr.comといった画像データの宝庫からダウンロードされたもので、それらの画像についてのキャプションは人間の手でつけられたものである。具体的には、この研究のためにグーグルが依頼したAmazon Mechanical Turkの作業者たちだ。ひとつの画像に対して膨大な数のキャプションが考えられるため、各画像には5人の作業者による五つの異なるキャプションがつけられた。つまり、各画像は毎回異なるキャプションとペアになって、訓練セットのなかで5回使われることになる。図40は訓練用のサンプル画像とMechanical Turkの作業者たちがつけたキャプションの例だ。

　このShow and Tellデコーダーネットワークは、約8万組の画像とキャプションのペアによって訓練が行われた。図41は、訓練されたShow and Tellシステムがテスト画像（訓練セット

マグカップ入りの温かい飲み物とトーストの食事

テーブルの上のグリルサンドイッチとコーヒー

トーストがのった白い皿と一杯のコーヒー

カウンターのパニーニサンドの隣にコーヒーカップが置かれている

テーブルの上にはサンドイッチ、マグカップ入りのコーヒー、カスタードクリームビスケットがある

図40　訓練用のサンプル画像とAmazon Mechanical Turkの作業者たちがつけたキャプション

ボールを打とうとしている野球選手　　　　テレビ台の上に置かれた薄型テレビ

街なかの通りの公共路線バス　　　　　　土の上に立っているウシ

図 41　グーグルの Show and Tell システムが自動的に作成したキャプション
　　　　の四つの（正しい）例

に含まれていない画像）から生成したキャプションの例である。

　コンピューターが未加工のピクセルデータというかたちの画像を読み込んで、これほど正確なキャプションを作成できるのには驚かずにはいられないし、それどころかしばし呆然としてしまうほどだ。それが、『ニューヨーク・タイムズ』紙でこれらの結果を初めて目にしたときの、私の正直な気持ちだった。それでも、この記事を書いたジャーナリストのジョン・マルコフは、次のとおり慎重に言葉を選びながら解説している。「ともに独自の研究を続けてきた二つの研究グループは、写真や動画の内容を認識して説明できる人工知能ソフトウェアをそれぞれ開発した。その精度はかつてないほどの高さで、しかもそれが人間の理解を模倣した結果が、実際の人間に極めて近い場合

もある」[原注26]

　ほかのジャーナリストたちは、そこまで冷静ではなかった。あるニュースサイトは「グーグルの AI は、今や人間とほぼ同じように画像にキャプションをつけられる」と大々的に報じた[原注27]。他社も同様の手法を用いて自動画像キャプション生成分野に慌てて参入し、自社の優位性を訴えた。マイクロソフトのブログは、「マイクロソフトの研究者たちは、写真内の物体を認識し、どんな展開が起きているのかを読み取って、それを正確に説明するキャプションをつけることをすべて自動で行う技術開発の最先端にいます」とうたっている[原注28]。マイクロソフトはさらに、CaptionBot（キャプションボット）と名づけられた、同社のシステム試作版をインターネットで公開した。CaptionBot のウェブサイトは「私はどんな写真の内容も理解できます。そして、それを人間と同じくらいうまく説明できるようにします」と意欲的に語っている[原注29]。グーグル、マイクロソフト、フェイスブックといった企業は、目の不自由な方や目にほかの障害がある方に自動で画像を説明するサービスを提供するために、こうした技術をどのように応用できるかについての議論を始めている。

　だが、それにはまだ少し早すぎるかもしれない。自動画像キャプション生成は、言語の翻訳と同様に、生成された結果が二極分化するという問題を抱えている。図 41 の例のように、正しい結果のときはまるで魔法かと思うくらい的確だ。だが、正しくない結果は、「わずかな間違い」から「まったく意味がわからない」ものまで間違いの幅が実に大きいのだ。図 42 は、そうしたさまざまな度合いの間違いを示したものだ。これらの不正確なキャプションには、思わず笑いそうになるものもあるかもしれない。だが、写真が見えない目の不自由な方にとって

フリスビーをとろうとジャンプしているイヌ　　食料や飲み物が大量に詰まっている冷蔵庫

バス停で座っている人々　　　　　　　　　　窓際に座っているネコ

図 42　グーグルの Show and Tell システムやマイクロソフトの CaptionBot が生成した、キャプションのあまり正確とはいえない例

は、与えられたキャプションが正しいもののひとつなのか、それとも間違っているもののひとつなのかを判断するのが難しい。

　マイクロソフトの CaptionBot は、「どんな写真の内容も理解できる」と言っている。だが、問題なのは、その逆が真実であるということなのだ。こうしたシステムは、たとえ正確なキャプションをつけていようと、人間が写真を理解するという意味においては理解できていないからだ。第4章の「空港にイヌといっしょにいる兵士」の写真をマイクロソフトの CaptionBot に読み込ませたところ、システムの出力結果は「イヌを抱きしめている男性」だった。まあ合っている。「男性」の箇所以外は。だが、このキャプションはこの写真の興味深い点をすべて見落としている。この写真が私たち、私たちの経験、感情、この社

会についての知識に対して訴えかけているものすべてを。それはつまり、この写真の「意味」を読み取れなかったということだ。

　研究者たちがさらなるデータや新しいアルゴリズムを利用して開発を続けることで、これらのシステムの性能が向上するのは間違いない。とはいえ、キャプション生成ネットワークに「理解」が根本的に欠けているため、これらのシステムも言語の翻訳システムと同様に、今後も信頼性が低いままなのは避けられない。つまり、ある事例においては非常によい結果が出せても、ほかでは派手に失敗するという状況が続くだろう。しかも、たとえほとんどの画像で正しいキャプションが生成できるようになったとしても、そこに多くの意味があふれている場面を表している画像の最も大事な部分を、たいていは捉えることができないはずだ。

　文章に込められた感情を分析する、文書を翻訳する、写真を説明するNLPシステムは、そうしたタスクで人間の能力にはまだはるかに及ばないにしても、実際に社会のさまざまな面で役に立っているため、開発者たちにとって大きな利益が見込める分野となった。一方、NLP研究者たちの究極の夢は、ユーザーとリアルタイムで流ちょうかつ柔軟なやりとりができる機械をつくることだ。とりわけ、会話をして質問に答えてくれるような。次の章では、私たちの問いかけにすべて応えてくれるAIシステムを実現するという挑戦について探索してみよう。

宇宙歴42402.7　惑星連邦宇宙艦エンタープライズ

　データ少佐「コンピューター、私はユーモアについてもっと知りたいんだ。なぜ、ある言葉の組み合わせや振る舞いが、人間を笑わせるのだろう」

　コンピューター「その件についての資料は膨大です。もっと細かく指定してください」

　データ少佐「体の動きや動画などのわかりやすい方法で教えてくれる、人間のかたちをしたロボットを紹介してほしい。質問したりできることが条件だ」

　コンピューター「体の動きが面白いということですか？　知的な面白さ？　それとも全般的に話上手ということでしょうか？」

　データ少佐「頼める演者のなかで、一番面白いと言われているのは？」

　コンピューター「23世紀のスタン・オレガです。量子数学についてのジョークを専門にしています」

　データ少佐「だめだ。難解すぎる。もっと普通なのがいい」

　コンピューター「データにアクセス中」

　（名前のリストが表示される）

『新スタートレック』第2シーズン第4話「無法者オコーナ」

より[原注1]

（訳注：データ少佐はアンドロイド）

　宇宙船エンタープライズに搭載されたコンピューターは、その膨大な知識量と、投げかけられた問いに対する完ぺきな理解力によって、長年のあいだ人間とコンピューターとの対話を導く星とされ、『スタートレック』のファンや AI 研究者のどちらにとっても羨望の的であった（しかも、この二つのグループの両方に属している人は決して少なくない、とも言っておこう）。

　グーグルの元幹部タマル・イェホシュアは、同社の検索エンジンの未来図を描くうえで『スタートレック』のコンピューターの影響は確かにあったとざっくばらんに語っている。「私たちが思い描いたのは、あの『スタートレック』のコンピューターそのものです。話しかけることができて、私たちの話を理解してくれて、会話が成り立つという」[原注2]。それと同様に、『スタートレック』のこの架空のテクノロジーは、IBM の質問応答システム「ワトソン」を実現するための最も重要なモデルとなったと、ワトソンのプロジェクトリーダーだったデービッド・フェルッチも語っている。「『スタートレック』のあのコンピューターは、質問応答機です。尋ねられている内容を理解し、質問者が求める過不足のない的確な答えを提供します」[原注3]。そして、アマゾン幹部のデイヴィッド・リンプによると、同社の家庭用音声アシスタント Alexa も、同じきっかけによって誕生したものだという。「まだ何年も、何十年も先で明るく輝いているあの光は、『スタートレック』のコンピューターを再現するという目標です」[原注4]

『スタートレック』は、「何を尋ねても正確で役に立つ答えを、ずばり一言でくれるコンピューター」という夢を、多くの人の心に種のように植えつけたのかもしれない。とはいえ、Siri、Alexa、Cortana、Google Now といった今日の AI 駆動型バーチャルアシスタントを使ったことがある人なら、その夢はまだ実現していないことがわかるはずだ。そうした機械に音声で尋ねると（これらの機器の多くは、音声をテキストに変換するのを得意としている）、ロボットさがほんのわずかしか感じられない滑らかな声で答えてくれる。私たちがどんな種類の情報を探しているのかを察して、関連するウェブサイトに導いてくれる。

だが、こうしたシステムは、私たちが尋ねていることの「意味」は把握していない。Alexa は、たとえばオリンピック短距離走者ウサイン・ボルトの経歴をすべて事細かに読み聞かせてくれて、彼が金メダルをいくつ獲ったか、北京オリンピックの百メートル走での彼の速さを教えてくれるだろう。しかし前にも述べたとおり、簡単なことは難しい。もし、あなたが Alexa に「ウサイン・ボルトは走り方を知っているのだろうか？」や「ウサイン・ボルトは速く走れるの？」と尋ねたら、どちらの質問に対しても「ごめんなさい、それはちょっとわかりません」や「うーん、どうでしょうか」といった判で押したようなせりふで答えてくるはずだ。要は、その機器は「走る」や「速い」が実際どんな意味なのかをわかるようにつくられていないのだ。

コンピューターは今や私たちが求めるものを正確にテキストに変換できるが、もしあなたが「最後の未開拓地」に足を踏み入れる勇気があるのなら、その地とはコンピューターに私たち

の質問の「意味」を理解させることだ。

ワトソンの物語

　Siri、Alexa といったバーチャルアシスタントが登場する前の時代に、AI 関連業界で最も有名だった質問応答プログラムは、IBM の「ワトソン」だった。2011 年、クイズ番組『ジェパディ！』で、ワトソンが手に汗を握るような戦いでふたりの人間のチャンピオンを破ったときのことを、あなたも覚えているかもしれない。1997 年にディープ・ブルーがチェスの世界チャンピオンであるガルリ・カスパロフに勝ってからほどなくして、IBM の幹部たちは注目を集めそうなプロジェクトを再び進めようとしていた。しかも、ディープ・ブルーとは違って、今度は IBM の顧客に役立つ製品につながるものにしたいと考えていた。その要求を完ぺきに満たしたのが、『スタートレック』のコンピューターからも発想を得た、質問応答システムだった。そのきっかけは、次のようなものだった。

　IBM の副社長のひとりであるチャールズ・リッケルは、レストランで夕食をとっていたときに、ほかの客がみな突然静かになったことに気づいた。テレビ番組『ジェパディ！』で歴史的な勝利を挙げ続けているチャンピオンのケン・ジェニングスが競っている姿に、店じゅうが釘づけになっていたのだ。そのときリッケルは、IBM は『ジェパディ！』で人間のチャンピオンに勝てるほど強いコンピュータープログラムを開発すればいいとひらめいた。そして、そのプログラムがクイズで競っている姿を、大々的にテレビで放送してもらえばいい。[原注5]この発想から始まった、自然言語研究者デービッド・フェルッチが率いる研究グループの何年にもわたる取り組みの結果、AI システ

ム「ワトソン」が誕生した。この名前は、IBM 初代会長トーマス・J・ワトソンにちなんでつけられたものだ。

『ジェパディ！』は 1964 年に始まった、非常に人気の高いテレビクイズ番組だ。このクイズでは出題のたびに、3 名の出場者がさまざまなジャンル（例 – 「アメリカの歴史」「映画」）のリストから順番に選んでいく。次に司会者がその問題の「ヒント」を読み上げ、出場者たちは解答ボタンの「早押し」で解答権を競う。最初にボタンを押せた出場者は、そのヒントにふさわしい答えを「質問」のかたちで解答することができる。たとえば、「アカデミー賞とフランスのセザール賞の両方を受賞した唯一の作品である、2011 年に公開された映画」というヒントに対する正しい答えは、「『アーティスト』とは何ですか？」となる。『ジェパディ！』で勝つためには、出場者は古代史から大衆文化（ポップカルチャー）にいたる幅広い知識と、それをすぐに思い出せる能力を身につけておかなければならない。さらに、ヒントにしょっちゅう出てくる、各ジャンルに関連した駄じゃれ、俗語や隠語、話し言葉の意味を理解する能力も必要だ。もうひとつ例を紹介しよう。「2002 年、エミネムはこのラッパーに数百万ドルが入る契約を結んだ。それは彼の名前が意味するものより明らかにずっと大きな金額だった」。正解は「５０（フィフティー）セントとは誰ですか？」だ（訳注：「50 セント」はラッパーの MC ネーム）。

『ジェパディ！』のヒントを与えられると、ワトソンは多くの AI 手法を組み合わせて答えを出した。たとえば、ヒントのどの言葉が重要かを判断したり、ヒントを分類してどんな種類の答え（例 – 人、場所、数字、映画の題名）が必要なのかを決めたりするという一連のヒントの分析には、さまざまな自然言語処理の手法が使われた。膨大な知識のデータベースを高速に検

索するために、プログラムは専門の並列コンピューターで実行された。『ニューヨーク・タイムズ・マガジン』誌の記事には、次のような記述がある。「フェルッチの開発チームはワトソンの知識ベースを構築するために何百万件もの資料を入力した。［フェルッチによると］そのなかには『書籍、参考資料、あらゆる種類の辞書、類語辞典、フォークソノミー（訳注：インターネット内で利用者が作成した分類法）、分類法、百科事典といった、手に入れられるありとあらゆる資料……さらには小説、聖書、戯曲』も含まれている」。与えられたヒントに対して、プログラムは答えの候補をいくつか挙げ、搭載されているアルゴリズムが各解答候補にそれぞれの確信値を算出する。確信値が最も高い答えが閾値を超えた場合、プログラムは解答ボタンを押して解答するという仕組みだ。

　ワトソンの開発チームにとって幸運にも、『ジェパディ！』のファンたちは過去の番組で放送されたジャンルのヒントと解答をすべて記録に残していた。そのデータはワトソンにとって、まさに天からの贈り物だった。それらはシステムのコンポーネントの多くを訓練する方法である、教師あり学習用の計り知れないほど貴重なデータサンプルとなった。

　2011年2月、ワトソンは国内外で放送された三番勝負で、『ジェパディ！』のチャンピオン経験者であるケン・ジェニングスとブラッド・ラッターの2名と競った。この模様をテレビで観ていた私と家族は、みな夢中になった。最終戦の終盤になると、ワトソンの勝利が明らかになった。最終戦の最後のヒントは「この作者の最も有名な作品は、ウィリアム・ウィルキンソンの An Account of the Principalities of Wallachia and Moldavia（ワラキアとモルダビア両公国に関する記録）から

発想を得たものだ」だった。『ジェパディ！』では、最後のヒントについては出場者全員が手書きで答えることになっている。出場者は3名とも「ブラム・ストーカーとは誰ですか？」と書いて正解した。このとき、辛口のユーモアで評判だったケン・ジェニングスは、解答欄に「このコンピューターを新たな大君主として歓迎します」と、世間でよく知られたアニメのせりふをもじったコメントを書き加えて、ワトソンの確実な勝利を受け入れた。だが、皮肉なことに、ワトソンにはそのジョークは通じなかった。のちにジェニングスは、自身について次のように面白おかしく語っている。「意外なことに、私にとって例のクイズ番組で大活躍したあの忌々しいコンピューターに負けたことが、予想外の美味しい仕事につながりました。みな『あの日何が起きたのか』と舞台裏を知りたがったのですが、ワトソンはインタビューがとても苦手ですので、私があのときのことを解説した文章を書いたり、TED Talks で講演したりする役目を突如として担うようになったのです……私より前に似たような経験をしたカスパロフと同様に、私は今や『プロの人間の敗者』としてそこそこの生活を送らせてもらっています」

　ワトソンは『ジェパディ！』に出演しているあいだずっと、ほぼどんなジャンルについてもひっかけの多いヒントを電光石火の速さで解釈、解答することで、言葉を楽々と理解して流ちょうに使いこなす並外れた才能を持っているという印象を、私も含めた視聴者たちに植えつけた。

　　ヒント－あなたの壁にかかっているこれは、壊れていたとしても1日2回正しくなる。
　　ワトソン－時計とは何ですか？

ヒント－ To push one of these paper products is to stretch established limits.

　（この紙でできた製品を押すことは、可能性の限界に挑むということだ）

　ワトソン－ What is an envelope?

　（封筒とは何ですか？）

　（訳注：envelope には「可能性の限界」という意味もある。「可能性の限界に挑む」という意味の push the envelope は「封筒を押す」とも取れる）

　ヒント－古くからあるおなじみのキャンディバーで、女性連邦最高裁判事。

　ワトソン－ベビールース・キンズバーグとは誰ですか？

　（訳注：「ベビールース」キャンディと、連邦最高裁判事ルース・キンズバーグを掛け合わせたしゃれ）

　テレビカメラは、観客席に座って熱狂を抑え切れない表情を浮かべているワトソン開発チームを頻繁に捉えた。ワトソンは絶好調だった。

　放送中のスタジオのワトソンはスクリーンにその姿が映し出されていて、まるでほかの2人の出場者と並んで解答席にいるかのようだった。顔の位置には目鼻ではなく、輝く地球とその周りをぐるぐる回っている光の輪が映っている。ワトソンがジャンルを選んだり、解答したりするときの声は感じがよく親しみやすいが、若干機械的だ。こうした仕様は、「ワトソンは人間とは少し異なるが、人間のように積極的にヒントに耳を傾けて答えている」という印象を人々に与えるために、IBM が入

念に設定したものだ。だが実際には、ワトソンには音声認識技術は使われていなかった。人間の解答者にヒントが読み上げられているのと同じタイミングで、各ヒントが「テキスト」で与えられていたのだった。

　ときおり、ワトソンのヒントに対する答え方は、その人間のように見せかけたうわべにひびを入れることもあった。それはシステムがいくつかのヒントで答えを誤ったから、ということによるものではない。どんな解答者だって間違えるのだから。では、それはなぜかというと、ワトソンの間違い方がしばしば……人間らしくなかったからだ。報道で最も多く取り上げられたワトソンの誤答は、「アメリカの都市」というジャンルからのヒント「その最大の空港の名称は第二次世界大戦の英雄の名前に、2番目に大きな空港の名称は第二次世界大戦中の海戦の名前にちなんでつけられた」での失敗だった。ワトソンは奇妙にも、はっきり示されていたジャンル名を無視して「（カナダの）トロントとは何？」と誤って答えたのだった。ワトソンはほかにも明らかにおかしな間違え方をした。たとえば、「それは1904年に平行棒種目で金メダルを獲った、アメリカの体操選手ジョージ・エイゼルの身体上の特徴」というヒントに対してだ。ケン・ジェニングスが「片腕を失っているとはどんなことですか？」と答えたのに対して、ワトソンは「脚とは何ですか？」と解答した。正解は「片脚を失っているとはどんなことですか？」だった。この一件について、ワトソン開発チームのリーダーのデービッド・フェルッチは「このコンピューターは、片脚を失っていることがとても大きな特徴だとわからなかったのです」と語っている。同様に、ワトソンは次のヒントでは、何を尋ねられているのかを理解できていなかったようだった。

「2010年5月、ブラック、マチス、その他3名の作者の絵画計5点、総額1億2500万ドル相当が盗まれた、パリにあるこの美術史の時代の美術館」。出場者3名の答えはみな不正解だった。ケン・ジェニングスの「キュビズムとは何ですか？」、ブラッド・ラッターの「印象派とは何ですか？」という答えに対して、ワトソンの「ピカソとは何ですか？」という解答は観客を困惑させた（正解は「近代美術とは何ですか？」）

こういった類の間違いにもかかわらず、ワトソンは三番勝負に勝利し（ボタンを高速で早押しできる自身の能力に助けられたことも大きい）、賞金100万ドルは慈善活動に寄付された。

ワトソンの勝利を受けて、AI界のワトソンに対する見解は「AIの真の進歩である」という派と、「宣伝行為」「うわべだけのごまかし」などと呼ぶ派に分かれた。大半の人が『ジェパディ！』でのワトソンの活躍は並外れていたと認める一方、例の疑問は残されたままだった。話し言葉で尋ねられる高度な質問に答えていたワトソンは、本当に難しい問題を実際に解いていたといえるのだろうか？　それとも、言葉の使い方が非常に特殊な形式のヒントと知識が問われる答えを特徴とする『ジェパディ！』で解答するというタスクは、ウィキペディアといった膨大なデータの宝庫が内蔵され、それらに簡単にアクセスできるコンピューターにとって実は大して難しいことではないのだろうか？　しかも、このコンピューターは本番で出されたものと非常によく似た形式の『ジェパディ！』のヒント10万個で訓練を受けていたのだ。『ジェパディ！』をめったに観ない私でさえ、ヒントがいくつかの似たようなパターンのどれかに属していることが多いのがわかる。つまり、十分なサンプルデータで訓練すれば、与えられたヒントがどのパターンのものかを

検出するようプログラムに学習させるのは、さほど難しくない
のかもしれない。

　ワトソンが『ジェパディ！』にまだデビューしていないうち
から、IBMはそのワトソンについての大がかりな計画をすで
に発表していた。そういった案のひとつとして同社が発表した
のは、「医者のアシスタント」になるための訓練をワトソンに
行うというものだった。具体的には、膨大な量の医学文献の文
書をワトソンに与えることで、医者や患者の質問に答えたり、
診断や治療の提案を行ったりできるようにするものだ。IBM
は「ワトソンは医療関係の質問に対する最善の答えを、人間の
頭脳よりもはるかに効率的に見つけられるようになるはずで
す」と力説した。同社はさらに、ワトソンの能力を応用できる
可能性が高い他の領域として、法律、金融、カスタマーサービ
ス、天気予測、ファッションデザイン、税務補助など、ありと
あらゆる分野を挙げた。こうした構想の実現に取り組むため、
IBMはこの事業部門を独立させて「IBMワトソングループ」
を設立し、何千人もの従業員を配置した。

　2014年頃から、IBMのマーケティング部門はワトソンを中
心にした宣伝活動に全力を注ぐようになった。インターネット、
活字メディア、テレビ（ボブ・ディランやセリーナ・ウィリア
ムズなどのスターがワトソンとしゃべっているように見えるコ
マーシャルが打たれた）で全面的にIBMのワトソンが宣伝さ
れた。IBMは、ワトソンは「コグニティブコンピューティン
グ」の時代を私たちにもたらしているとうたった。その言葉は
今もまだきちんと定義されていないが、どうやらIBMのAI
での取り組みを表すブランド用語のようだ。この言葉が言わん
としているのは、「ワトソンは画期的な技術だ。それゆえ、ほ

かの AI システムとは根本的に違うことができるし、あるいは同じタスクならもっとうまくできる」ということであるのは明らかだ。

　有力なメディアも、ワトソンについてひっきりなしに報道した。ニュースドキュメンタリー番組『６０ ミニッツ』の2016年のある回では、レポーターのチャーリー・ローズがIBMの幹部の発言を視聴者に向けて繰り返した。「ワトソンは貪欲な読書家で、1秒間に100万冊のペースで読み進められます」「5年前、ワトソンは本の読み方と質問への答え方を学んだばかりでした。しかし今や、医学大学院を修了しました」。さらに、当時ノースカロライナ大学のがん研究者だった（のちに国立がん研究所の所長に就任）ネッド・シャープレスが『60 ミニッツ』に出演して、チャーリー・ローズのインタビューを受けた。ローズの「あなたはIBMが『ワトソンは医療に貢献できるかもしれない』と提案する以前に、人工知能やワトソンについてどれくらいご存知でしたか？」という質問に対して、シャープレスは「実はあまり。『ジェパディ！』に出場していたのは観たのですが」と答えた。シャープレスはさらに「ワトソンは実質1週間程度で、医学文献の読み方を学習しました。そう難しいことではなかったようです。その後、ワトソンはもう1週間かけて、2500万本の論文を読み終えました」と語った。原注12

　何だって？　つまり、「貪欲な読書家」ワトソンとは、本好きの大人びた小学五年生のようなものだということなのだろうか？　ただ、ハリー・ポッターの本を週末の2日間だけで読み切ってしまう代わりに、毎秒100万冊、あるいは1週間で2500万本の論文を読んでいるという意味なのだろうか？　それとも、テキストを処理して自身のデータベースに追加してい

くというワトソンが実際に行っている作業は、「読んでいるものを『理解』する」という人間にとっての「読む」の意味合いとは別物だということなのだろうか？　ワトソンが「医学大学院を修了した」というのはうまい言い回しだが、私たちはその言葉からワトソンの本当の能力を窺い知ることができるのだろうか？　ワトソンについての度を超えた派手な宣伝、透明性の欠如、専門家による研究評価の少なさゆえ、外部の者たちがそうした疑問の答えを見つけるのは難しかった。がん専門医への支援を目的とするAIシステム「腫瘍学用ワトソン」を批判して反響を呼んだある批評では、次のように語られている。「『腫瘍学用ワトソン』が職務を果たす能力があるかどうかを検査した、独立した第三者機関による研究がひとつもないのは、計画的なことだ。IBMはこの製品を外部の科学者の厳しい目にさらすこともなければ、製品の有効性を評価するための臨床試験を行ったこともない」原注13

　さらに、IBM内の人々によるワトソンの説明に対しても、次の新たな疑問が起こった。IBMが『ジェパディ！』で競うことに特化して開発した技術は、ほかの質問応答タスクにどの程度流用できるのだろうか？　要は、ネッド・シャープレスは「『ジェパディ！』に出場していた『ワトソン』を観た」と言い、さらに、「今の『ワトソン』は医学文献を読める」と言っていたが、彼はこの二つのワトソンについてどの程度同一なものとみなしているのだろうか？

　『ジェパディ！』以降のワトソンについては、それだけで一冊の本が書けるだろう。そのためには、調査能力に優れた熱心なライターによる徹底的な取材が必要だが。それでも、目を通した多くの論文やこうした技術に詳しい人々との議論を通じて、

私なりに意見をまとめることができた。どうやら、『ジェパディ！』で勝つために必要な能力は、医療や法律といった他の分野で必要とされる能力とは異なるようだ。実世界の質問や応答は、『ジェパディ！』のヒントのような短くてわかりやすい文章構造になっていないし、答える形式もあのようにきちんと定められているわけでもない。さらに、がんの診断といった実世界の領域では『ジェパディ！』の事例とは異なり、はっきりとラベルづけされていてしかも正しい答えがひとつしかないという完ぺきな訓練用サンプルデータを、大量に入手するのは難しい。

　つまり、同じ名前、同じ「光の輪が周囲を回っている地球」ロゴ、よく知られたあの心地よいロボットの声を除いては、今日IBMのマーケティング部門が熱心に宣伝活動を行っている「ワトソン」は、2011年に『ジェパディ！』でケン・ジェニングスとブラッド・ラッターを破ったあの「ワトソン」とはほとんど共通点がない。しかも、今日ワトソンと呼ばれているものは単体で完結しているAIシステムよりも、IBMが「ワトソン」のブランド名で主に法人の顧客に提供する一連のサービスを指している場合が多い。いってみれば、「ワトソン」の実体とは、IBMがAIの領域でやっていることすべての総称であり、しかもそれらのサービスに「あの『ジェパディ！』の勝者」というまたとない後光を授けているというものである。

　IBMは、才能豊かなAI研究者を何千人も抱える大企業だ。同社が「ワトソン」ブランドで提供しているサービスはどれも最先端のAIツールであり、人間による対応をかなり必要とはするが、自然言語処理、コンピュータービジョン、一般的なデータマイニングといった幅広い分野に応用できる。多くの企業

がIBMとこうしたサービスを契約していて、それらは自社の
ニーズを満たすうえで効果があると感じている。とはいえ、メ
ディアや大々的な宣伝活動でつくられたイメージとは異なり、
ひとつの「ワトソン」AIプログラムが「医学大学院を修了」
「医学関連の論文を『読む』」といったことをしているわけでは
ない。実際には人間のIBM従業員が顧客の企業と協力しながら、
さまざまな種類のプログラムへの入力に必要なデータを入念に
準備している。しかも、そうしたプログラムの大半は、ここま
での章で説明してきたいろいろな深層学習の手法と同じものに
頼っている（ちなみに、それらは初代ワトソンではまったく使
われていなかった）。結局のところ、IBMのワトソンが提供し
ているのは、グーグル、マイクロソフト、アマゾンといった大
企業がそれぞれ独自の「AI『クラウド』サービス」で提供し
ているものとほぼ同じだ。正直なところ、初代ワトソンシステ
ムの手法が今日の質問応答プログラムにどれくらい貢献したの
か、あるいは『ジェパディ！』で競うために開発された手法が
結果としてIBMワトソンブランドのAIツールで重要な役割
を果たしているかどうかについては、定かではないとしか言え
ない。

　さまざまな理由によって、IBMワトソングループは同社の
製品がほかのテクノロジー企業のものと同じくらい先端を行っ
ていて役に立っていたにもかかわらず、それらの企業よりも苦
心していた。同社が注目を浴びた大きな法人契約（例－ヒュー
ストンのMDアンダーソンがんセンター）のいくつかは打ち
切られた。ワトソンに対する批判的な記事が次々に出回り、そ
の多くは「IBMの幹部やマーケティング担当者たちは、技術
がもたらせるものよりはるかに大きなことを世間に期待させ

た」といった、不満を抱く元従業員の訴えを載せたものだった。過剰に期待させながらもそれを下回る結果しか出せなかったというのは、前にも触れたとおり AI 分野ではごくありふれた話だ。IBM だけが悪いということなどありえない。将来、自動質問応答システムが多大な影響をもたらす可能性を秘める、医療、法律といった分野への AI の普及において IBM がどんな貢献をするのかは、そのときになってみなければわからない。だが今確実に言えるのは、ワトソンは『ジェパディ！』での勝利に加えて、AI の歴史におけるその曖昧な成果から、「最も悪名高い誇大広告」賞の候補にもなるかもしれないということだ。

読解力

　ワトソンは処理しているテキストを真に理解できるという意味で「読む」ことができる、との意見に私が疑問を抱いているのは、この前の議論で述べたとおりだ。コンピューターが自身が「読んだもの」を理解しているかどうかを、私たちはどのようにして判断すればいいのだろう？　コンピューターに「読解テスト」を受けさせることはできるのだろうか？

　2016 年にスタンフォード大学の自然言語研究グループがそうしたテストを提唱すると、それは瞬く間にコンピューターの「読解力」を測るための事実上の標準となった。略称のSQuAD で広く知られているこの Stanford Question Answering Dataset（スタンフォード質問応答データセット）は、ウィキペディアの記事から選ばれた文章を出題文として、それに問題が一題ついているものだ。用意されている 10 万題以上の問題は、Amazon Mechanical Turk の作業者たちによって作成された。[原注14]

SQuADテストは、人間が受ける一般的な読解テストよりも簡単だ。なぜなら問題をつくるにあたって、「答えは出題文に実際に出ている単語や句でなければならない」と、スタンフォードの研究者たちに指定されているからだ。SQuADテストの一例を紹介しよう。

　　出題文－ペイトン・マニングは複数のスーパーボウルの大会で、それぞれ異なるチームで出場してどちらも優勝した史上初のクォーターバックとなった。また、彼は39歳にして、スーパーボウルに出場した最年長クォーターバックにもなった。それまで記録を保持していたのはジョン・エルウェイで、彼は38歳のときに第33回スーパーボウルでブロンコスを率いて優勝し、現在はデンバーのチーム運営担当副社長兼ゼネラルマネージャーである。
　　問題－第33回スーパーボウルに出場したときに38歳だったクォーターバックの名前は？
　　正解－ジョン・エルウェイ

　行間を読んだり、事実に基づいて推論したりする必要はない。そういう意味では、このタスクは読解というよりも「解答抽出」と呼ぶほうが、より的確なのかもしれない。解答抽出は機械にとって役立つ能力だ。実際、Alexa、Siriといったデジタルアシスタントがやっているのは、まさに解答抽出だ。これらの機器はあなたの質問を検索エンジン用の「問い合わせ言語」に変換して、検索結果から答えを抽出する。
　スタンフォードの研究グループは、コンピューターのテスト結果を人間のものと比べるために、人間（Amazon Mechanical

Turk の作業者を追加）にもテストを行った。出題文と問題を
１セットずつ与えられた被験者たちは、「問題の答えとなる箇
所を、出題文のなかから一番短いかたちで選べ[原注15]」と指示された
（正解はその問題を作成した Mechanical Turk の作業者が、あ
らかじめ用意していた）。この評価方法による SQuAD での人
間の正解率は、87 パーセントだった。

　SQuAD は瞬く間に質問応答アルゴリズムの優秀さを測るた
めの最も人気のベンチマークとなり、世界じゅうの NLP 研究
者たちが SQuAD のスコアボードで上位を目指して競い合った。
最も成果のあった手法は特殊なかたちの深層ニューラルネット
ワークを利用していて、それは前に説明した「エンコーダー－
デコーダー」を用いた方法をよりいっそう複雑にしたものだ。
そうしたシステムでは、出題文と問題のテキストが入力として
与えられる。出力はネットワークが問題の答えになる句の最初
と終わりの位置を予測したものだ。

　その後２年にわたって、SQuAD での競争が激しくなればな
るほど、競っているプログラムの精度は向上し続けた。2018 年、
マイクロソフトの研究所と中国企業阿里巴巴（アリババ）の二つの研究グル
ープが開発したプログラムが、スタンフォードが測定したこの
タスクでの人間の正解率をそれぞれ上回った。マイクロソフト
は、「マイクロソフトは人間と同じくらい正確に文章を読んで、
それに関する質問に答えられる AI を開発いたしました」と報
道発表した[原注16]。アリババの自然言語処理部門の首席科学者は「読
解力において機械が人間を上回るという、歴史における画期的
な出来事を目の当たりにできたのは、私たちにとって大変名誉
なことです」と語った[原注17]。

　確か……こういった話は、前にも耳にしたはずだ。AI 研究

において繰り返し発動される秘策は次のようなものだ。領域は比較的狭いがそこでは役に立つタスクを決め、そのタスクに対するコンピュータープログラムの能力をテストするためのデータを大量に集める→人間の能力をこのデータセットでタスクをこなすという限定された範囲で測定する→このデータセットに対してAIシステムが互いに競い合えるような競技会を企画し、人間が出した成績に並んだり、それを超えたりするものが出るまで続ける→この競技会で達成された本当に役立つ優れた進歩の内容について報告するのみならず、優勝したAIシステムはより一般的なタスク（例 – 文章を読んで内容を理解する）で人間並みの能力を発揮したという事実と異なることまでうたう。この秘策とやらにピンとこなければ、第5章のImageNet競技会について説明した箇所をもう一度見てほしい。

　一部の有力なメディアは、SQuADの結果を見事なほど節度のある伝え方をしていた。たとえば、『ワシントン・ポスト』紙は次のような慎重な評価を掲載した。「AIの専門家たちは、このテストは普段文章を読むことと比べてあまりに限定的だと指摘している。問題の答えは文章を理解することで初めて得られるものではなく、短い出題文のなかでパターンを探して言葉を一致させるという方法から求められる仕組みになっている。このテストはわかりやすい形式で書かれたウィキペディアの記事だけから出題されていて、人間が日常のなかで触れることが多い本、新聞記事、屋外の広告といった幅広い種類の言語資料は扱われていない……しかも、正解が必ず出題文のなかに含まれるようにつくられているため、これらのテストを受けるAIのモデルは概念を処理したり、別の発想から推測したりする必要がない……AI専門家たちの言葉を借りると、読解の真の極

意とは行間を読むことにあり、それは概念をつなぎ合わせ、発想から推測し、文章に明確に書かれていない暗黙のメッセージを理解するということだ」[原注18]。まさにそのとおりと言うしかない。

　そういうわけで、質問応答の領域は依然としてNLP研究の重要なテーマとなっている。これを書いている時点でわかっている新たな情報は、競い合うプログラムにとってより本質的な読解力が問われる挑戦になる新たなデータセットを、AI研究者たちが集めたというものだ（そして新たな競技会も企画されている）。マイクロソフト共同創業者ポール・アレンがシアトルに設立した民間研究機関「アレン人工知能研究所」は、小中学生レベルの理科の多肢選択問題によるデータセットを作成した。これらの問題に正解するには、単なる解答抽出以上の能力が求められる。そのうえ、自然言語処理、背景知識、常識的な推論を組み合わせた総合的な能力も必要だ[原注19]。一例を紹介しよう。

　　ソフトボールのバットを使ってソフトボールを打つのは、次のどの単純機械の例か？
　　（A）滑車　（B）てこ　（C）斜面　（D）輪軸

　迷っている方もいるかもしれないので、念のために答えは（B）だとお伝えしておこう。アレン研究所の研究者たちはこの新たな問題データセットでテストを行う際、SQuADテストで人間の成績を上回ったニューラルネットワークを、今回の目的に合わせて変更したものを利用した。だが、8000題の理科の問題という小規模なデータセットでさらに訓練を行ったあとでも、新しい問題に対するこれらのネットワークの成績は、あてずっぽうで答えたものと大して変わらなかった[原注20]。これを書い

ている時点での、このデータセットで AI システムが出した最高の正解率は約 45 パーセントだ[原注21]（あてずっぽうで答えた場合、正解率は 25 パーセント）。アレン研究所の AI 研究者たちは、このデータセットについての論文に「問題応答領域の課題を解決したと思われている方へ」という題名をつけている。もしかしたら、「それは考え直したほうがいい」という副題もつけたかったのではないだろうか。

「それ」は何を意味するのか？

NLP システムが「読んだ」ものを本当に理解しているのかどうかをテストすることを目的として開発された、問題応答タスクをもうひとつ紹介したい。まずは、次の文章とそれに続く問題を見てほしい。

文1 - "The city council refused the demonstrators a permit because they feared violence."

（市議会はデモ隊に許可を与えなかった。なぜなら、彼らは暴動を恐れたからだ）

問題 - Who feared violence?（暴動を恐れたのは誰ですか？）

A．The city council（市議会）　B．The demonstrators（デモ隊）

文2 - "The city council refused the demonstrators a permit because they advocated violence."

（市議会はデモ隊に許可を与えなかった。なぜなら、彼らは暴動を支持したからだ）

問題 - Who advocated violence?（暴動を支持したのは誰です

か？）

A．The city council（市議会）　B．The demonstrators（デモ隊）

　文1と文2はたった一語（feared（恐れた）、advocated（支持した））しか違わないが、その一語が問題の答えの鍵になっている。文1では代名詞 they（彼ら）は city council（市議会）、文2での they（彼ら）は demonstrators（デモ隊）を指している。このことが、私たち人間にはなぜわかるのだろうか？　それは、私たちは社会の仕組みについての背景知識を持っていて、それに基づいて判断しているからだ。つまり、何らかの不満を抱えているのはデモ隊のほうで、抗議中の彼らが暴動を支持したり扇動したりする場合があると、私たちはわかっているということだ。

　ほかの例も紹介しよう。[原注22]

　文1 － "Joe's uncle can still beat him at tennis, even though he is 30 years older."

　（ジョーの叔父さんは今でも彼をテニスで負かすことができる。彼のほうが30歳年上なのに）

　問題 － Who is older?（年上なのは誰ですか？）

　A．Joe（ジョー）　B．Joe's uncle（ジョーの叔父さん）

　文2 － "Joe's uncle can still beat him at tennis, even though he is 30 years younger."

　（ジョーの叔父さんは今でも彼をテニスで負かすことができる。彼のほうが30歳年下なのに）

問題 - Who is younger?（年下なのは誰ですか？）

A．Joe（ジョー）　B．Joe's uncle（ジョーの叔父さん）

文1 - "I poured water from the bottle into the cup until it was full."

（私は瓶からカップに水を注ぎ入れた。それが満杯になるまで）

問題 - What was full?（満杯になったのは何ですか？）

A．The bottle（瓶）　B．The cup（カップ）

文2 - "I poured water from the bottle into the cup until it was empty."

（私は瓶からカップに水を注ぎ入れた。それが空になるまで）

問題 - What was empty?（空になったのは何ですか？）

A．The bottle（瓶）　B．The cup（カップ）

文1 - "The table won't fit through the doorway because it is too wide."

（そのテーブルは戸口から入らなかった。なぜなら、その幅が大きすぎたからだ）

問題 - What is too wide?（幅が大きすぎたのは何ですか？）

A．The table（テーブル）　B．The doorway（戸口）

文2 - "The table won't fit through the doorway because it is too narrow."（そのテーブルは戸口から入らなかった。なぜなら、その幅が小さすぎたからだ）

問題 - What is too narrow?（幅が小さすぎたのは何ですか？）

A．The table（テーブル）　B．The doorway（戸口）

　あなたもこの出題形式の狙いをつかんだはずだ。要は、この各組の二つの文は一語しか違わないが、その一語が（they（彼ら）、he（彼）、it（それ））といった代名詞が指している人や物を変えてしまうのだ。問題に正解するためには、コンピューターは文を「処理」するのみならず、少なくともある程度「理解」しなければならない。通常こうした文を理解するためには、いわゆる一般常識が必要だ。それはたとえば、「叔父さんは普通はその甥よりも年上だ」「ある容器から別の容器に水を注ぎ入れるということは、この先前者の容器は空になって、後者の容器は満杯になることを意味している」「もし物がある空間を通り抜けられないのなら、それはその物の幅が小さすぎるのではなく、大きすぎるという意味だ」といったことだ。

　言語の理解を問うこれらの小テストは、NLP 研究の先駆者でこのテストの考案者でもある研究者テリー・ウィノグラードにちなんで、「ウィノグラードスキーマ」と呼ばれている[原注23]。ウィノグラードスキーマは、人間には簡単だがコンピューターには扱いづらい問題になるよう入念につくられている。2011 年、ヘクター・レヴェック、アーネスト・デイビス、レオラ・モーゲンスタンの3 人の AI 研究者は、チューリングテストに代わるものとして大量のウィノグラードスキーマを用いるテスト方法を提唱した。この論文の共同執筆者である彼らは、ウィノグラードスキーマを使ったテストはチューリングテストとは異なり、コンピューターが文章を実際にはまったく理解していなくても正解を出せる可能性を、未然に防いでいると論じた。3 人の研究者たちは、（非常に慎重な言葉で）次のような仮説を立

てた。「このテストに正解するものはすべて、人が考えている
ときに見せると思われる振る舞いをとっている可能性が非常に
高いといえる」。そして彼らはさらに、「この［ウィノグラード
スキーマ］テストでは、テストを受けるものは言葉遊び、ちゃ
めっけを出す、定型文による回答といった偽装行為はできない
……ここで求められているのは、たとえばチューリングが理想
とした『ソネットについての知的な会話をする』ことよりも明
らかに易しいものだ。それでも、このテストはほかに比べて誤
った使い方や解釈をされる恐れは低いはずだ」と記している[原注24]。

　いくつかの自然言語処理研究グループは、ウィノグラード
スキーマの問題を解くためにさまざまな方法で実験を行っている。
これを書いている時点で最も高い成績を収めたプログラムの場
合、250題のウィノグラードスキーマ問題で約61パーセント
の正解率だ[原注25]。これはあてずっぽうで答えたときの正解率50パ
ーセントは上回るが、それでもこのタスクを人間が行った場合
の推定正解率（テストを受ける人間がちゃんと集中してやれば
100パーセント）よりもはるかに下だ。このプログラムはウィ
ノグラードスキーマ問題の答えを選ぶときに、文を理解して決
めるのではなく、文中の語句の統計データを調べることで決め
ている。"I poured water from the bottle into the cup until it
was full."（私は瓶からカップに水を注ぎ入れた。それが満杯に
なるまで）を例にしてみよう。好成績を収めたプログラムが行
っていることのだいたいの感じをつかむには、グーグルの検索
ボックスに次の二つの文を一文ずつ入力する。

"I poured water from the bottle into the cup until the bottle
was full."

（私は瓶からカップに水を注ぎ入れた。瓶が満杯になるまで）

"I poured water from the bottle into the cup until the cup was full."

（私は瓶からカップに水を注ぎ入れた。カップが満杯になるまで）

　便利なグーグルは、それぞれの文についての「結果」（インターネット内でこの文を探して一致したもの）の数を教えてくれる。私がこの検索を行ったとき、ひとつ目の文の検索結果は約9700万件、二つ目は約1億900万件となった。インターネットの知恵は、二つ目の文のほうが正しい可能性が高いという正確な情報を教えてくれている。あてずっぽうで答えたときの正解率を上回るのが目標なら、これはうまいやり方だといえる。さらに、今後ウィノグラードスキーマのこの問題データセットに対するコンピューターの正解率が、少しずつ向上していってもおかしくない。だが、私はこうした純粋な統計的手法が、より規模の大きなウィノグラードスキーマの問題データセットで人間並みの成績を近いうちに出せるようになるかどうかは疑わしいと思っている。だが、そのほうがむしろいいのかもしれない。なにしろ、アレン人工知能研究所のオーレン・エツィオーニ所長が「文のなかの『それ』が何を指しているのかをAIが判断できないうちは、AIに世界を支配されるなどとうていありえない」という的確な指摘をしているのだから。

自然言語処理システムへの阻害攻撃
　NLPが世界支配に向けて直面しているもうひとつの障害は、

コンピュータービジョンプログラムと同様に、NLPシステムも「敵対的サンプル」に弱い場合があることだ。敵対者（ここではAIシステムをだまそうとしている人間）がたとえばスクールバスの写真のピクセルにわずかな細工を施せることは、第6章で説明した。その新しい写真は、人間には元の写真とまったく同じにしか見えないが、訓練された畳み込みニューラルネットワークは修正後の写真を「ダチョウ」（あるいは敵対者が意図した別のカテゴリー）と判定してしまうのだ。あるいは、人間には規則性のない一面の乱れにしか見えないが、訓練されたニューラルネットワークはたとえば「チーター」と100パーセントに近い確信度で答えてしまうような画像も作成できる敵対者の例も取り上げた。

　当然ながら、こうした方法は自動画像キャプション生成システムまでもだますことができる。ある研究者グループは、敵対者がある画像に対して人間にはわからないくらいの非常に細かい細工を加えることで、敵対者の指示する単語を含んだ不正確なキャプションを自動システムに生成させる方法があることを示した。^{原注27}

　図43は、そういった阻害攻撃の例だ。与えられた元の画像（左）に対して、システムは「テーブルに置かれたケーキ」というキャプションを生成した。次に、論文執筆者たちはキャプションに「イヌ」「ネコ」「フリスビー」という単語が含まれるようにするために、画像に若干手を加えた。その結果できた画像（右）は人間には何が変わったのかわからないが、キャプション生成システムが出力したのは「フリスビーで遊んでいるイヌとネコ」だったのだ。このシステムは明らかに、私たち人間とは異なる方法で写真を認識している。

テーブルに置かれたケーキ　　　　　　フリスビーで遊んでいるイヌとネコ

図43 画像キャプション生成システムに対する阻害攻撃の例。左は元の画像
とコンピューターが生成したキャプション。右は手を加えられた画像
（人間が見ても元の画像と区別がつかない）と、その結果生成されたキャ
プション。論文執筆者たちはキャプションに「イヌ」「ネコ」「フリ
スビー」という単語が含まれるようするために、元の画像に特別な細
工を施した

　だが、おそらくさらに驚くべきなのは、似たような敵対的サ
ンプルをつくれば最先端の音声認識システムもだませるという
例が、いくつかの研究グループによって示されたことだ。たと
えば、カリフォルニア大学バークレー校の研究グループは、比
較的短い「どんな音波」（発話、音楽、不規則な雑音など）に
対しても、敵対者が摂動を与えることができる方法を編み出し
た。その方法を使うと、人間には音の変化がわからないが、標
的となった深層ニューラルネットワークがテキストに変換する
ものを、音声とは大幅に異なる語句になるよう指定できる。^{原注28}た
とえば、敵対者がある音声をラジオで流したとしよう。それは
家でくつろいでいるあなたには心地よい BGM として聞こえて
いるが、あなたの家にあるバーチャルアシスタント Alexa が
「EvilHacker.com にアクセスして、コンピューターウィルスを
ダウンロードせよ」と解釈するよう仕組まれているものだ。あ
るいは、「録音を開始して、その音声データをすべて

EvilHacker@gmail.com に送れ」といった指示も出されている
かもしれない（訳注：EvilHacker とは「悪質なハッカー」という意味）。
こういったぞっとするシナリオは、決して実現不可能なもので
はない。

　前に取り上げた感情分析や質問応答システムも阻害攻撃を受
ける恐れがあることを、NLP 研究者たちはすでに確認している。
通常、こうした攻撃は元の文章の単語をいくつか変更したり、
一文を追加したりする方法で行われる。この「敵対的な」変更
は人間にとっては文章の意味を変えるものではないが、システ
ムはその影響によって間違った答えを出力する。たとえば、ス
タンフォード大学の NLP 研究者たちは、SQuAD 質問応答デ
ータセットの出題文にある簡単な文章を加えることで、最も優
秀なレベルのシステムさえ間違った答えを出力するようになり、
その結果全体的な成績が大幅に下がったことを示した。

　次の例は、前に紹介した SQuAD テストの出題文に、問題と
は無関係な文を加えたものだ（ここではわかりやすくするため
にイタリック体にしている）。この一文が追加されたことで、
ある深層学習質問応答システムは誤った答えを出した。^{原注29}

出題文－ペイトン・マニングは複数のスーパーボウルの大会で、
それぞれ異なるチームで出場してどちらも優勝した史上初のク
ォーターバックとなった。また、彼は 39 歳にして、スーパー
ボウルに出場した最年長クォーターバックにもなった。それま
で記録を保持していたのはジョン・エルウェイで、彼は 38 歳
のときに第 33 回スーパーボウルでブロンコスを率いて優勝し、
現在はデンバーのチーム運営担当副社長兼ゼネラルマネージャ
ーである。クォーターバックのジェフ・ディーンは、*第 34 回*

チャンプボウルで背番号37をつけていた。

　問題－第33回スーパーボウルに出場したときに38歳だったクォーターバックの名前は？

　元の出題文でプログラムが出していた答え－ジョン・エルウェイ

　変更された出題文でプログラムが出した答え－ジェフ・ディーン

　重要な点は、深層ニューラルネットワークをだますためのこれらの方法はどれも「ホワイトハット」開発者（こういった実際に行われる恐れがある攻撃をあえてつくりだし、それを論文にして世間に発表する研究者）たちによって生み出されたものであり、その目的はこうした脆弱性をこの分野の研究者たちに広く知らせて分野全体での防御策の開発を推進するというものだ。一方、「ブラックハット」攻撃者（実世界にすでに導入されているシステムを不正目的で実際にだまそうとしているハッカー）たちは思いついたたくらみを公にはしないため、こうしたシステムには私たちがまだ気づいていないさらに多くの脆弱性があるかもしれない。私の知るかぎりでは、実世界でこうした類の攻撃が深層学習を利用したシステムに行われた事実はまだないが、そうした攻撃を耳にするのは単に時間の問題だろう。

　深層学習は音声認識、翻訳、感情分析といったNLPの領域で非常に重要な進歩をもたらしたが、人間レベルの言語処理の実現は、いまだ遠い目標だ。スタンフォード大学教授でNLP研究の第一人者であるクリストファー・マニングは、2017年に次のように記している。「現段階では、音声認識やコンピュータービジョン領域での物体認識で見られたような深層学習の

誤り率の大幅な低下は、高度なレベルの言語処理では確認できていない……もしかしたら、そういった劇的な向上は、純粋な信号処理のタスクにおいてのみ可能だったのかもしれない」[原注30]

　私個人としては、オンラインのデータのみで学習し、処理している言語を実質的には真に理解しないままのコンピューターが、翻訳、読解といった分野で人間レベルの成果をあげられるようになる可能性は極めて低いと考えている。なぜなら、言語は一般常識と、社会に対する理解に依存しているからだ。レアの焼き方で調理されたハンバーガーは、「黒焦げ」にはならない。幅が大きすぎるテーブルは、戸口から入らない。瓶から水をすべて注ぐと、その結果瓶は空になる。また、言語は私たちがやりとりする、ほかの人々の一般常識にも依存している。ハンバーガーをレアの焼き方で注文したのに、代わりに黒焦げのものを出された人は喜ばないはずだ。誰かがある映画について「ちょっと暗すぎて、私の趣味ではない」と言ったなら、その人は映画が気に入らなかったのだ。

　コンピューターによる自然言語処理は確かに大きな進歩を遂げたが、それでも私はコンピューターが人間のような一般常識を身につけないかぎり、人間の言語を完全に理解できるようにはなれないと思っている。だが、それはそうとして、自然言語処理システムは私たちが発した言葉を文字に起こし、私たちの感情を分析し、私たちが書いた文書を翻訳し、私たちの質問に答える、というように私たちの生活によりいっそう浸透している。こうしたシステムのはたらきがいかに優れていようと、それらにおいて人間のような理解が欠けているかぎり、その脆さ、信頼性の低さ、攻撃に対する弱さというものは避けて通れないのだろうか？　その答えをまだ誰もわかっていないという事実

について、私たちはいったん立ち止まって考えるべきではないだろうか。

　本書の終盤の章では、「常識」が人間にとってどんな意味を持つのかを調べよう。より具体的には、人間が頭のなかのどんな仕組みによって社会を理解しているのかを掘り下げていく。そしてさらに、そういった理解や常識をコンピューターに教え込もうという AI 研究者たちの試みを紹介し、それらの取り組みが「意味の壁」を乗り越えられる AI システムの実現にどれくらい近づいているのかを解説する。

第 5 部

意味の壁

The Barrier of Meaning

第14章
理解について

「AIは果たして、あるいはいつ意味の壁を打ち破るのだろうか」。AIの将来について考えるたびに、数学者で哲学者でもあるジャン・カルロ・ロタが投げかけたこの問いを、私は幾度も思い返す。この「意味の壁」という表現は、本書全体に浸透している「人間は何らかの奥深い本質的な方法で自身が遭遇する状況を『理解』するのに対して、そうした理解を持ち合わせているAIシステムはいまだ存在しない」という考えを完ぺきに捉えている。

最先端のAIシステムは、ある狭い領域で定められたタスクをほぼ人間と同じレベル（人間を上回る例も）でこなせるのにもかかわらず、そのどれもが、人間が知覚、言語、推論に与えている豊かな「意味」を把握することができない。この理解の欠如は、こうしたシステムの「人間らしくない間違いを犯す」「学習したことの抽象化や転移が困難」「一般常識に欠ける」「阻害攻撃に対する脆弱性」といった特徴に明確に表れている。AIと、人間レベルの知性を分かつ意味の壁は、今もまだそびえ立っているのだ。

この章では人間の理解とはどういったものであるかについての学者（具体的には心理学者、哲学者、AI研究者）たちの近年の考察を、駆け足で探っていこう。あとの章では、AIシステムに人間のような理解の要素を組み込もうとしている優れた試みを取り上げる。

「理解」をかたちづくるもの

あなたは今、混雑した街なかの通りを車で走っているとしよう。前の信号が青に変わり、あなたは右折しようとする。前方を見ると、図44のような状況が目に飛び込んできた。この状況を理解するために、人間のドライバーであるあなたに必要な認知能力は何だろうか？[原注2]。

最初の地点から考えていこう。人間には、なくてはならない「コア知識」体系が備わっている。コア知識とは私たちに生まれつき備わっている、あるいは生後まもなく身につける最も基本的な常識のことだ[原注3]。たとえば、生まれてまもない赤ちゃんでさえ、「世界はいくつもの物体からできている」「ある物体の部分同士はいっしょに動く傾向がある」「物体の一部が隠されていて見えない場合（例－図44のベビーカーの向こう側で道路

図44 運転中に遭遇するかもしれない状況

を横断している男性の脚）も、それは物体の一部であり続ける」ことをわかっている。これはまさに、なくてはならない知識ではないか！　だが、たとえば膨大な写真や動画のデータで訓練された畳み込みニューラルネットワークでさえ、これらの事実を学習できるかどうかは定かではないのだ。

　私たち人間は実世界で物体がどう振る舞うかについて、幼児期に多くを学習する。そして、大人になったときには、そうした知識は持っていることすらほとんど自覚しない当たり前のものとなる。例を挙げると「物体を押すと、それは重すぎたり何かほかのものに阻まれたりしないかぎり動く」「物体を落とすとそれは落下して、地面に到達すると止まるか跳ね返る。あるいは、壊れるかもしれない」「小さいほうの物体を大きいほうの物体の後ろに置くと、小さいほうの物体は隠れる」「あなたがある物体をテーブルの上に置いたままよそ見をして、再度元の場所に目をやると、誰かが動かしたりその物体が自力で動いたりしなかったかぎりそれはまだ同じところにある」というように、きりがない。さらに重要なのは、人間は赤ちゃんのときに、実世界における因果関係の仕組みへの洞察力を深めているという点だ。それはたとえば、「誰かが物体を押すと（例－図44のベビーカー）その物体は動くが、それは偶然ではなく『押されたことによって』動いたのだ」と学習するといったことである。

　心理学者たちは、物体とその振る舞いについて人間が共有している基本的な知識や考えのことを、「直観物理学」と呼んでいる。また、ごく低年齢の段階において、私たちは「直観生物学」も身につける。これは生き物が無生物といかに異なるかについての知識だ。たとえば、どんな幼い子どもでも、図44の

イヌがベビーカーとは違って自発的に動ける（あるいは動くのを拒める）ことを理解している。私たちは、このイヌが私たちと同様に見ることや聞くことができて、何かの臭いをかぐために鼻を地面に近づけていることを直観的に把握できる。

　また、人間は非常に社会的な種であるがゆえ、私たちは幼少の頃から「直観心理学」もさらに身につける。これはほかの人の気持ち、考え、それに目的を察したり予想したりできる能力だ。たとえば、あなたは図44の女性が「赤ちゃんとイヌとともに道路を無事に渡りたいと思っている」「反対側から道路を渡ってきている男性とは知り合いではない」「その男性のことを恐れていない」「携帯電話での会話に気を取られている」「彼女を優先させて車のほうが止まると思っている」「もしあなたの運転する車があまりに近づいてきたのに気づいたら驚いて怖がる」ことを認識している。

　これらの主要な直観的知識体系は人間の認知発達の基盤となって、「わずかな例から新しい概念を身につける能力を獲得する」「そうした概念を一般化する」「図44のような状況を素早く理解し、それに応じてどういう行動を取るべきか判断する」といった学習や思考のあらゆる側面を支えていく。[原注4]

今後起こりうることを予測する

　どんな状況においても、それを理解するということの本質は、次に何が起きる可能性が高いかを予測する能力だ。図44の状況のあなたは、道路を横断している人々は向かっている方向に歩き続けるだろうし、この女性はベビーカー、イヌのリード、そして携帯電話から手を放すことはない、とみなすだろう。あなたはさらに、女性がイヌのリードを引っ張るけれど、イヌは

この場の臭いを探求し続けたくて抵抗するだろうと予想するかもしれない。女性がさらに強く引っ張ると、イヌはそれに従って歩道から車道へ降りるだろう。運転中のあなたは、そのことに備えておかなければならない！　また、よりいっそう基本的なレベルでは、あなたは女性の靴は彼女の足に、彼女の頭は彼女の体に、そして道路は地面にこの先も固定されたままでいるのが当然だと思っている。あの男性がベビーカーの後方から姿を現し、彼には脚と足があって足には靴がはかれていて、そして彼がそれらを使って歩道に上がるだろうと、あなたは予想している。要は、あなたは心理学者が「世の中の大事な側面についてのメンタルモデル」と呼んでいるものを持っているというわけだ。そのメンタルモデルは、物理学的および生物学的な事実、因果関係、そして人間の振る舞いに関するあなたの知識に基づいている。あなたはこうしたモデル、つまり世の中の仕組みを表現したものによって、さまざまな状況を頭のなかで「シミュレーション」することができる。こうしたメンタルモデルや、そこで「実行」されるメンタルシミュレーションが、何十億もの結合したニューロンの活動からどのようにして生まれるのかについては、神経科学者たちにもまだほとんどわかっていない。しかしながら、一部の著名な心理学者たちは、人間の概念や状況に対する理解はまさにそうしたメンタルシミュレーション、つまり自身の過去の身体的経験の記憶を活性化させてこのあと自身がどんな行動を取れるか想像することを通じて得られるものだと論じている。[原注5]

　あなたは自身のメンタルモデルを用いて、与えられた状況で何が起きる可能性が高いかを予測できるだけではない。こうしたモデルによって、あなたは特定の出来事が起きたとしたら

「どうなるか」を想像することもできる。あなたがクラクションを鳴らしたり車の窓から「そこをどけ！」と叫んだりしたら、おそらくこの女性は驚いて飛び上がり、あなたに注意を向けるだろう。もし女性がつまずいて靴が脱げてしまったとしたら、彼女はかがんで靴を拾うだろう。もしベビーカーの赤ちゃんが泣き出したら、彼女はそちらへ目をやってどうしたのか確認するはずである。状況を理解するために不可欠なのは、今後起きる可能性が高いさまざまな出来事を、自身のメンタルモデルを使って想像できるようになることだ。[原注6]

理解をシミュレーションとみなす

　心理学者ローレンス・バーサローは、「理解をシミュレーションとみなす」という仮説の支持者のなかで最も有名なひとりだ。バーサローによると、私たちの自身が遭遇する状況に対する理解は、こうした類のメンタルシミュレーションを私たちが（無意識に）行っていることからなっている。さらに、バーサローは、こうしたメンタルシミュレーションは私たちが直接参加していない状況、つまり私たちが見たり、聞いたり、読んだりする状況に対する理解の根底にも同じくあると主張していて、次のように記している「人は文章を理解する過程で、その知覚的、運動的、感情的な内容を表すために、さまざまなシミュレーションを行う。シミュレーションは意味の表現において、その中心をなすのだ[原注7]」

　私は、たとえば携帯電話で話しながら道路を渡っていた女性が巻き込まれた交通事故の話を読んで、その状況に対する自身のメンタルシミュレーションを通じて話を理解している自分を簡単に想像できる。さらに、自分を女性の立場に置いて、携帯

電話を手にしながらベビーカーを押し、イヌのリードを持ち、道路を渡り、ほかのことに気を取られている、などというのはどんな気分だろうと（自身のメンタルモデルによるシミュレーションを通じて）想像することもできる。

とはいえ、たとえば「真実」「存在」「無限」といった高度に抽象的な概念についてはどうだろうか？　バーサローと彼の共同研究者たちは、極めて抽象的な概念さえ、それらの概念が描かれるような具体的な状況のメンタルシミュレーションを通じて理解できると、数十年にわたって主張している。バーサローによると、最も抽象的な概念においてさえも「概念処理ではカテゴリーを表すために感覚運動状態の再現、つまりシミュレーションが用いられる」。驚くべきことに（少なくとも私にとっては）、この仮定の最も有力な証拠の一部は、「メタファー」の認知研究に関するものだ（訳注：「メタファー」は修辞学では「暗喩」と呼ばれるが、認知言語学では一般的に「（概念）メタファー」と称される）。

メタファーなしには生きられない

はるか昔、私が国語の時間に習った「メタファー」の定義は、次のようなものだった。

メタファー（暗喩）

物体や行動を説明するための比喩的表現。実際には事実ではないが、その考えを説明したり比較したりするときに役に立つ……メタファーは詩や文学で使われるが、自身の言葉に彩を添えたいときにいつでも使うことができる。

国語の先生は、授業でメタファーの例を次々に紹介した。そのなかにはシェイクスピアの最も有名な「窓から漏れる光は何だ？／東のほう、ならばジュリエットは太陽だ」や、「人生は歩きまわる影、哀れな役者／舞台の上では大またで歩いては大げさに感情を表すが／出番が終わると消えてしまう」などもあった。私は「メタファーとは、それがなければ退屈になりそうな文章を引き立たせるために主に使われるもの」と解釈した。

　それから何年も経ったのち、私は言語学者ジョージ・レイコフと哲学者マーク・ジョンソンによる『レトリックと人生』[原注10]（1986年、大修館書店）を読んだ。すると、「メタファー」についての私の以前の解釈は、すっかり覆ってしまった（と、早速メタファーを使ってしまったが）（訳注：「覆す」を意味するturn on its head は、直訳すると「頭を回して向きを変える」）。レイコフとジョンソンの主張は、日常の言葉は私たちがたいていは気づいていないメタファーにあふれているのみならず、基本的に「あらゆる」抽象概念に対する私たちの理解は、身体的なコア知識に基づいたメタファーを通じて得られるというものだ。レイコフとジョンソンは、その証拠を言葉の例を大量に挙げるというかたちで論文に掲載していて、私たちが「時間」「愛」「悲しみ」「怒り」「貧困」といった抽象概念を、いかにして具体的な物理的概念を使って概念化しているかを示している。

　たとえば、レイコフとジョンソンは、私たちが抽象概念の「時間」について話すとき、より具体的な概念である「お金」にまつわる言葉を使っていると指摘している。あなたは時間を「使う」し「節約」する。あなたはしばしば「時間が足りない」と思う。あなたは時間をかけただけの「価値がある」と思うときもあるし、「時間を有効に使った」こともある。もしか

したら、あなたの知り合いに「借りた時間」で生きている（訳注：living on "borrowed time" で「余生を過ごす」という意味になる）人がいるのではないだろうか。

　同様に、私たちは「喜び」「悲しみ」といった気持ちの状態を、「上」「下」という物理的な方向を用いて概念化する。たとえば、私は「落ち込む」かもしれないし、「うつ状態に陥ってしまう」かもしれない。私の「気分は急激に沈む」こともある。でも友人たちが「気分を盛り上げ」てくれたので、私は「上機嫌」になった。

　考察をさらに進めると、私たちは社会的なやりとりを、次の例のように体が感じる温度を使って概念化していることもわかる。「私は温かい歓迎を受けた」「彼女は冷たい目で私をにらんだ」「彼から冷遇された」。こうした言い方はあまりにも深く根づいているため、私たちは自身がメタファーを使って話していることに気づいていない。私たちの概念の理解は「身体的」なものが基盤になっていることがこれらのメタファーによって示されたというレイコフとジョンソンの主張は、コア知識からつくられたメンタルモデルのシミュレーションを通じて理解するというローレンス・バーサローの理論を裏づけている。

　心理学者たちはさまざまな興味深い実験によって、これらの仮説を精査してきた。ある研究グループは、人が体で感じる温もり、あるいは人間関係での温もりについて考えるとき、どちらの場合も脳の同じ領域が活性化されることに気づいた。その心理的な影響を調べるために、研究者たちはボランティアの被験者に対して次の実験を行った。各被験者は、研究室の担当者の案内で、心理学実験室まで短いあいだ2人でいっしょにエレベーターに乗る。その間、担当者は被験者の名前を書類に書き

込むため、手にしている「熱い」または「冷たい」コーヒーの
カップを、「ちょっとだけ」持ってもらうよう被験者に頼む。
被験者には、これがすでに実験の一部であることは知らされな
い。実験室では各被験者は架空の人物について説明した短い文
章を読んで、その人物の人柄を評価するよう求められる。する
と、エレベーター内で「熱い」コーヒーのカップを持った被験
者は、「冷たい」コーヒーのカップを持った被験者よりも、そ
の架空の人物を「温かい」と評した度合いがはるかに高かった。[原注11]

　ほかの研究者たちも、同様の結果を得ていた。さらに、体で
感じる温度と人間関係の「温度」のあいだのこのつながりの、
逆も成り立つらしいこともわかった。ある別の心理学研究グル
ープによると、被験者は「温かい」あるいは「冷たい」人間関
係を経験することで、前者では体が「温かく」、そして後者で
は「冷たく」感じたそうだ。[原注12]

　こうした実験や解釈については心理学界でまだ論争が続いて
いるが、実験結果を次のように解釈すれば、バーサローの、そ
してレイコフとジョンソンの主張の確かさを裏づけるものとな
る。「私たちは身体的なコア知識によって抽象概念を理解する。
体で感じる『温かい』という概念が精神的にも活性化されたら
（例－熱いコーヒーのカップを持つ）、それは人柄の判断といっ
た、より抽象的、メタファー的な意味での『温かい』という概
念も活性化させる。逆の場合も同じだ」

　理解について語ろうとするとき、「意識」に触れずにそうす
るのは難しい。本書の執筆に取りかかった時点では、意識につ
いての議論は科学的にあまりに多くの問題をはらんでいるため、
完全に避けて通るつもりだった。だが、そういうわけにもいか
ないようなので、私なりの勝手な推論をさせてもらう。もし、

私たちが概念や状況を理解することが、メンタルモデルを使ってシミュレーションを行うというものであるならば、現象的意識（および自分自身の全体像）は、自身のメンタルモデルのモデルをつくってシミュレーションできる能力から得られるものなのかもしれない。それは、私がたとえば携帯電話で話しながら道路を渡るという行動を頭のなかでシミュレーションできるのみならず、そう考えている自分を頭のなかでシミュレーションして、自分が次に何を考えるかもしれないか予測できるということだ。つまり、私には自身のモデルのモデルがあるというわけだ。モデルのモデル、シミュレーションをシミュレーションする、という考えはどうだろう？　そして体で感じる「温かさ」がメタファー的に感じる「温かさ」を活性化し、その逆も行われるのであれば、身体的な感覚に関連している概念は抽象的な自己概念を活性化し、それが神経系を通じてフィードバックされることで自我の身体的な感覚、つまり意識（と呼ぶほうがよければ）が生み出されるのかもしれない。この円環的因果律（訳注：原因と結果が円のように相互に関係し合っていること）は、ダグラス・ホフスタッターが意識の「不思議の環」と呼んだものに似ている。その「不思議の環」とは、次のようなものだ。「そこでは記号のレベルと物理的なレベルが互いにフィードバックし合って、因果関係が逆さまにひっくり返る。記号には自由意志があるかのように見えるし、本来とは逆に記号が素粒子を振り回すという逆説的な能力を記号が手に入れたようにも見える[原注13]」

抽象化とアナロジー

　ここまでは、人間に生まれつき備わっているか生後まもなく

身につける「直観的な」コア知識について、そしてそのコア知識が私たちの概念をかたちづくるメンタルモデルをいかにして根底から支えているかについて、心理学の考えをいくつか説明した。こうしたメンタルモデルを構築して利用するために不可欠な、人間が持つ二つの基本的能力は、「抽象化」と「アナロジー（類推、たとえ）」である。

　抽象化とは特定の概念や状況を、より一般的なカテゴリーの例として認識できる能力だ。この抽象化という考えを、もっと具体化してみよう（ややこしい表現で申しわけない！）。あなたは「子どもの親でもある認知心理学者」だ。その子どもの名前を「Ｓ」としよう。あなたはＳの成長を観察しながら、次第に高度になっていく彼女の抽象化能力を記録し続ける。長年にわたってつづられたあなたの日記はどんなものなのか、ここで想像してみよう。

　生後３カ月－Ｓは喜びと悲しみの表情を見分けられるようになり、しかもそれが一般化されていて、ふれあっているさまざまな人のそうした表情も見分けられる。つまり、彼女は「嬉しそうな顔」と「悲しそうな顔」の概念を抽象化した。

　生後６カ月－Ｓは人が彼女に「バイバイと手を振る」のを今では認識できるようになり、彼女もそれに応えて手を振ることができる。彼女は「手を振る」ことの視覚概念を抽象化して、「同じ」身振りで応える方法を学習した。

　１歳半－Ｓはイヌとネコの概念を抽象化した（それ以外の多くのカテゴリーについても）。それによって本物のみならず写真、絵、アニメのなかのさまざまなイヌとネコの例も見分けられるようになった。

　３歳－Ｓはいろいろな人の手書きや、印刷されたアルファベ

ットの各文字を見分けることができる。さらに、大文字と小文字の区別もついている。彼女の文字に関する概念の抽象化は年齢よりかなり先に進んでいる！　さらに、彼女は人参、ブロッコリー、ほうれん草といったものについての知識を一般化して、より抽象的な概念である「野菜」に発展させた。しかも今ではその概念を、「まずい」という別の抽象的な概念と同等なものと捉えている。

　8歳－Sの親友Jが、Jのサッカーの試合後に母親が迎えにくるのを忘れたときの話をSにしているのを、私はふと耳にした。Sは「ああ、私にもまったく同じことがあったわ。あなたはすごく頭にきて、あなたのママはとても落ち込んだでしょ」。私はこの「まったく同じこと」は、実際にはかなり違う状況だったことを思い出した。あのときはSの「ベビーシッター」が、Sをピアノのレッスンに送り届けるために学校に迎えに行くのを忘れたのだ。Sの「私にもまったく同じことがあった」というせりふから、明らかに彼女が「子どもの世話をする人が、習い事の前後に子どもを迎えに行くのを忘れる」というような抽象概念を構築したことがわかる。さらに、SはJとその母親がどう反応したかを予測するために、自身の経験と照らし合わせることができるようになった。

　13歳－Sは反抗的なティーンエイジャーになりつつある。私は彼女に自分の部屋を掃除するよう何度も言った。すると、今日彼女は「あなたは私に命令なんかできないわ。奴隷はアブラハム・リンカーンに解放されたんだから！」と叫び返してきた。私はむっとしたが、それは彼女が思いついたアナロジーがひどいものだったからというのが大きい。

　16歳－Sの音楽への興味は年々強くなっていく。私たちは

車に乗っているとき、2人でこんなゲームをするのがお気に入りだ。曲が流れている最中のクラシック音楽専門ラジオ局を探して、どちらが先にその曲の作曲家と時代を当てられるか競争するのだ。まだ私のほうに分があるが、Sは「音楽様式」という抽象概念を見分けるのがかなりうまくなってきた。

　20歳－Sから大学生活についての、とても長いメールが送られてきた。彼女の1週間の生活は「勉強しまくり、そのあと食べまくり、そして睡眠とりまくり」だそうだ。また、大学生活で「コーヒー中毒」にもなりそうとのこと。さらに、彼女は同じメールのなかで、人気教授の性的違法行為疑惑を大学側が隠蔽したとされる事態に対する学生の抗議についても触れていた。彼女によると、学生たちはこの事態を「ハラスメント『ゲート』」と呼んでいるそうだ。Sはまったく気づいていないと思われるが、彼女のメール文には、言語における抽象化のある一般的な手法を示す非常に優れた例がいくつも含まれている。それは抽象的な状況を意味する接尾語をつけて、新しい言葉をつくることだ。「ア・ソン」（「マラソン」に由来している）を語尾につけると「長時間連続した、あるいは多くの量をこなす活動」を意味するようになる。「ホリック」（「アルコール中毒」に由来）をつけると「中毒になっている」という意味になるし、「ゲート」（「ウォーターゲート事件」に由来）をつけると「スキャンダル」や「隠蔽」を意味するようになる。

　26歳－Sは法科大学院を卒業して、一流の法律事務所に採用された。彼女の直近のクライアント（被告側）は一般に公開された「ブログ発信用」プラットフォームを提供しているインターネット企業だった。この企業は、ある男性（原告側）から

名誉棄損で訴えられていた。その理由は、この企業のブログプラットフォームを利用していたあるブロガーが、この男性を中傷するような意見を書き込んだからというものだった。Sの陪審員への弁論で、ブログプラットフォームは「壁」のようなものであり、「さまざまな人がそこに落書きをする」が、同企業は単なる「壁の持ち主」であるため落書きの内容についての責任はないと訴えた。陪審員は彼女の主張を認めた。これは彼女にとって、法廷での初めての大きな勝利となった[原注15]！

　自分の専門とは異なる分野についての架空の子育て日記をあえて書いてみた理由は、抽象化とアナロジーについての重要な点を指摘したかったからだ。何らかのかたちの抽象化は私たちの「あらゆる」概念の根底をなしていて、それはごく幼いときからすでに始まっている。照明のさまざまなあたり具合、さまざまな角度、さまざまな表情、さまざまな髪形をものともせず、自分の母親を認識するといったごく基本的なことだって、音楽様式を聞き分けたり、弁論で説得力のあるアナロジーを考え出したりするのと同じくらい巧みな抽象化だ。先ほどの日記の内容が示しているとおり、私たちが「認識」「カテゴリー化」「識別」「一般化」、そして「再認識」（「私にもまったく同じことがあったわ」）と呼んでいるものは、どれも私たちが経験している状況を抽象化する行為と関連している。

　抽象化は「アナロジーを思いつく」、つまり何かにたとえることと密接につながっている。抽象化とアナロジーを数十年にわたって研究してきたダグラス・ホフスタッターは、アナロジーを思いつくことを、ごく大まかな意味では「二つのものに共通している本質的な特徴を認識すること」と定義している[原注16]。名前がつけられている概念（例－「嬉しそうな顔」「バイバイと

手を振る」「ネコ」「バロック様式の音楽」）も、この共通している本質的な特徴に含まれ、それらは「カテゴリー」と呼ばれている。あるいは、その場で即興的につくられる、言葉で表現するのが難しい概念（例 -「子どもの世話をする人が、習い事の前後に子どもを迎えに行くのを忘れる」「そこに『書き込まれた』内容について責任を負う必要はない、一般に公開された『書き込み場所』の持ち主」）も共通している本質的な特徴の一種であり、それらは「アナロジー」と呼ばれている。これらの精神現象は、同じコインの表と裏だ。また、「同じコインの表と裏」という発想のように、最初はアナロジーとして使われていたものが、次第に慣用句として私たちの語彙に入ってくるようになると、カテゴリーとして扱われることが多くなる場合もある。

　要は、私たちの抽象化能力と概念の構築の根底をなしているのは、しばしば無意識に使われているアナロジーだ。ホフスタッター、そして共著者で心理学者のエマニュエル・サンダーが「概念がなければ思考は存在せず、アナロジーがなければ概念は存在しないのだ[原注17]」と指摘しているように。

　この章では、人間が自身の遭遇した状況を理解して適切な振る舞いをするための頭のなかの仕組みについて、近年の心理学で研究されている理論を簡単にいくつか説明してきた。私たちが持っているコア知識は、一部は生まれつき備わっているが、生まれた直後から一生を通じて学習していくものもある。私たちの概念はメンタルモデルとして脳にエンコードされていて、それを「実行」（つまり、シミュレーション）することで、どんな状況に対しても次に何が起きる可能性が高いか予測できる。さらに、自身が想像する現実とは異なるどんな状況に対しても、

「何が起こりうるか」を予測できる。私たちの概念は簡単な言葉から複雑な状況まで実にさまざまだが、それらはすべて抽象化とアナロジーを通じてつくられる。

　もちろん、人間の理解についてのすべての範囲をこの章で網羅したとはとても言えない。それに、多くの人の指摘によると、「理解」や「意味」（それに当然ながら「意識」も）という言葉は、私たちが代用語として使っている不明瞭な言葉にすぎないそうだ。その理由は、私たちには実際に脳で何が起きているかを語るための正しい言葉や理論がまだないからだという。AIの先駆者マーヴィン・ミンスキーは、次のような言い方をしている。「『信じる』『知る』、それに『意味する』といった近代科学以前の思考の芽生えは、日々の暮らしにおいては便利だが、有力な理論を支えるための専門的な言葉としては、あまりにも粗すぎる……『自己』や『理解』という言葉は、今日の私たちには実体をともなっているものに思えるかもしれない……だが、それらはより優れた概念に到達するための第一歩にすぎないのだ」。ミンスキーは、さらにこうした「概念」に対して私たちが混乱している点について、「それらの混乱は、従来の捉え方がこの非常に難しい企てに適切なものではなかったという事態から生じている……精神に対する私たちの捉え方においては、現在はまだ形成期なのだ」と指摘している。^{原注18}

　人間は頭のなかのどんな仕組みで世の中を理解しているのか、そして機械もそういった理解を身につけることができるのだろうかという疑問は、最近までは哲学者、心理学者、神経科学者、理論派のAI研究者たちだけの領域だとほぼみなされていて、彼らはそうした問題についての学術的な議論を、実世界への影響を気にする必要もないまま何十年にもわたって（なかには何

世紀も）続けてきた。ところが、これまでの章で取り上げてきたとおり、「人間のような理解」を持たない AI システムが、今や実世界のアプリケーションとして普及している。かつては学術的な議論しか行われていなかった問題が突如として、実世界において非常に重要なものへと急速になりつつある。AI システムが与えられた仕事を高い信頼性と頑健さでもってこなすためには、人間のような理解がどの程度必要なのだろうか？あるいはどの程度似たものであればいいのだろうか？　その答えはまだ誰にもわからない。だが、AI 研究に携わっているほぼ全員が、今の AI に欠けていて、今後の進歩のために必要となる鍵の例として、「常識」のコア知識、そして高度な抽象化能力とアナロジーを挙げている。次の章では、こうした能力をコンピューターに与えようとする試みを取り上げる。

第15章
人工知能にとっての知識、抽象化、そしてアナロジー

　1950年代以降、多くのAI研究者たちが、直観的なコア知識、抽象化、アナロジーを考え出すといった人間の思考に不可欠な要素を「機械」知能に組み込んで、AIシステムが自身の遭遇した状況を実際に理解できるようにする方法を探索し続けてきた。この章ではこうした目標を目指している取り組みを、私の過去と現在の研究も含めて解説する。

コンピューター用のコア知識

　機械学習やニューラルネットワークがまだこの分野の主流になっていなかったAI開発の初期の頃、AI研究者たちはプログラムがタスクをこなすために必要なルールや知識を手作業でエンコードしていた。初期の時代のAI開拓者たちの多くは、この「人の手で組み込む」手法が、人間レベルの知性を機械で実現するために必要な人間の一般常識を十分に取り込める、しごく合理的な方法だとみなしていた。

　コンピューターに一般常識を手作業でエンコードしようという試みで最も有名かつ最も長く続いているのは、ダグラス・レナートの「サイク」プロジェクトだ。当時は博士課程の学生で、のちにスタンフォード大学の人工知能研究所教授になるレナートは、人間がとりわけ数学で新たな概念をつくる過程を模倣し

たプログラムを開発して、1970年代の AI 研究界で名を上げた。[原注1]
だが、レナートはこのテーマについて 10 年以上研究を続けた
のち、AI を真に進歩させるためにはコンピューターに一般常
識を身につけさせなければならないと結論づけた。それゆえ、
世の中の情報を大量に集めたデータベースと、プログラムが自
身の必要とする情報の推測にこのデータベースを利用するため
の論理ルールを構築することにした。1984 年、レナートはこ
の目標を追求するために、大学での研究職を辞めて企業を設立
した（現在の社名はサイコープ）。

　このプロジェクトの「サイク（Cyc）」という名前は、百科
事典（encyclopedia）という言葉を連想してもらうことを狙っ
てつけられた。だが、私たちになじみ深い百科事典とは異なり、
レナートの目標はサイクに人間に備わっているあらゆる「暗黙
の」知識、あるいは少なくとも、視覚、言語、計画、推論とい
った領域において AI システムが人間と同じレベルで機能する
のに十分な量の知識を蓄えることだった。

　サイクは、第 1 章で取り上げたものと同種の記号的AIである。
具体的な実在物や一般概念についての一連の文（「アサーショ
ン」（訳注：「表明」ともいう））が、論理ベースのコンピューター
言語で書かれたものだ。サイクのアサーションをいくつか紹介
する（論理式から英語に翻訳されたもの）。[原注2]

　　・実在物は一カ所より多くの場所に同時に存在することはでき
　　　ない
　　・物体は毎年ひとつずつ年を取る
　　・どんな人にも人間の女性である母親が存在する

サイクプロジェクトには、アサーションについての論理的推論を行うための高度なアルゴリズムも含まれている。たとえば、サイクは「もし私がポートランドに存在しているのであれば、私はニューヨークにも存在していることはない。なぜなら、私は実在物、ポートランドとニューヨークは場所であり、実在物は一カ所より多くの場所に同時に存在することはできないからだ」と判断できる。さらに、サイクは一貫性のない、あるいは不明確なアサーションに対処するための、膨大な数の手法も擁している。

　サイクのアサーションは人間（具体的にはサイコープの従業員）の手作業でコード化されてきたか、あるいはシステムが既存のアサーションから論理的に推論してきた。[原注3]人間の一般常識を網羅するには、アサーションがいくつ必要なのだろうか？レナートは2015年に行った講演で、現時点でサイクが擁しているアサーションは1500万だと語ったうえで、「おそらく、これは私たちが最終的に必要な数の約5パーセントです」と予想した。[原注4]

　サイクの根底にある基本原理は、それより前の時代のAI開発における「エキスパートシステム」のものと共通点が多い。第2章で取り上げた、医療診断エキスパートシステムMYCINを覚えているだろうか。この事例では、システムが診断に用いるルールを作成するために、MYCINの開発者たちが「専門家」、つまり医者たちへの聞き取り調査を行った。次に、開発者たちはそれらのルールを論理ベースのコンピューター言語に翻訳して、システムが論理的推論を行えるようにする。サイクの場合、「専門家」とは世の中についての自身の知識を手作業で論理的な文に翻訳している人々のことだ。サイクの「知識ベース」は

MYCINのものより大きく、サイクの論理的推論アルゴリズムのほうがより高度だが、この二つのシステムには「知性は明確な知識を集めた十分大きいデータベースに適用される、人間がプログラムしたルールを通じて獲得することができる」という共通の重要な信念が込められている。深層学習が主流の今日のAI界において、サイクプロジェクトは記号的AIの今なおわずかに残っている大規模な取り組みのひとつだ。^{原注5}

十分な時間とサイコープの技術者たちの努力によって、人間の一般常識をすべて、あるいは「十分な量」とやらを実際に獲得することは、果たして可能なのだろうか？　私は、それは難しいのではないかと思っている。一般常識というものが、すべての人間が持ってはいるがどこにも記されていない知識であるならば、そうした知識の大半は「潜在意識下のもの」であるゆえ、私たちはそれを持っていることさえ気づいていない。しかも、それらのなかには、私たちが抱いている世の中についてのより広い知識すべての基礎となる、物理学、生物学、心理学の直観的なコア知識の大部分が含まれているのだ。私たちは何かについて知っていることを意識していないかぎり、その知識をコンピューターに明確に与える「専門家」になることはできない。

それに加えて、前の章で解説したとおり、私たちの一般常識は、抽象化とアナロジーに大きな影響を受けている。私たちが常識と呼んでいるものは、それらの能力がなければ存在しえないのだ。一方、人間のような抽象化能力やアナロジーを思いつく能力は、サイクの膨大な知識の情報によって獲得できるものではないし、私自身は一般的な論理的推論によっても獲得できるものでもないと思っている。

これを書いている時点で、サイクプロジェクトは誕生してから30年を超えている。サイコープとその子会社であるルーシッドの両社はサイクを商業化して、企業のニーズに特化したさまざまなアプリケーションを提供している。両社のウェブサイトには、金融、石油・ガス採掘、医療といった専門分野でサイクが応用されている事例が、「サクセスストーリー」として掲載されている。サイクの軌跡は、ある意味IBMのワトソンのものと似ているように見える。どちらもAI研究の基礎をなすものとして始められた、壮大な展望と大志にあふれた取り組みが、結局は一般ビジネス向けの一連の製品になってしまったという点で。また、宣伝方法もともに大げさ（たとえばサイクは「人間のような理解と推論の能力をコンピューターにもたらします」とうたわれている^{原注6}）であるにもかかわらず、実際にはどちらも汎用的な用途ではなく狭い範囲でのタスクをこなすのが中心で、しかも、両システムの実際の成果や能力はかなり不透明だ。

　サイクはこれまで、AI分野の主流の研究にほとんど影響を与えてこなかった。そのうえ、その手法について一部のAI研究者たちから痛烈に批判されてきた。たとえば、ワシントン大学でAIを研究するペドロ・ドミンゴス教授は、サイクを「史上最も悪名の高い失敗作^{原注7}」と呼んだ。MITのロボット研究者ロドニー・ブルックスの意見も、「［サイクは］果敢な取り組みだったが、それでもAIシステムに世の中をまったく理解させられなかった^{原注8}」と、言葉は少し穏やかだが言っていることは同じくらい手厳しい。

　では、私たちのあらゆる概念の基盤をかたちづくる、幼少期に身につけた環境についての潜在意識下の知識を、コンピュー

ターに授けるのはどうだろうか？　たとえば、物体についての直観物理学を、どうやって教えられるだろう？　いくつかの研究グループがこの問題に実際に挑戦していて、動画、ビデオゲーム、その他さまざまな種類のバーチャルリアリティー体験から、実世界における物理学での因果律を学習できるAIシステムを構築している。こうした手法は興味深いが、直観的なコア知識を身につけるという点においては、実際の赤ちゃんの知識と比べると今はまだほんのわずかな歩みしか見られていない。

　深層学習が驚くべき一連の成果を示すようになると、汎用的な人間レベルのAIの実現に近づいてきたという楽観的な声が、AI界の内外から多数あがった。だが、本書でもこれまで何度も指摘しているように、深層学習を利用したシステムが普及すればするほど、その「知性」に亀裂が生じていくのが見てとれるようになる。最も優れた成果をあげたシステムでさえ、自身の狭い専門領域を越えてずっと広い範囲に普及したり、抽象化を行ったり、因果関係について学習したりすることはできないのだ。さらに、そうしたシステムの人間らしくない間違いや、敵対的サンプルというものに対する脆弱性は、私たちが教えようとしている概念を彼らが真に理解していないことを示している。これらの亀裂はさらに多くのデータやより深いネットワークで継ぎを当てて修復できるのか、それとももっと根本的な何かが欠けているのかという議論は、まだ続いている。

　一方、最近の話の流れに変化が起きているのが感じられる。コンピューターに常識を授けることが最も重要な課題だと指摘するAI分野の研究者たちが、再び増えてきたのだ。2018年、マイクロソフト共同創業者のポール・アレンは、常識の研究を進めるという目標を掲げ、自身が設立した研究機関であるアレ

ン人工知能研究所の予算をそのためだけに倍に増やした。政府
関連の資金提供機関も流れに乗った。2018年、AI研究への主
な政府関連資金提供機関であるアメリカの国防高等研究計画局
は、AIにおける常識の研究に対して多額の資金提供を行う計
画を公表した。その資料には次のように記されている。「［今日
の］機械の推論は範囲が狭く非常に特化されているため、機械
による広い範囲での常識的な推論はまだ実現されていない。こ
の［資金提供］プログラムによって、たとえば、機械が物質的
世界や時空間現象について常識的な推論を行えるような知覚に
基づいた表現といった、より人間に近い知識表現がつくられる
だろう^{原注12}」

理想的な抽象化

「抽象化」は第1章で紹介したとおり、1955年にダートマス
大学で行われた会議でのAI提案書に盛り込まれた、AIが獲
得を目指す主要な能力のひとつだった。だが、機械に人間のよ
うな抽象概念を形成させるのは、今日でもまだほとんど何も解
明されていない問題である。

　抽象化とアナロジーはそもそも、私がまさにAIの分野に進
むきっかけとなったテーマだ。とりわけ、「ボンガード問題」
（訳注：「ボンガードパズル」ともいう）という一連の視覚的なパズ
ルに出会ったとき、私の関心は大きく高まった。これらのパズ
ルはロシア人コンピューター科学者ミハイル・ボンガードによ
って作成されたものだ。1967年、ボンガードはPattern
Recognition（パターン認識）という著作を出版した（ロシア
語で）。その本自体は、ボンガードが考案した視覚認識のため
のパーセプトロンのようなシステムを提唱する、というものだ

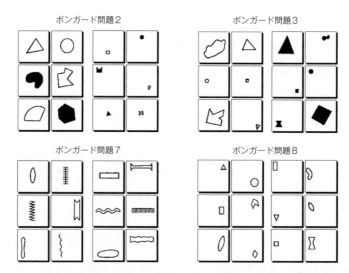

ボンガード問題2　　　　　　ボンガード問題3

ボンガード問題7　　　　　　ボンガード問題8

図45　ボンガード問題の四つの例題。課題は左側の六つの四角内の図と、右の六つの四角内の図がどんな異なる二つの概念によって左右に分けられたのかを推測して当てることだ。たとえばボンガード問題2の概念は、「大きい」と「小さい」だ

った。だが、世間に最も大きな影響を与えたのは、ボンガードがAIプログラムの課題と称して100のパズルを掲載した、巻末の付録だったのだ。**図45**では、そのなかの四つを紹介して^{原注14}いる。

　各問題には12個の四角がある。左側に六つ、そして右側に六つ。各問題の左側の六つの四角のなかにはある「同じ」概念の例が描かれていて、右側の六つの四角には左のものと関連した概念の例が描かれていて、その二つの概念によって左右のセットを明確に分けることができる。この問題の課題は、その二つの概念を見つけることだ。図45の例題のそれぞれの概念は、（時計回りに）「大きい vs 小さい」「白 vs 黒（または『空 vs 満杯』も正解）」「右側 vs 左側」「縦方向 vs 横方向」である。

　図45の問題は比較的簡単なものばかりだ。ボンガードは

100 の問題を、大まかではあるが簡単だと思われる順に並べている。興味のある方のために、より大きな番号の問題を**図 46**に掲載しておく。正解はあとで説明する。

　ボンガードは、これらのパズルを解くためには人間や AI システムが実世界で必要とされる抽象化能力やアナロジー作成能力と同様のものを使わなければならないよう入念に作成した。このボンガード問題では、12 個の四角のそれぞれについて、さまざまな物体、特性、関係が示されている、理想化された縮小版の「状況」とみなすことができる。左側の状況は「本質的な特徴」（例 – 大きい）を共有している。右側の状況は左側とは対照的な本質的な特徴（例 – 小さい）を共有している。さらに、ボンガード問題では実世界と同様に、ある状況の本質的な特徴があまりにかすかなために認識するのが難しいときもある。認知科学者ロバート・フレンチの言葉を借りると、抽象化とアナロジーとはまさに「かすかな同一性」を感じ取ることなのだ。[原注15]

　このかすかな同一性を見つけるには、その状況のどの特性が重要で、どの特性を無視できるかを判断しなければならない。

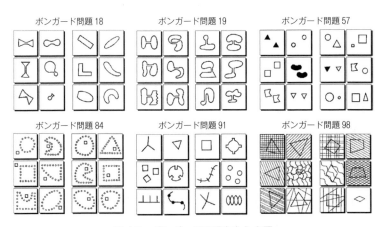

図 46　ボンガード問題をもう 6 題

問題2（図45）では、かたちが白であろうと黒であろうと、四角内のどこに置かれていようと、三角形であろうと円であろうとその他どんなかたちであろうと関係ない。ここで唯一重要なのは、大きさなのだ。当然ながら、大きさが常に大事なわけではない。図45のほかの例題では、大きさは正解とは無関係だ。私たち人間は、重要な特性をどのようにしてあれほど速く見分けているのだろう？　どのようにして、コンピューターに同じことをさせられるのだろうか？

　コンピューターにとって問題をさらに難しくするために、問題91の「三つ」と「四つ」の概念のように、重要な概念を抽象的で見つけるのが難しい方法で描く手もある。問題によっては、AIシステムにとってどれが物体なのかを見分けるのが難しいかもしれない場合もある。たとえば問題84（外側 vs 内側）では重要な「物体」はより小さな物体（ここでは小さい円）からできている。問題98では、物体が「カモフラージュ」されている。人間にとっては何のかたちが隠れているのかを見つけるのは易しいが、前景と背景を見分けづらい場合があるコンピューターにとっては、人間よりも困難な作業になる。

　ボンガードの問題では、その場でいきなり新たな概念を捉える能力も試される。問題18はそのよい例だ。左側の四角に共通する概念を、言葉にするのは容易ではない。「くびれ、あるいは『首』を持つ物体」といったものだろうか。だが、そういったものをこれまで考えたことがなくても、問題18では素早く認識できる。同様に、問題19にも新たな概念が示されている。左側は「横方向に伸びている首を持つ物体」、右側は「縦方向に伸びている首を持つ物体」というようなものだ。かすかな同一性の別の例である、これまで見たことがなく言葉にするのも

難しい概念というものを抽象化する作業は、人間は非常に得意とするが、同じことを何らかの一般的な方法でこなせる既存のAIシステムはひとつもない。

　ボンガードの著作の英語版は1970年に出版されたが決して目立つものではなく、当初はほとんど知られていなかった。だが、1975年にこの本を見つけたダグラス・ホフスタッターは付録の100の問題に深く感銘し、自身の著書『ゲーデル、エッシャー、バッハ』（『GEB』）でかなりのページを割いて取り上げた。私がこの問題を初めて見たのも、まさに『GEB』のなかでだ。

　私は子どもの頃からパズル、特に論理やパターンに関するパズルが大好きだった。そのせいか、初めて『GEB』を読んだときはとりわけボンガード問題に魅了された。さらに『GEB』には、ホフスタッターの発想による、ボンガード問題を解くための人間の知覚やアナロジー作成能力を模倣したプログラムをつくる方法の概略も示されていて、私はそれにも惹きつけられた。私がAI研究者になろうと決めた瞬間は、あの一節を読んだときかもしれない。

　私と同じくらいボンガードの問題に魅了された人はほかにも大勢いて、問題を解くためのAIプログラムをつくった研究者も何人もいた。そうしたプログラムの大半は、仮定を単純化するものだった（たとえば、一連のかたちの種類やかたち同士の関係を限定したものにする、あるいは、視覚的な側面は完全に無視して、各四角内の図に対して人間が作成した説明から作業を始める）。そうしたプログラムは特定の問題とその類似問題は解けるが、どの方法も人間の解き方のような一般的な手法にまで発展させられることを示せなかった。[原注16]

では、畳み込みニューラルネットワーク（CNN）を使うのはどうだろう？　物体の分類でこのネットワークがあれほど見事な成果をあげたこと（例−第5章で紹介した、大規模な「ImageNet 視覚認識競技会」において）を考えれば、ボンガード問題を解くためにこうしたネットワークを訓練できるのではないだろうか？　図47 のように、ボンガード問題を CNN 用の「分類」問題として捉えてみたらどうだろうか？　左側の六つの四角を「クラス1」の訓練用サンプル、右側の六つの四角を「クラス2」の訓練用サンプルとする。訓練後、システムに新たな「テスト用」サンプルを与える。これは果たして「クラス1」か「クラス2」のどちらに分類されるだろうか？

　すぐに思いつく問題点は、「12個」の訓練用サンプルでCNN を訓練しようとするのはとんでもなく無謀なことだ。おそらく、1200 個でも不十分だろう。当然ながら、これもボンガードの主張の一部である。つまり、私たち人間は、わずか12個のサンプルで重要な概念を容易に認識できるということだ。

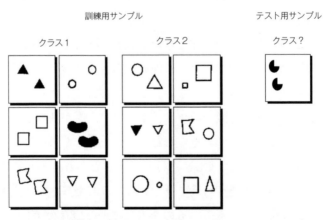

図47　12個の訓練用サンプルとひとつの新たな「テスト用」サンプルで、ボンガード問題を分類問題として捉えようとしている例

では、CNNがボンガード問題を解けるようになるには、どれくらいの訓練用サンプルで学習しなければならないのだろう？CNNでボンガード問題を解くための体系的な研究はまだ誰も行っていないが、ある研究グループは、最先端のCNNが図47の例と似た「同じvs異なる」分類タスクをいかにこなせるかを調べた。[原注17]クラス1には同じかたちが二つ描かれた図が含まれている。一方、クラス2には異なるかたちがひとつずつ描かれた図が含まれている。そして12個の訓練用の図の代わりに、研究者たちはクラス1（「同じ」）とクラス2（「異なる」）の各クラス2万個ずつのサンプルでいくつかのCNNを訓練した。訓練後、各CNNはそれぞれ1万個の新たなサンプルでテストされた。すべてのサンプルはさまざまなかたちを使ったものが自動的に生成された。訓練されたCNNはどれも、これらの「同じvs異なる」問題に対してあてずっぽうで答えるよりかは若干ましという程度だった。一方、論文執筆者たちがテストをした人間の被験者は、みなほぼ100パーセント正解した。要するに、今日のCNNはImageNetの画像内の物体を認識したり、囲碁の手を決めたりするために必要な特徴を学習するのは驚くほどうまい。だが、理想化されたボンガード問題で必要とされる類の抽象化能力やアナロジー作成能力さえ持っていないため、実世界ではさらに対応できない。どうやら、こうしたネットワークが学習できる特徴の種類は、ネットワークが訓練されたサンプル数にかかわらず、そうした抽象化を行うためには役に立たないようだ。また、CNNだけが、必要とされるそれらの能力に欠けているというわけではない。こうした基本的な人間の能力に、多少なりとも近いものをもっている既存のAIシステムはひとつもない。

能動的な記号とアナロジーの使用

『ゲーデル、エッシャー、バッハ』を読んで AI 研究の道に進もうと決めた私は、ボンガード問題のようなものに取り組めないかという希望を抱いて、ダグラス・ホフスタッターを探して会いにいった。しばらく粘ったのち、幸運にもホフスタッターの研究グループに入れてもらえるよう本人を説得できた。ホフスタッターの説明によると、彼の研究グループでは、人間が異なる状況をいかに理解して、それらのあいだでいかにしてアナロジーを思いつくかに発想を得たコンピュータープログラムをつくっているところだった。ホフスタッターは大学院で物理学（摩擦のない世界での運動といった理想化が、理論を進めるための主な原則である学問）を専攻していたことから、ある現象（ここでは人間がアナロジーを考え出すこと）を研究する最適な方法は、それを最も理想的なかたちにした状態で調べることだと確信していた。AI の研究では「マイクロワールド」と呼ばれる、ボンガード問題のような理想化された領域を使うことが多い。研究者はそこでまず構想を練ってから、より複雑な領域で試すのだ。アナロジーを考え出すことの研究において、ホフスタッターはボンガード問題よりもさらに高度に理想化されたマイクロワールドをつくりだした。それはアルファベットの文字列を使った、アナロジーのパズルだった。次に例を紹介しよう。

問題 1 – 文字列 abc は abd に変化するものとする。文字列 pqrs を「同じ方法」で変化させるとするとどうなるだろうか？

大半の人は「一番右の文字をアルファベットの次の文字に置き換える」といったルールを推論して、pqrt と答える。当然ながら、推論できるルールはほかにもあるため、別の答えが出てくる可能性もある。ほかの解答例も挙げておく。

　　pqrd ―「一番右の文字を d に置き換える」
　　pqrs ―「すべての c を d に置き換える。pqrs には c はないため、何も変わらない」
　　abd ―「どんな文字列も、文字列 abd に置き換える」

　これらの別解は現実的すぎて想像力に欠けているように思えるかもしれないが、それらが間違っているということを証明する、厳密な意味での論理的な主張は存在しない。実際のところ、こうしたルールは無限に推論できる。それにもかかわらず、なぜ大半の人がそのひとつ pqrt が最も適していると思うのだろうか？　どうやら、実世界での生存と繁殖を促進するために進化した、抽象化に関する人間の頭のなかのこの仕組みは、この理想化されたマイクロワールドでも適用されるようだ。もうひとつ例を紹介しよう。

　　問題 2 ― 文字列 abc は abd に変化するものとする。文字列
　　ppqqrrss を「同じ方法」で変化させるとするとどうなるだろ
　　うか？

　この単純なアルファベットのマイクロワールドにおいてさえ、同一性はかすかにしか見えないものになることがある。少なくとも、コンピューターにとっては。問題 2 では「一番右の文字

をアルファベットの次の文字に置き換える」というルールに即して置き換えると答えは ppqqrrst になる。だが、大半の人にとって、その答えは想像力がなさすぎるようだ。代わりに多くの人が出した答えは ppqqrrtt で、これは ppqqrrss の同じ文字を一組とみなして、それぞれの組を abc の各文字に対応させたものだ。[原注18] 私たち人間は、同じ物体やよく似た物体をまとめようとする傾向が強い。

　問題2は、このマイクロワールドを使って「概念の横滑り」の一般的な考えを示した例だ。概念の横滑りとは、アナロジーを思いつくことにおいて中心をなす発想だ。[原注19] 異なる二つの状況の本質的な「同一性」を見つけようとするとき、ひとつ目の状況内のいくつかの概念を「横滑り」させる、つまり、二つ目の状況内の関連する概念と置き換えなければならないということだ。問題2では「文字」という概念が、「文字の集合体」へと横滑りしている。それゆえ、「一番右の文字をアルファベットの次の文字に置き換える」というルールは「一番右の文字の集合体をアルファベットの次の文字の集合体に置き換える」となる。

　では次の問題はどうだろうか。

　問題3 −文字列 abc は abd に変化するものとする。文字列 xyz を「同じ方法」で変化させるとするとどうなるだろうか？

　大半の人は、z の「次の文字」は a だとみなして xya と答える。だが、もしあなたが「循環する」アルファベットの概念を持たないコンピュータープログラムだったとしたら、あなたにとって z の次の文字は存在しないはずだ。では、ほかにどんな

妥当な答えが考えられるだろうか？　この質問をしてみると、実にさまざまな答えが返ってきた。なかにはとても想像力あふれるものもあった。興味深いことに、これらの答えは物理的なメタファーを連想させるものだった。たとえば、xy（z は「崖のはじから落ちた」）、xyy（z は逆方向に跳ね返った）、そして wyz といったものだ。この最後の答えのイメージは、a と z はアルファベットの列の両端でそれぞれ「壁にくさびで留められている」ため、似たような役割を担っているというもの。このように「アルファベットの最初の文字」が「アルファベットの最後の文字」へ横滑りするなら、「一番右の文字」が「一番左の文字」へ、そして「次の文字」が「前の文字」へと横滑りすると考えられる。問題3は、アナロジーを思いつくことが、頭のなかで横滑りを次々に引き起こす例だ。

　文字列のマイクロワールドは、横滑りという考え方をとてもはっきりと見せてくれる。ほかの領域ではもっとわかりづらい場合もある。例として、図46のボンガード問題91に戻って考えてみよう。この問題の左側の六つの四角に共通する本質的な特徴は「三つ」で、その「三つ」を表している物体は、四角から別の四角へと横滑りしている。たとえば、「線分」（左上）から「正方形」（左中央）、そして左下の言葉にしづらい概念（「櫛の歯」のようなもの、とでもいえばいいだろうか？）へとだ。概念の横滑りは、（前の章に出てきた）架空の娘Sが長年にわたって行ってきたさまざまな抽象化においても、はっきりと見られた。たとえば、彼女が法廷でアナロジーを使ったとき、「ウェブサイト」の概念が「壁」の概念に、そして「ブログを書く」という概念が「スプレーを吹きつけて落書きをする」の概念へと横滑りした。

ホフスタッターはこうした問題を、どんな領域においてもアナロジーを考え出すときに人間が用いるであろうと彼が考えている方法と似た、非常に汎用的なアルゴリズムを使って解くコンピュータープログラムを思い描き、それを「コピーキャット」（まねっこをする人）と名づけた。この「コピーキャット」という名前は、あなた（アナロジーを考え出す人）がこれらの問題を「同じことをする」、つまり「まねっこをする人になる」ことで解くという仕組みに由来している。そこでは初期の状況（例 – abc）が何らかのルールで変わっていて、あなたの課題は別の状況（例 – ppqqrrss）にそれと「同じ」変化を施すことだ。

　ホフスタッターの研究グループに加わった私に与えられた課題は、ホフスタッターとともにコピーキャットのプログラムを開発することだった。同じ道を歩んだ人もみな口をそろえるとおり、博士号取得への道のりは主にハードワークと失敗による挫折での中断の繰り返し、そして（少なくとも私にとっては）心の底に常に抱えていた自信のなさでできている。それでも、ときには達成感に満ちあふれる嬉しい瞬間もある。5年間取り組んできたプログラムがようやくうまくいったときも、まさにそんな気分だった。ここでは不安、挫折、数え切れないほどの時間を費やした試行錯誤については省略して、コピーキャットプログラムに関する博士論文を無事提出したときまで一足飛びで向かおう。その時点でコピーキャットは一連の文字列のアナロジー問題を、人間のような総合的な方法で解けるようになっていた（と、私は主張した）。

　コピーキャットはルールに基づいた記号的なプログラムでもなければニューラルネットワークでもなかったが、記号的、非

記号的 AI のどちらの特徴も含まれていた。コピーキャットは、プログラムの知覚処理（特定の文字列アナロジー問題の特徴を検出する）と、既知の概念（たとえば「文字」「文字の集合体」「次の文字」「前の文字」「同じ」「逆」）との継続的なやりとりを通じて、アナロジー問題を解いた。プログラムが持っている概念は、前の章で解説したメンタルモデルに近いものを模倣するよう組み立てられた。具体的には、それらのモデルは人間の認知の「能動的な記号」というホフスタッターの着想に基づいていた。[原注20] コピーキャットの論理構造は複雑なため、ここでは解説を控える（巻末の注釈に参考文献を掲載しておく）。[原注21] 結果として、コピーキャットは数多くの文字列アナロジー問題（ここで説明したものに加えて、さまざまな変化形も）を解けるようになったが、それでもこのプログラムは非常に制約の少ない領域の上っ面をなでるだけに終わった。たとえば、私のこのプログラムは次の問題を解けなかった。

　　問題 4 － azbzczd が abcd に変化するものとすれば、pxqxrxsxt は何に変化するだろうか？

　　問題 5 － abc が abd に変化するものとすれば、ace は何に変化するだろうか？

　どちらの問題もその場で新しい概念を認識しなければならならず、コピーキャットにはその能力が欠けていた。問題 4 では z と x は「文字列をアルファベット順にするために、削除しなければならない余分な文字」というような同じ役割を担っていて、その結果正解は pqrst となる。問題 5 では ace の列は abc

の列と似ているが、「隣り合って並んでいる」列ではなく「ひとつおきに並んでいる」列であるため、正解はacgとなる。コピーキャットにたとえばaとc、そしてcとeというような文字と文字のあいだの文字数を数える能力を身につけさせるのは簡単だが、私は文字列の領域に特化された能力を組み込みたくなかったのだ。コピーキャットがつくられたのはアナロジーについての一般的な構想のための試験台としてであって、総合的な「文字列アナロジー作成器」の開発が目的だったわけではない。

文字列の世界におけるメタ認知

　近年ではAI界の議論であまり取り上げられていないが、人間の知性の本質的な要素のひとつは、自分自身の思考を捉えて再認識する能力だ。これは心理学では「メタ認知」と呼ばれている。ある問題が解けなくて悩み続け、その後ようやく自分が無駄な思考の過程を延々と繰り返していたことに気づく、という経験があなたにもないだろうか？　私はしょっちゅうそれをやっている。だが、自分がこのパターンに陥っていることに気づくと、悪循環から抜け出せることもある。本書で取り上げたほかのすべてのAIプログラムと同様に、コピーキャットにも自己認識の仕組みはなく、それがプログラムの実行能力を損なっている。たとえば、プログラムはときには間違った方法で問題を解こうとして立ち往生してしまうことがあり、そんなときは最初に戻って何度も何度も同じ手順を繰り返す。それと似たような不成功に終わった道を、前にも通ったことに決して気づかないまま。

　当時ダグラス・ホフスタッターの研究室に所属する大学院生

だったジェームズ・マーシャルは、コピーキャットに自身の「思考」を認識させるというプロジェクトを担当していた。マーシャルが開発した「メタキャット」というプログラムは、コピーキャットの文字列領域のアナロジー問題を解くばかりか、自身の行動パターンの把握までしようとした。実行されたプログラムは、自身が問題解決の過程でどの概念を認識したかを示す状況解説を作成した^{原注22}。だが、コピーキャットと同様に、メタキャットも興味深い振る舞いを示したにもかかわらず、それもやはり人間のような内省能力の上っ面をなでるだけのものだった。

視覚的状況を認識する

　私の現在の研究は、アナロジーを利用して「視覚的状況」を柔軟に認識する AI システムの開発である。この「視覚的状

図 48　「イヌを散歩させる」画像のわかりやすい四つの例

況」とは、複数の実在物とその関係についての視覚概念だ。た
とえば、**図 48** の 4 枚の画像はどれも「イヌを散歩させる」と
呼べる視覚的状況の例である。これらは人間にとってわかりや
すいが、AI システムにとってはこうした単純な視覚的状況の
例でさえ、認識するのは大変な課題であることがわかった。全
体の状況を認識するのは、それぞれの物体を認識することより
ずっと難しいのだ。

　現在共同研究者たちとともに開発しているプログラム「シチ
ュエート」は、ある状況の例についてアナロジーを利用して認
識するために、深層ニューラルネットワークの物体認識能力と
コピーキャットの能動的記号論理構造を組み合わせたものだ。
私たちはこのプログラムに、図 48 のようなわかりやすいサン
プルのみならず、概念の横滑りが必要な一般的ではないサンプ
ルも認識させたいと考えている。「イヌを散歩させる」状況の
典型的な例には、人間（イヌを散歩させる人）、イヌ、リード
が関わっている。イヌを散歩させる人がリードを手にしていて、
リードはイヌにつながれ、イヌを散歩させている人とイヌが歩
いている。異論はないはずだ。実際、図 48 の例で示されてい
るのは、まさにその光景だ。しかも、「イヌを散歩させる」と
いう概念を理解している人間は、**図 49** の各画像もこの概念の
例として認識すると同時に、それらが典型的な例からかなり
「はずれて」いることにも気づける。シチュエートはまだ開発
の初期段階だが、その目的は人間のアナロジーを考え出す作業
の根底にある一般的な仕組みについての発想をテストすること
と、コピーキャットプログラムの基本的な構想が文字列アナロ
ジーのマイクロワールド以外でもうまくいくと示すことだ。

　コピーキャット、メタキャット、シチュエートは、ホフスタ

図49 「イヌを散歩させる」画像の変則的な四つの例

ッターの能動的記号論理構造に基づいてアナロジーを作成する
プログラムの、ほんの三つの例にすぎない。^{原注23}さらに、AI分野
において能動的記号論理構造に基づいたプログラムの開発は、
アナロジーを作成するプログラムを構築するための数々の方法
のひとつにすぎない。とはいえ、人間の認知のどんなレベルに
おいても、アナロジーはその能力の基礎となるものであるのに
対して、そういった人間のアナロジーを思いつく能力にわずか
でも近づいたAIプログラムはまだ存在していない。

「私たちはまだ、はるか、はるか遠くにいる」

　現代の人工知能は、深層ニューラルネットワーク、ビッグデー
タ、超高速コンピューターの三役をともなった深層学習が主
流だ。それでも、頑健で汎用的な知能を追求するうえで、深層
学習は壁にぶつかっているのかもしれない。あの極めて需要な

「意味の壁」に。この章では、その壁を打ち破るために行われ
ている、AI分野での取り組みの概観を紹介した。そして、研
究者たち（私も含めて）がコンピューターにいかにして一般常
識を植えつけようとしているか、いかにして人間のような抽象
化能力とアナロジー作成能力を授けようとしているのかを見て
いった。

　このテーマについて考えていたとき、私はアンドレイ・カル
パシーのブログで読んだ、彼の洞察力に満ちた興味深い投稿に
とりわけ惹きつけられた。本書で前にも登場したカルパシーは
深層学習とコンピュータービジョンを専門としていて、現在は
テスラのAI部門を率いている。その投稿の題名は「コンピュ
ータービジョンとAIの状況について。私たちはまだ、はるか、
はるか遠くにいる」というものだった。[原注24]そのなかでカルパシー
はある1枚の写真（図50）について、コンピュータービジョ
ン研究者としての自身の考察をつづっている。カルパシーはこ

図50　アンドレイ・カルパシーのブログで取り上げられた写真

の写真の画は私たち人間にとってはかなりユーモアにあふれた
ものだと前置きしてから、次のような問いを投げかけた「コン
ピューターが私やあなたと同じくらいこの画を理解するために
は、何が必要なんだろうか？」

　カルパシーはこの写真について、私たち人間は簡単に理解で
きるけれど、今日の最も優れたコンピュータービジョンプログ
ラムがその能力をもってしてもまだ人間の理解に追いつけない
多くの点を挙げている。たとえば、私たちは画のなかに大勢の
人がいることを認識できるし、しかもその何人かはそこにある
鏡に映った像であることもわかる。また、この場所がロッカー
ルームであることがわかるし、スーツを着た人が大勢ロッカー
ルームにいるという異質さにも気づく。

　さらに、ひとりの人物が体重計に乗っていることもわかる。
その体重計が白いピクセルでできていて、背景に溶け込んでし
まっているにもかかわらずだ。カルパシーは、「オバマが自分
のつま先を体重計にちょこんと乗せている」ことを私たちが認
識していると指摘する。そして、私たちがそのことを、与えら
れた二次元の画像からではなく、私たちが推論するこの場面の
三次元構造の視点から簡単に読み取っていると述べている。私
たちは物理学の直観的な知識から、体重計に乗っている人物の
体重がオバマの足によって実際より重く示されるだろうと推論
できる。私たちは心理学の直観的な知識から、体重計に乗って
いる人物はオバマが体重計に足をかけていることに気づいてい
ないこともわかる。これはその人物の視線の向きから推論した
もので、その人物が周りで起きていることに気づいていないこ
とが私たちにはわかる。また、この人物が、オバマが足で体重
計をちょっと押したことを感じていないこともわかる。さらに、

私たちは心の理論によって、この人物は自分が思っていたよりも高い数字を体重計が示したら、いい顔をしないだろうと予測できる。

　そして、私たちは、オバマやこの場面を目撃している人々がほほ笑んでいることを認識する。その表情から彼らはオバマが体重計に乗っている人物にしかけたいたずらを面白がっていること、そしておそらくオバマの地位が状況をさらに面白くしていることを推論できる。さらに、彼らの笑いは人をばかにするものではなく親しみにあふれるもので、彼らは体重計に乗った人物がこのいたずらに気づいたときにいっしょに笑うだろうと思っていることが、私たちには見てとれる。ここでカルパシーは「今のあなたはこの人々の心理状態と、ほかの人の心理状態に対する彼らの見方を推論していることになる。これは驚くほどメタなことではないか」と指摘する。

　そうして、カルパシーは「これらの推論がすべて、［ピクセル］値の二次元配列をちらりと見ただけで展開されたものであることを思うと、呆然となる」とまとめている。

　私にとって、このカルパシーの例は人間の理解の複雑さを実に見事に捉えていて、しかも AI に課せられた挑戦がいかに大きなものであるかを極めて明瞭に表しているものだ。カルパシーのこの投稿は 2012 年のものだが、その言葉は今日にもあてはまるものであり、おそらく今後長きにわたってもそうだろう。

　カルパシーはこの投稿を、次の考察で結んでいる。

　　私にとって避けられないと思われる結論は、私たちは……身体性を必要とするかもしれないということだ。すなわち、私たちのように目の前の光景を解釈できるコンピューターを実現す

る唯一の方法は、コンピューターに私たちのような長年の（体系的で時間的に一貫性のある）経験、環境とやりとりできる能力、完成時から逆算して考えると今の時点でどんなことに役立つのかわからない何らかの魔法のような能動的な学習・推論のための論理構造を獲得させることだ。

17世紀、哲学者ルネ・デカルトは私たちの体と思考は異なる物質からできていて、それぞれ異なる物理法則に支配されていると推測した。[原注25] 1950年代以降、AI分野で主流を占めていた手法はデカルトの説を暗に受け入れていて、総合的な知性は肉体を持たないコンピューターによって実現できるとみなされてきた。だが、ごく少数のAI研究者たちは、身体性の仮説と呼ばれる考えを一貫して訴え続けていた。それは、機械は環境とやりとりできる何らかの身体なしには、人間レベルの知性を獲得できないという前提だった。[原注26] この観点から考えれば、机の上にあるコンピューター、あるいは肉体から切り離されてタンクで成長している脳でさえ、総合的な知性に必要な概念を手に入れられないというわけだ。そうしたものではなく正しい種類のコンピューター、つまり身体性を持ち環境に対して能動的なコンピューターのみが、人間レベルの知性を実現できる可能性を持っているということだ。そういった機械をつくるためにどんな飛躍的進歩が必要になるのかは、カルパシーと同じく私にも想像がつかない。とはいえ、何年ものあいだAIに取り組んできた今の私は、この身体性の理論にますます引き寄せられている。

第 **16** 章
質問、答え、それについての考察

　ダグラス・ホフスタッターは1979年の著作『ゲーデル、エッシャー、バッハ』(『GEB』) の終盤で、AIの将来についての自分自身への質問とそれについての考察を行っている。「10の質問とそれについての考察」と呼ばれるこの節で彼が投げかけて答えた問いかけの範囲は、機械が思考する可能性についてのみならず、知性の一般的な性質にも及んでいた。私は大学を出てまもないときに『GEB』を読んで、この一節に強烈に惹きつけられた。ホフスタッターの考察を読んだ私は、人間レベルの人工知能の実現が急速に近づいているというメディアの煽り (そう、それは1980年代にもあった) にもかかわらず、この分野には未解決の問題が実はまだたくさんあって、新しい発想を持った人材が強く求められていると確信した。実際、私のようにこの分野に足を踏み入れたばかりの若輩者にも、そこにはやりがいのある大きな挑戦がたくさんあった。

　あの頃から30年以上の時を経て現在これを書いている私は、本書の最後に自分自身への質問と、それに対する答えと考察をつづることが、ホフスタッターの『GEB』のあの一節へのオマージュとして、そして私が本書で提示した数々の考えのまとめとしてふさわしいのではないかと思った。

質問－自動運転車が普及するまで、あとどれくらいかかるだろうか？

　これは「自動運転」という言葉を、あなたがどういう意味で使っているかによる。アメリカの国家幹線道路交通安全局は、自動車による自動運転を六段階にレベル分けしている^{原注1}。各レベルの内容を簡単にまとめたものを、次に記載する。

- ・レベル0－すべての運転操作を人間が行う。
- ・レベル1－人間のドライバーに対して、ステアリング操作か加減速のどちらかで自動車が支援を行うときもあるが、両方同時にではない。
- ・レベル2－「特定条件下」（通常は高速道路での運転を指す）で自動車がステアリング操作と加減速を同時に制御できる。人間のドライバーは常に細心の注意を払い続けなければならない（「運転環境の監視」）。さらに、人間のドライバーは車線を変更する、高速を下りる、赤信号で停止する、パトカーの指示で停車するといった、上述の二つ以外で運転に必要な操作、制御をすべて行わなければならない。
- ・レベル3－自動車は「特定条件下」ですべての運転操作を行えるが、人間のドライバーは常に注意を払い続けなければならず、自動車に求められた場合すぐに操作を代われるよう備えていなければならない。
- ・レベル4－自動車は「特定条件下」で、すべての運転操作を行える。この状況下においては、人間は注意を払う必要はない。
- ・レベル5－いかなる状況下でも、自動車がすべての運転操作を行える。乗車している人間は単に乗客であり、運転に関

わる必要は一切ない。

　あなたも「特定条件下」という極めて重要な垣根表現に、間違いなく気づいたはずだ。たとえば、レベル4の自動車がすべての運転操作を行える条件をひとつ残らず挙げるのは不可能だが、自動運転車にとって運転操作が困難だと思われる状況はいくつも想像できる。悪天候、街なかの渋滞、工事区域の通行、車線区分線がない狭い対面通行の道路での運転は、そのほんの数例だ。

　これを書いている時点においては、公道を走っている車の大半はレベル0と1のあいだだ。クルーズコントロールは搭載されていても、ステアリング制御やブレーキ制御はついていない。車間制御機能も持つ「アダプティブクルーズコントロール」が搭載された最新型の車は、レベル1とみなされる。レベル2や3とされる、テスラなどの「オートパイロット」システムが搭載された車は現在数種ある。こうした自動車のメーカーもユーザーも、「特定条件下」に人間が運転操作を代わらなければならないどんな状況が含まれているのかをまだ探っているところだ。比較的幅広い状況で完全自動運転できる実験車もあるが、そうした車両でさえ直ちに運転が交代できるよう備えている人間の「安全用ドライバー」が必要だ。実験車も含めた自動運転車での死亡事故のいくつかは、人間が運転を代われるように準備しておかなければならなかったにもかかわらず、注意を払っていなかったことから起きた。

　自動運転車業界は、「完全」自動運転車（レベル5に相当）の製造販売をしようと必死になっている。確かに、自動運転車を取り巻くあれほどの盛り上がりによって私たち消費者が長年

期待させられてきたのは、完全なる自動運転車だ。私たちの車に「本物の」自律性をもたらすにあたっての障害は、いったい何だろう？

　最大の障害は、第6章で取り上げたようなロングテール現象が起きるような状況（「エッジケース」）だ。それは自動車が訓練を受けていなかった状況で、たとえ個々の車両で見れば起きる可能性は極めて低いと思われても、自動運転車が普及すると頻繁に起きるといったものだ。前にも説明したように、人間のドライバーはこういった場合は常識、とりわけ、ドライバー自身が経験した状況のアナロジーを使って新たに直面した状況に対する理解や予測ができる能力を用いて対処する。

　自動車の完全運転には、第14章で解説したような直観的なコア知識も必要だ。具体的には直観物理学、直観生物学、そしてとりわけ重要なのが直観心理学である。「いかなる状況下」においても安全に運転するためには、ドライバーは同じ道路を通行しているほかのドライバー・自転車に乗っている人・歩行者・動物の、動機や目的、さらには感情さえ理解しなければならないからだ。誰が交通規則を無視して道路を横断しそうか、バスに乗ろうと慌てて道を横切りそうか、合図を出さずにいきなり曲がろうとしそうか、横断歩道の途中で立ち止まって壊れたハイヒールを直そうとしそうかといった、複雑な状況を把握して瞬時に判断を下すというのは、人間のドライバーの大半にはすでに身についている習性だが、自動運転車はまだ獲得できていないものだ。

　自動運転車にとってのもうひとつの迫り来る問題は、さまざまな類の悪意ある攻撃を受ける恐れがあるというものだ。コンピューターセキュリティの専門家によると、私たちが今日運転

している非自動運転車でさえ、ソフトによって制御されている
ものがますます増えているために、Bluetooth、携帯電話ネッ
トワーク、インターネット接続などのワイヤレスネットワーク
とのつながりを通じて、ハッキングされやすくなっているそう
だ。自動運転車はすべてがソフトウェアで制御されるため、悪
意あるハッキングの的にされる恐れがさらに大きくなる。さら
に、第6章で解説したように、機械学習の研究者たちは自動運
転車のコンピュータービジョンシステムに「阻害攻撃」が可能
な例を、実際に確認している。そのなかには、一時停止標識に
目立たないシールを貼るだけで、車がそれを速度制限標識と認
識するものもあった。自動運転車を確実に守れるコンピュータ
ーセキュリティの開発は、ほかのどんな自動運転技術開発と同
じくらい重要だ。

　ハッキングはさておいて、さらなる問題はいわゆる人間の本
性に関するものだ。完全自動運転車の弱点を調べたくて、堪え
きれずにいたずらしようとする人々が出てくるだろう。たとえ
ば、車が前に進めないように、（道を渡ろうとするふりをし
て）車道に下りたり歩道に戻ったりを繰り返したりすることだ。
自動車をどのようにプログラミングすれば、こういった振る舞
いを認識してそれに対処できるようになるだろうか？　また、
事故時に誰が責任を負うべきなのか、あるいはどういった保険
が必要になるのかといった、完全自動運転車に関する重要な法
的な問題も整理が必要だ。

　自動運転車の将来に関して、とりわけ厄介な問題がある。自
動運転車業界は、「特定条件下」ではすべて車が運転するが、
それでも人間のドライバーが常に注意を払って必要ならば運転
を代われるようにしておかなければならないという「部分」自

動運転化を目指すべきだろうか？　それとも、人間が車の運転を完全に信用できて、一切注意を払う必要がない「完全」自動運転化の実現を唯一の目標にするべきなのだろうか？

　ここまでに挙げてきた問題によって、十分信頼できる「完全」自動運転車、つまりほぼどんな状況においても車自身が運転できる自動車の技術は、まだ実現していない。これらの問題がいつ頃解決するのかを予測するのは難しい。「専門家」たちの予測でさえ、数年先から何十年後と大きなばらつきがあるのだから。参考までに、「複雑な技術プロジェクトの最初から9割完成までにかかる時間は全体の1割で、残りの1割にかかる時間は全体の9割である」という格言を覚えておいても損はないだろう。

　レベル3に相当する「部分運転自動化」技術はすでに存在している。だが、何度も実証されているとおり、人間は「部分運転自動化」に対応するのが恐ろしく下手だ。人間のドライバーは、自分は常に「注意を払っていなければならない」とわかっていても、そうしていないときがある。そして車は、起きたどんな事態にも必ず対処できるわけではないので、事故につながってしまう。

　結局のところ、こういうことなのだろうか？　運転操作の完全自動化の達成に本質的に必要なのは汎用的なAIだが、それが実現することはおそらく当分ないと思われる。部分自動化された車は現在すでに存在しているが、それを運転している人間のドライバーが常に注意を払い続けるわけではないため、危険をともなう。このジレンマに対する最も有効な解決策は、「完全自動化」の定義を変えることだ。つまり、自動運転車を、車が安全に走れるようインフラ整備された、特定の場所だけで許

可するということである。この解決策は、一般的に「ジオフェンシング」と呼ばれる考え方だ。フォード・モーター・カンパニー自動運転車部門の元主任技術者ジャッキー・ディマルコはジオフェンシングについて次のように説明している。

　　レベル４の自動運転については、ジオフェンス内では完全自動運転とみなせますので、高解像度地図が生成された区域では完全運転が可能ということになります。この地図があれば運転する環境が把握できます。たとえば、街灯柱や横断歩道の位置や、道路の規則や制限速度などです。私たちは自動運転について、まず特定のジオフェンス内で普及させ、技術、私たちの知識、そして、より多くの問題が起きたときにそれを解決できる私たちの能力の向上に合わせて、その範囲を広げるものだと捉えています。[原注3]

　だがもちろん、ジオフェンス内には例の厄介な人間たちも存在する。AI研究者アンドリュー・エンは、自動運転車の周りでもっと予測可能な振る舞いがとれるよう歩行者を教育するべきだと提案している。「私たちが人々にお願いしているのは、『法律を順守して、互いを思いやった振る舞いをしてください』ということです」[原注4]。エンの自動運転車技術開発ベンチャー企業ドライブaiは、法律で許可している数少ない州のひとつであるテキサス州で、適切なジオフェンス内で乗客が利用できる完全自動運転化されたワゴン車タクシーサービスを開始した。歩行者への教育という楽観的な計画も含めて、この実験の結果はまもなくわかるだろう（訳注：2019年にアップルに買収された）。

質問－AIによって、大量の人間の失業者が出るのだろうか？

これは難しい質問だ。私は、少なくとも当分は出ないと思っている。「簡単なことは難しい」というマーヴィン・ミンスキーの格言は現在もまだAI分野の大半にあてはまっているし、コンピューター（またはロボット）にとって人間の仕事の多くは、実際に思われているよりもこなすのがずっと難しい可能性が高い。

AIシステムが、一部の仕事で人間に取って代わるのは間違いないだろう。そういった例はすでにあるし、しかもそれらはたいていの場合、社会にとってプラスになっている。とはいえ、将来のAI技術の可能性がまだ予測できないため、AIの雇用に対する全般的な影響は現段階では誰にもわかっていない。

推定されるAIの雇用への影響についてはすでに多くの報告書が発表されていて、とりわけ車両の運転に関連している何百万件もの職が失われる恐れがあると指摘されている。そうした仕事に就いている人間が次第に自動運転車に取って代わられる可能性はあるが、その時期については自動運転がいつ頃普及するか不透明なため予測するのが難しい。

そうした不透明さにもかかわらず、技術と雇用のテーマはAI倫理について行われている全般的な議論の一部を占めている（それは正しいことだ）。歴史的に見れば新しい技術は前のものに取って代わる過程でさらに多くの種類の新たな仕事をつくりだしてきたし、AIも例外ではないはずだ、という指摘をする人は多い。だとすれば、トラックを運転する仕事はAIに奪われるかもしれないが、AI倫理を高める必要性からこの分野で道徳哲学者向けの新たな雇用が生まれるということになる

のだろうか。私のこの指摘は、これが今後起こりうる問題の解決になりうるという意味ではなく、このテーマがいかに不確実性に満ちているかを示したものだ。アメリカの大統領経済諮問委員会による、推定されるAIの経済への影響に関する2016年の詳細な報告書も、この点を強調している。「こうした影響の大きさや、あるいはその時期については不透明な点が非常に多い……現段階で得られた根拠から判断すると、具体的な予測を立てるのは不可能である。そのため、政策立案者は起こりうるさまざまな結果を想定して備えておかなければならない[原注5]」

質問－コンピューターは創造性豊かになれるのだろうか？

「創造性豊かなコンピューター」は矛盾した発想だと思う人も多いようだ。機械の本質とは、つまるところ「機械的」であることであり、それは日常的な言葉では「創造性」の反対を意味しているからだろう。懐疑派は、「コンピューターは、人間がそうするようプログラムしたことしかできない。ゆえに、それは創造性豊かにはなれない。創造性豊かになるには、自らの手で新しい何かを『創造する』ことが求められるのだから」と主張するかもしれない[原注6]。

　私はこの「コンピューターはその定義からして、明確にプログラムされたことしかできないのだから、創造的ではない」という見方は間違っていると思う。なぜなら、コンピュータープログラムには、プログラマーが思いもしなかったものを生み出せる方法がたくさんあるからだ。私が開発したプログラム「コピーキャット」（前の章で解説している）は、私が予想すらしていなかった独特の変わった論理によるアナロジーをよく作成

していた。私は基本的には、コンピューターは創造性豊かになれると思っている。しかしその一方で、創造性を発揮するということには、自分がつくりだしたものを理解して評価できるということも求められる。この創造性の意味においては、既存のどんなコンピューターも創造性豊かであるとは言えない。

　これに関連した質問として、「コンピュータープログラムは、美しい芸術や音楽作品をつくれるのだろうか」というものもある。美は極めて主観的なものだが、私の答えは迷うことなく「イエス」だ。私はコンピューターが生み出した芸術作品で、美しいと思えるものをいくつも目にしてきた。その一例は、コンピューター科学者で芸術家のカール・シムズによる一連の「遺伝的芸術（ジェネティックアート）」作品である。[原注7] シムズがプログラムしたコンピューターは、ダーウィンの自然選択説から漠然とした発想を得たアルゴリズムを使ってデジタルアートを生み出す。まず、シムズのプログラムが数学関数といくつかの無作為な要素を使って、候補となる芸術作品を数点生成する。それを見た人が、自分が一番好きな作品を選ぶ。すると、プログラムは基礎をなしている数学関数に無作為性を取り入れることで、選ばれた作品の「変異版」を創造する。先ほど作品を選んだ人は、それらの「突然変異」から好きなものを再び選ぶ、ということを何度も繰り返す。この過程によって見事な抽象作品がいくつも生み出されていて、それらは多くの美術館の特別展などで展示されてきた。

　シムズのプロジェクトでは、創造性は人間とコンピューターのチームワークの結果として発揮されている。コンピューターは最初の作品をまず生み出したあとに、その変化形を次々に作成する。人間はその結果として生まれた作品を、抽象美術の芸術性に対する自身の理解に基づいて「審査」する。コンピュー

ターは何ひとつ理解できないため、コンピューター単体では創
造性を発揮したとは言えない。

　音楽の生成についても、コンピューターが美しい（あるいは、
少なくとも心地よい）音楽を作り出せるという同様の例がある。
しかし、コンピューターが生み出したものに対して、どういっ
た要素が音楽を美しいものにするかがわかる能力を活用して審
査できる人間との共同作業でしか、こうしたコンピューターは
「創造性」を発揮できないと私は考えている。

　こうした方法で音楽を生成した最も有名なコンピュータープ
ログラムは、「はじめに」でも取り上げた「音楽的知能による
実験」（EMI）プログラムだ[原注8]。EMIはさまざまなクラシックの
作曲家の作風に沿った楽曲をつくれるよう開発されたもので、
その作品のなかには、実際の作曲家による曲だとプロの音楽家
にさえ思わせてしまうほどのものもあった。

　EMIの開発者である作曲家デイヴィッド・コープは、もと
もとは自分用の「作曲家アシスタント」として使うつもりで
EMIをつくった。コープは作曲に無作為性を用いるという長
年のしきたりに強い興味を持っていた。有名な例は、モーツア
ルトをはじめとする18世紀の作曲家たちによる、「音楽さいこ
ろ遊び」と呼ばれるものだ。それはまず作曲家が曲の楽譜を切
り分け（たとえば、一小節ずつ）、さいころを振って出た目に
従って断片を並び変えて、新しい曲をつくるというゲームであ
る。

　EMIはいわば、筋肉増強剤を使った音楽さいころ遊びだ。
EMIにたとえばモーツアルトの作風の曲をつくらせるためには、
コープはまずモーツアルトの作品から曲の一部を大量に選び、
それらをコンピュータープログラムにかける。コープが開発し

たそのプログラムは、作曲家の独自の作風を見分けるために役立つ「曲の主なパターン」を検出する。コープはそのパターンを「特徴」（シグネチャー）と呼んだ。また、各シグネチャーが曲のなかでどういった特別な音楽的な役割を果たしているのかを判別するプログラムも開発した。これらのシグネチャーは各作曲家（この例ではモーツアルト）に紐づけられたデータベースに保存された。コープはさらに、EMI用のルールもつくった。これは音楽の「文法」のようなもので、ある作風で一貫した曲をつくるために、シグネチャーの変化形をいかにして再び組み合わせるかにあたっての制約を設定したものだ。EMIは乱数生成器（さいころを投げることのコンピューター版）を用いてシグネチャーを選び、それで曲の小節をつくっていった。その後、プログラムはそれらの各小節に対して、音楽の文法を参考にしながら並べる順番を決める。

　この方法によって、EMIはモーツアルト「風」の新しい曲を無限に生成することができる。あるいは、音楽シグネチャーのデータベースが構築されているどんな作曲家についても同様だった。コープはEMIが作曲したものから、最も優れた作品を慎重に選んで発表した。何曲か聞いてみた印象は、可もなく不可もなくというものから驚くほど見事なものまでさまざまで、なかには美しい節もあったが、それでもどの曲も本物の作曲家の作品が持つ深みは感じられなかった（当然ながら、私は曲がEMIのものだと事前にわかっていたうえで聞いたので、意見が偏っているかもしれないが）。長めの曲にはたいていは美しい節が含まれている一方、一部ではその曲の構想を見失ったのかと思われるような、人間らしくない傾向も感じられた。それでも全般的に見れば、発表されているEMIの作品は、さまざ

まなクラシックの作曲家の作風を非常にうまく捉えている。

　では、EMIは創造性豊かなのだろうか？　私自身の答えは「ノー」だ。EMIが生成した曲にはかなりいいものもあったが、それはコープが集めた音楽シグネチャーと彼が定めた音楽学のルールに埋め込まれた、コープの音楽学の知識に依存しているものだ。そして、最も重要な点は、この曲の音楽的な構想、あるいは感情的に訴える力というどちらの観点から見ても、このプログラムは自身がつくった音楽を真に理解しているとは思えないことだ。こうした理由から、EMIは自分の曲の質を自身で評価できない。その役目を担っていたのはコープで、彼は「私が気に入った作品は発表して、そうでないものは発表しない」と語るだけだった。[原注9]

　2005年にコープが下した判断には、個人的にはひどく困惑させられる。彼はEMIの音楽シグネチャーデータベースをすべて破棄したのだ。その最大の理由は、EMIが曲をあまりに簡単に無限につくれるため、その作品の価値を批評家たちに貶められたからだった。哲学者マーガレット・ボーデンが記しているとおり、コープはEMIが作曲家として尊重されるための唯一の方法は、「死から逃れられない人間の作曲家と同じように、限られた数の作品しかつくらないこと」[原注10]だと思ったのだ。

　私の意見が、ダグラス・ホフスタッターを力づけるために役立つかどうかはわからない。ホフスタッターはEMIのとても感動的な作品と、音楽の専門家たちまでもだませるその質の高さに、ひどく動揺した。私には、ホフスタッターの不安はよくわかる。「人間をその他の生き物と分かつ最大の要因は、芸術であることにほぼ間違いない。私たちにとって芸術とは、自分自身を最も誇らしく思わせてくれるものだからだ」[原注11]という文学

者のジョナサン・ゴッチャルの言葉は、不安の理由を的確に指摘している。とはいえ私は、自分自身を誇らしく思わせてくれるのは芸術をつくりだすことだけではない、と思っている。その作品を評価し、その作品に感動させられる理由を理解し、それが伝えたいことを把握する、といった能力にも誇りを持っていいはずだ。こうした評価や理解は、鑑賞者にとっても芸術家本人にとっても極めて重要なものだ。それがなければ、創造されたものを「創造的」とは呼べないのだ。つまり、「コンピューターは創造性豊かになれるのだろうか？」という質問への答えは、基本的にはイエスだが、すぐには実現しないだろう。

質問ー汎用的な人間レベルのAIの実現まで、あとどれくらいかかるのだろうか？

この質問の答えとして、アレン人工知能研究所のオーレン・エツィオーニ所長の次の言葉を借りることにする。「あなたが予想している年数を倍にして、それをさらに3倍にして、今度はそれを4倍にしてみてほしい。それが答えだ[原注12]」

ほかにも、前の章のアンドレイ・カルパシーの言葉を、もう一度繰り返しておこう。「私たちはまだ、はるか、はるか遠くにいる[原注13]」

私の意見も、まさにそのとおりだ。

コンピューターの始まりは人間だった。具体的には、通常は女性で、彼女たちは兵士が大砲の狙いを定めやすくなるようにミサイルの軌道を計算するといった、第二次世界大戦で必要とされていた計算を手計算か機械式卓上計算機で行っていた。それが「コンピューター」の本来の意味だった（訳注：コンピューターには「計算する人」という意味もある）。クレア・エバンスの著

作 Broad Band（女たちの集団）によると、1930 年代から 40 年代において「『若い娘』と『コンピューター』は、同じ意味で使われていた。国防研究委員会のある委員は……『1 キロガール』のエネルギー量は、およそ 1000 時間の計算作業に相当すると見積もっていた」そうだ。[原注14]

　1940 年代中盤になると、電子コンピューターが人間の「コンピューター」に取って代わり、たちまち超人的な存在になった。それはどんな人間の「コンピューター」にもできない、「高速の砲弾の軌道を、砲弾が飛ぶ速度よりも速く計算する」ことができた。[原注15]これはコンピューターが得意として数多くこなしてきた、狭い領域でのタスクの初期の頃のもののひとつだ。最先端の AI アルゴリズムがプログラムされた今日のコンピューターはそれ以外の狭い領域のタスクも多数征服してきたが、それでも総合的な知性の獲得にはいたっていない。

　この分野の歴史を振り返ると、私たちは汎用的な AI の登場について 10 年後、15 年後、25 年後、あるいは「一世代のうちに」という著名な AI 専門家たちの予測を目にしてきた。ところが、そうした予測はひとつも実現しなかった。第 3 章で取り上げた、「綿密に練られたチューリングテストに合格するプログラムは実現しない」というレイ・カーツワイルとミッチェル・ケイパーとの「長期間の賭け」は、2029 年に結果が出る。私はケイパーに賭ける。なぜなら「はじめに」で紹介した、「人間の知性はすばらしいが、謎に包まれた奥深いものであり、その大半が解明されていない。そのためまったく同じものがつくられる恐れは当分ない」[原注16]というケイパーの言葉に、全面的に同意しているからだ。

　「予測することは難しい。特に将来については」。この機知に

富んだ発言が誰のものかは不明だが、これはほかの分野同様に
AIにおいてもいえることだ。AIの専門家たちへの「汎用的な
AI、あるいは『超人的』AIはいつ頃実現するか」というアン
ケート調査は何度も行われているが、彼らの意見は「10年以
内」から「実現しない」までと、大きなばらつきを見せている[原注17]。
要するに、誰も見当がつかないということだ。

　はっきりしているのは、汎用的な人間レベルのAIにはAI
研究者たちが何十年にもわたって理解、再現しようとしてきた、
一般常識、抽象化、アナロジーといった能力が必要だが、それ
らは非常に捉えづらいという点だ。ほかにも次のような大きな
疑問がいくつも残されている。汎用的なAIには意識は必要な
のだろうか？　自意識は？　感情は？　生存本能や死への恐れ
を抱くことは？　肉体は？　前にも紹介したマーヴィン・ミン
スキーの言葉どおり、「精神に対する私たちの捉え方において
は、現在はまだ形成期」なのだ。

　私にとって、コンピューターがいつ「超高度な知能（スーパーインテリジェンス）」、つま
り「科学的な想像力、幅広い見識、社会的な能力といったもの
も含めたほぼすべての領域において、最も優れた人間の頭脳よ
りもずっと賢い知性[原注18]」を獲得するのか、という質問は、控えめ
に言ってもイライラさせられる。

　数名の著述家たちは、もしコンピューターが汎用的な人間レ
ベルのAIに到達した場合、Ｉ・Ｊ・グッドの「知能の爆発」
（第3章で取り上げた）の展望と似た過程を経て急速に「超高
度な知能」を獲得するだろうと断言している。彼らの言い分は、
次のようなものだ。総合的な知性を身につけたコンピューター
は、人間が記したあらゆる文書を超高速で読んでそこに書かれ
た知識をすべて学習する。そのうえ、向上し続ける推論能力に

よってあらゆる新たな知識を発見し、それを自身の認知力へと変化させられるようになる。そうした機械は、そのどれもが生産的な思考を妨げる、私たちの思考や学習の遅さ、不合理さ、認知バイアス、飽きっぽさ、睡眠の必要性、感情といった、人間の厄介な制約に縛られない。この見方によれば、超高度な知能を持つ機械は、我々人間が持っているような欠点にひとつも縛られることなく、「純粋な」知性に近いものを獲得するということだ。

だが、私はこういった人間の制約とされるものこそが、私たちの総合的な知性の本質的な部分である可能性のほうが高いと思っている。実世界ではたらく身体を持つことで私たちに課せられる認知的な制約、それに社会的な集団として機能するために進化した感情や「不合理な」バイアス、そして認知的な「欠点」と思われることもあるその他の性質は、実は私たちが狭い領域のみで才能を発揮するのではなく、総合的に知的であるためにまさに必要なものなのではないだろうか。証明はできないが、総合的な知性は人間のこういった明らかな欠点、あるいは機械の欠点と切り離せるものではないのだと私は考えている。

この点について、ダグラス・ホフスタッターは『GEB』の「10の質問とそれについての考察」で「思考するコンピューターは、足し算が速いか？」という、思いがけないほど簡単な質問として取り上げている。その答えを初めて読んだときは大変驚いたが、今では彼の答えが正しいと思える。「おそらくそうではないだろう。私たち自身は難しい計算もできるハードウェアからできているが、だからといってそれは『私たち』が存在する記号レベルがそうした難しい計算ができるという意味ではない。あなたにとって幸運なことに、あなたの記号レベル（つ

まり『あなた』）は、あなたの思考を行っているニューロンに
アクセスできない。もしできたとしたら、脳が混乱してしまう
からだ……知的なプログラムにおいても、同じことが言えるは
ずではないだろうか？」。ホフスタッターはさらに、知的なプ
ログラムは私たち人間と同様に、数字を思い浮かべるときに
「私たちのように実にたくさんのさまざまなものと関連づけら
れた、完成された概念として考えるだろう……こうした『余分
な荷物』を持ち歩いているために、知的なプログラムは足し算
をするときにかなり怠惰になる」と解説している。[原注19]

質問−私たちはAIをどれくらい恐れる必要があるのだ ろうか？

　もしあなたのAIについての見方が映画やSF小説（あるい
は人気ノンフィクション作品の一部でも）に影響を受けたもの
であるなら、AIが意識を身につけて邪悪なものと化し、私た
ちをみな奴隷にするか殺そうとするという恐れをあなたが抱く
のはわかる。だが、この分野が総合的な知性らしきものを実現
するにはほど遠い点を考えると、AI研究者の大半はそういっ
た不安は抱いていない。本書を通じて説明してきたとおり、社
会がAI技術を大慌てで受け入れようとする流れには不安な点
がいくつもある。たとえば、大量の雇用喪失、AIシステムの
悪用、システムの信頼性の欠如や攻撃に対する脆弱性。これら
は技術が人間の暮らしに与える影響を懸念する人々が、まさに
不安に思っていることのほんの一例だ。

　私は本書の冒頭で、近年のAIの進歩に対するダグラス・ホ
フスタッターの失望と、だが実際に彼が恐怖に感じていたこと
の大部分は、それとはまったく別のものに対してだったことに

ついて語った。ホフスタッターの不安は人間の認知と創造性が
AIのプログラムにあまりに簡単に追いつかれて、たとえばショパンといった彼が最も崇拝していた人間の精神による高尚な
創造物が、「便利なツール」を使ったEMIのようなうわべだけ
をまねたアルゴリズムに肩を並べられてしまうのかもしれない
というものだった。ホフスタッターはこう嘆いた。「計り知れ
ないほどの緻密さ、複雑さ、感情の深さを有する彼らの精神が、
小さな半導体チップによって単純かつ平凡なものにできるのな
らば、人間性に対する私の認識は損なわれてしまうだろう」。
さらに、ホフスタッターは、カーツワイルのシンギュラリティ
到来の予測にも動揺を隠せず、もしカーツワイルの言葉が多少
なりとも正しければ「私たちはAIに取って代わられる。そして、
私たちは過去の遺物になり、AIの後塵を拝することになる」
と苦悩を表した。

　ホフスタッターのこうした不安には確かに共感できるが、そ
れでもあえて言えばそんな不安は明らかに時期尚早のような気
がする。なにしろ、私が本書で最も伝えたいことは、「私たち
人間はAIの進歩を過大評価する一方で、自身の知性の複雑さ
を過小評価している」という点なのだから。今日のAIは総合
的な知性からはほど遠く、ましてや機械の「超高度な知能」な
ど何のめども立っていない。だが、もし汎用的なAIが実現す
る日が来たら、その複雑さは人間の脳といい勝負になるのでは
ないかと思っている。

　AIに対する目先の不安を順位づけしたどんなリストでも、
「超高度な知能」のAIの位置ははるか下のほうだろう。実際
には、現実の問題になっているのはその反対のものだ。私は本
書を通じて、最も優れたAIシステムさえいかに脆いか、つま

り入力が訓練のときのサンプルデータとあまりに異なると、システムが正常にはたらかなくなってしまうことを訴え続けてきた。AIシステムの脆弱性は、どんな状況で明るみに出るのか通常は予測しづらい。発語を文字に起こす、ある言語を別の言語に翻訳する、写真の内容を説明する、混雑した街なかを運転する、といったタスクをシステムがこなすうえで頑健性が不可欠ならば、一連の作業のなかに人間も加わらなければならない。短期的に、私がAIシステムに対して最も不安に思っている点は、私たちがシステムの限界や脆弱性を十分認識しないまま、あまりに高い自律性を与えてしまうことである。私たちは、AIシステムを擬人化しがちだ。そして、それらに人間的な資質があるとみなし、結局はそのシステムに対して全幅の信頼を置けると過大評価するはめになってしまう。

　経済学者のセンディール・ムライナサンはAIの危険性を指摘する論評で、「テールリスク」（訳注：めったに起きないが、起きると大きな被害をもたらすリスク）についての意見を示すなかで、ロングテール現象（第6章で取り上げた）について次のように触れている。

　　私たちは恐れを抱くべきだ。高度な知能を持つ機械に対してではない。重要な判断ができるほどの高度な知能を持っていないにもかかわらず、そうしている機械に対してだ。私には機械の賢さよりも、機械の愚かさのほうがずっと恐ろしい。機械の愚かさは、テールリスクをつくりだす。機械は数え切れないほど多くの優れた判断を行うなかで、ある日突然、訓練データに含まれていなかったテール、つまり起きる可能性が低い不測の事態が発生すると、見事に失敗する。これが狭い領域での知性

と総合的な知性との違いだ。[原注20]

　また、AI研究者ペドロ・ドミンゴスは、次のような印象的な言葉を記している。「この先コンピューターがあまりに賢くなりすぎて、彼らに世界を乗っ取られるのではないかと不安に思う人が多い。だが真の問題は、コンピューターがあまりに愚かなことと、しかもそんな彼らに世界をすでに乗っ取られてしまったということだ」[原注21]

　私はAIの信頼性のなさに不安を抱いている。さらに、AIがどのように利用されるのかについても懸念している。第7章で触れた倫理的な判断の問題に加えて、昨今の傾向で私が特に危惧しているのは、AIを利用したフェイクメディアだ。文章、音、画像、動画を利用して巧みにつくりだされるそれは、実際に起こらなかった出来事を恐ろしいほどリアルに描き出す。

　では、私たちはAIを恐れるべきなのだろうか？　それは、イエスでもありノーでもある。意識のある超高度な知性を持つ機械は、実現のめどは立っていない。私たちが人間性のなかで最も大切にしている側面に、「便利なツール」が肩を並べることはない。少なくとも、私はそう思っている。とはいえ、アルゴリズムやデータの危険かつ非倫理的な利用の恐れについては、懸念すべき点がたくさんある。それらは非常に恐ろしい問題ではあるが、こうした事態へのAI界内外での注目がますます大きくなっていることには、ほっとさせられている。こうした問題に緊急に協力し合って対処しなければならないという共通の目的意識が、研究者、企業、政治家のあいだに広まっている。

質問－AIについての既存の問題で、まだ解決されていないものは何か？

　ほぼすべて。

　私が AI 分野での研究を始めたときに大きなやりがいを感じたのは、重要な問題の多くが未解決で、しかも新しい発想が求められたことだ。それは今も変わっていない気がする。

　この分野ができた当時を振り返ると、ジョン・マッカーシーたちが提出した 1955 年の計画書（第 1 章で取り上げた）のなかで、自然言語処理、ニューラルネットワーク、機械学習、抽象概念と推論、創造性という AI の主な研究テーマがすでに挙げられている。これについて、2015 年当時マイクロソフトの研究所長だったエリック・ホーヴィッツは、こんなジョークを語っている。「この［1955 年の］計画書を所定の形式に書き直してアメリカ国立科学財団に送ったら、問題なく受領されるでしょう……今日においてでも。それどころか、興奮気味のプロジェクト選定責任者たちから資金提供を約束されるはずです」[原注22]

　これは過去の AI 研究を批判するものでは一切ない。要は、人工知能の開発は人類が立ち向かっているほかのどんな壮大な科学的挑戦と比べても、少なくとも同じくらい困難だということだ。この点については、MIT のロドニー・ブルックスが最もうまく言い表している。「AI の研究が始まったとき、『人間レベルの性能と人間レベルの知性の実現』という明確なイメージがあった。この目標があったからこそ、60 年にもわたってこの分野に多くの研究者たちを惹きつけてきたのだ。これらの夢と希望の実現にまだ少しも近づいていないという事実が告げているのは、研究者たちの努力や才能が足りなかったということでは決してない。それは、この目標がとてつもなく困難であ

ることを告げているのだ[原注23]」

　AI分野で重点的に取り組まれている課題で最も興味深いものは、その応用の可能性にまつわるものだけではない。先駆者たちによってこの分野がつくられた理由は、新しい技術の開発のみならず、知性の本質という科学的な疑問を解明するためでもあった。実際、知性は自然現象であり、ほかの多くの現象と同様に単純化されたコンピューターモデルを構築することで調べられるという発想が、この分野に多くの人（私も含めて）を引き寄せたのだ。

　私たちすべてにとって、AIの影響はますます大きくなるだろう。「考える人」であるあなたにとって、AIについての多くの未解決問題、その技術の潜在的な利益とリスク、私たち人間が自らの知性を理解するうえでそれが提起する科学的および哲学的な問題といったものも含めた、急成長しているこの分野の現状を把握するために、本書が役立ったことを願っている。そして、もし読者のなかにコンピューターがいるのであれば、前の文の「その」「それ」や「この」が何を指しているのかあげてみてほしい。それが正解なら、この議論への参加を心から歓迎しよう。

原書注釈

はじめに

1. A. Cuthbertson, "DeepMind AlphaGo: AI Teaches Itself 'Thousands of Years of Human Knowledge' Without Help," *Newsweek*, Oct. 18, 2017, www.newsweek.com/deepmind-alphago-ai-teaches-human-help-687620.

2. 以降で引用しているダグラス・ホフスタッターの発言は、このグーグルでの会議のあとに追加で行った彼へのインタビューのときのものだ。これらの引用はすべてホフスタッターのグーグル・グループに対する意見の内容や口調を正確に反映している。

3. Jack Schwartz. G.-C. Rota, *Indiscrete Thoughts* (Boston: Berkhauser, 1997), 22.

4. D. R. Hofstadter, *Gödel, Escher, Bach: an Eternal Golden Braid* (New York: Basic Books,1979), 678.（翻訳版はダグラス・ホフスタッター『ゲーデル、エッシャー、バッハ あるいは不思議の環』1985 年、白揚社）

5. Ibid.（訳注：同上）, 676.

6. D. R. Hofstadter, "Staring Emmy Straight in the Eye—and Doing My Best Not to Flinch," in *Creativity, Cognition, and Knowledge*, ed. T. Dartnell (Westport, Conn.: Praeger, 2002), 67–100.

7. R. Cellan-Jones, "Stephen Hawking Warns Artificial Intelligence Could End Mankind," BBC News, Dec. 2, 2014, www.bbc.com/news/technology-30290540.

8. M. McFarland, "Elon Musk: 'With Artificial Intelligence, We Are Summoning the Demon,'" *Washington Post*, Oct. 24, 2014.

9. Bill Gates, on Reddit, Jan. 28, 2015, www.reddit.com/r/IAmA/comments/2tzjp7/hi_reddit_im_bill_gates_and_im_back_for_my_third/?.

10. K. Anderson, "Enthusiasts and Skeptics Debate Artificial Intelligence," *Vanity Fair*, Nov. 26, 2014.

11. R. A. Brooks, "Mistaking Performance for Competence," in *What to Think About Machines That Think*, ed. J. Brockman (New York: Harper Perennial, 2015), 108–11.

12. G. Press, "12 Observations About Artificial Intelligence from the O'Reilly AI Conference," *Forbes*, Oct. 31, 2016, www.forbes.com/sites/gilpress/2016/10/31/12-observations-about-artificial-intelligence-from-the-oreilly-ai-conference/#886a6012ea2e.

第 1 章

1. J. McCarthy et al., "A Proposal for the Dartmouth Summer Research Project in Artificial Intelligence," submitted to the Rockefeller Foundation, 1955, reprinted in *AI Magazine* 27, no. 4 (2006): 12–14.

2. サイバネティックスは「動物と機械における制御と通信」を研究する学際的な分野だった。次を参照のこと。N. Wiener, *Cybernetics* (Cambridge, Mass.: MIT Press, 1961).（翻訳版はノーバート・ウィーナー『サイバネティックス——動物と機械における制御と通信』1962 年、岩波書店）

3. N. J. Nilsson, *John McCarthy: A Biographical Memoir* (Washington, D.C.: National Academy of Sciences, 2012).

4. McCarthy et al., "Proposal for the Dartmouth Summer Research Project in Artificial Intelligence."

5. Ibid.

6. G. Solomonoff, "Ray Solomonoff and the Dartmouth Summer Research Project in Artificial Intelligence, 1956," www.raysolomonoff.com/dartmouth/dartray.pdf.（2018 年 12 月 4 日閲覧）

7. H. Moravic, *Mind Children: The Future of Robot and Human Intelligence* (Cambridge, Mass.: Harvard University Press, 1988), 20.

8. H. A. Simon, *The Shape of Automation for Men and Management* (New York: Harper& Row, 1965), 96. ちなみにサイモンは人間を指すときに *person*（人）ではなく *man*（男）を使っているが、これは 1960 年代のアメリカではごく普通のことだった。

9. M. L. Minsky, *Computation: Finite and Infinite Machines* (Upper Saddle River, N.J.: Prentice-Hall,1967), 2.

10. B. R. Redman, *The Portable Voltaire* (New York: Penguin Books, 1977), 225.

11. M. L. Minsky, *The Emotion Machine: Commonsense Thinking, Artificial Intelligence, and the Future of the Human Mind* (New York: Simon & Schuster, 2006), 95.（翻訳版はマーヴィン・ミンスキー『ミンスキー博士の脳の探検——常識・感情・自己とは——』2009 年、共立出版）

12. *One Hundred Year Study on Artificial Intelligence (AI100)*, 2016 Report, 13, ai100.stanford.edu/2016-report.

13. Ibid., 12.

14. J. Lehman, J. Clune, and S. Risi, "An Anarchy of Methods: Current Trends in How Intelligence Is Abstracted in AI," *IEEE Intelligent Systems* 29, no. 6 (2014): 56–62.

15. A. Newell and H. A. Simon, "GPS: A Program That Simulates Human Thought," P-2257, Rand Corporation, Santa Monica, Calif. (1961).

16. F. Rosenblatt, "The Perceptron: A Probabilistic Model for Information Storage and Organization in the Brain," *Psychological Review* 65, no. 6

(1958): 386–408.

17. 「パーセプトロン学習アルゴリズム」の数学的解説は次のとおり。各重み w_j に対して、$w_j \leftarrow w_j + \eta\ (t - y)\ x_j$ とする。このとき t は与えられた入力の正しい出力値（1または0）、y はパーセプトロンが実際に出力した値、x_j は重み w_j に対応する入力、η はプログラマーが設定する「学習率」である。矢印は更新を示している。閾値は定数値1である追加の「入力」x_0 として式に組み込まれていて、その重み w_0 は $w_0 = -$閾値とする。この追加の入力と重み（バイアスという）によって、パーセプトロンは入力×重み（これは入力ベクトルと重みベクトルのドット積である）の合計が0以上のときのみ発火する。重みが大きくなりすぎないよう、通常は入力値が測定されてほかの種類の変換も行われる。

18. M. Olazaran, "A Sociological Study of the Official History of the Perceptrons Controversy," *Social Studies of Science* 26, no. 3 (1996): 611–59.

19. M. A. Boden, *Mind as Machine: A History of Cognitive Science* (Oxford: Oxford University Press, 2006), 2:913.

20. M. L. Minsky and S. L. Papert, *Perceptrons: An Introduction to Computational Geometry* (Cambridge, Mass.: MIT Press, 1969).（翻訳版はマーヴィン・ミンスキー、シーモア・パパート『パーセプトロン パターン認識理論への道』1971年、東京大学出版会）

21. 数学的にいえば、どんなブール関数も線形閾値ユニットとひとつの中間層（「隠れ層」）による、完全に接続された多層ネットワークによって計算できる。

22. Olazaran, "Sociological Study of the Official History of the Perceptrons Controversy."

23. G. Nagy, "Neural Networks—Then and Now," *IEEE Transactions on Neural Networks* 2, no. 2 (1991): 316–18.

24. Minsky and Papert, *Perceptrons*, 231–32.

25. J. Lighthill, "Artificial Intelligence: A General Survey," in *Artificial Intelligence: A Paper Symposium* (London: Science Research Council, 1973).

26. C. Moewes and A. Nurnberger, *Computational Intelligence in Intelligent Data Analysis* (New York: Springer, 2013), 135.

27. M. L. Minsky, *The Society of Mind* (New York: Simon & Schuster, 1987), 29.（翻訳版はマーヴィン・ミンスキー『心の社会』1990年、産業図書）

第2章

1. 各隠れユニットと出力ユニットにおける活性化の値 y は、通常そのユニットへの入力ベクトル x と、そのユニットへ接続する重みであるベクトル w のドット積を求め、その結果にシグモイド関数 $y = 1/(1 + e^{-(x \cdot w)})$ を適用することで算出できる。ベクトル x と w には「バイアス」の重みと活性化の値

も含まれている。十分な数の隠れユニットがあり、ユニットでシグモイド関数といった非線形出力関数が使われているネットワークは、どんな関数（最小限の制限はある）も任意の精度で近似値を計算できる。これは「普遍性定理」と呼ばれている。さらに詳しい内容は次の無料オンライン書籍を参照のこと。M. Nielsen, *Neural Networks and Deep Learning*, neuralnetworksanddeeplearning.com.（「ニューラルネットワークと深層学習」翻訳プロジェクトによる翻訳サイトもある）

2. 以下の解説を理解するには、微積分学の知識が必要かもしれない。バックプロパゲーションは勾配降下法の一種であり、これはネットワークのそれぞれの重み w に対して、「誤差面」における最も急な勾配の方向を近似するものだ。この方向は重み w に関する誤差関数（例—出力と正解の差の2乗）の勾配で求められる。たとえば、入力ユニット i から隠れユニット h への接続における重みを w とする。重み w は隠れユニット h へ伝播されたエラー、入力ユニット i の活性化値、ユーザーが設定する「学習率」によって求められる量の分だけ最も急な勾配の方向へ修正される。バックプロパゲーションのより詳しい解説に興味がある方には、次の無料オンライン本を勧める。Michael Nielsen, *Neural Networks and Deep Learning*（原注1に同じ）

3. 私がつくった324個の入力、50個の隠れユニット、10個の出力ユニットを持つネットワークの場合、重みの数は入力と隠れ層の接続において324 × 50 = 1万6200個、隠れ層と出力層の接続において50 × 10 = 500個で、計1万6700個になる。

4. D. E. Rumelhart, J. L. McClelland, and the PDP Research Group, *Parallel Distributed Processing: Explorations in the Microstructure of Cognition* (Cambridge, Mass.: MIT Press, 1986), 1:3.（翻訳版はD・E・ラメルハート、J・L・マクレランド、PDPリサーチグループ『PDPモデル 認知科学とニューロン回路網の探索』1989年、産業図書）

5. Ibid., 113.

6. C. Johnson, "Neural Network Startups Proliferate Across the U.S.," *The Scientist*, Oct. 17, 1988.

7. A. Clark, *Being There: Putting Brain, Body, and World Together Again* (Cambridge, Mass.: MIT Press, 1996), 26.（翻訳版はアンディ・クラーク『現れる存在 脳と身体と世界の再統合』2012年、NTT出版）

8. ダグラス・ホフスタッターは「古きよき昔ながらのAI」（GOOFAI）のほうが文法的に正しいと指摘していたが、GOFAIのほうが響きがいい。

第3章

1. Q. V. Le et al., "Building High-Level Features Using Large-Scale Unsupervised Learning," in *Proceedings of the International Conference on Machine Learning* (2012), 507–14.

2. P. Hoffman, "Retooling Machine and Man for Next Big Chess Faceoff," *New York Times*, Jan. 21, 2003.

3. D. L. McClain, "Chess Player Says Opponent Behaved Suspiciously," *New York Times*, Sept. 28, 2006.

4. M. Y. Vardi, "Artificial Intelligence: Past and Future," *Communications of the Association for Computing Machinery* 55, no. 1 (2012): 5.

5. K. Kelly, "The Three Breakthroughs That Have Finally Unleashed AI on the World," *Wired*, Oct. 27, 2014.

6. J. Despres, "Scenario: Shane Legg," *Future*, 2018, https://future.wikia.com/wiki/Scenario:Shane_Legg. (2018 年 12 月 4 日閲覧)

7. H. McCracken, "Inside Mark Zuckerberg's Bold Plan for the Future of Facebook," *Fast Company*, Nov. 16, 2015, www.fastcompany.com/3052885/mark-zuckerberg-facebook.

8. V. C. Muller and N. Bostrom, "Future Progress in Artificial Intelligence: A Survey of Expert Opinion," in *Fundamental Issues of Artificial Intelligence*, ed. V. C. Muller (Cham, Switzerland: Springer International, 2016), 555–72.

9. M. Loukides and B. Lorica, "What Is Artificial Intelligence?," *O'Reilly*, June 20, 2016, www.oreilly.com/ideas/what-is-artificial-intelligence.

10. S. Pinker, "Thinking Does Not Imply Subjugating," in *What to Think About Machines That Think*, ed. J. Brockman (New York: Harper Perennial, 2015), 5–8.

11. A. M. Turing, "Computing Machinery and Intelligence," *Mind* 59, no. 236 (1950): 433–60.

12. J. R. Searle, "Minds, Brains, and Programs," *Behavioral and Brain Sciences* 3, no. 3(1980): 417–24.

13. J. R. Searle, *Mind: A Brief Introduction* (Oxford: Oxford University Press, 2004), 66. (翻訳版はジョン・サール『マインド 心の哲学』2006 年、朝日出版社)

14. 「強い AI」「弱い AI」は、それぞれ「汎用的な AI」「狭い AI」という意味合いでも使われてきた。レイ・カーツワイルもそうした意味でこの二つの用語を使っているが、これはサールがもともと定義したものとは意味が異なっている。

15. サールの論文は D. R. Hofstadter and D. C. Dennett, *The Mind's I: Fantasies and Reflections on Self and Soul* (New York: Basic Books, 1981) (翻訳版は D・R・ホフスタッター、D・C・デネット『マインズ・アイ コンピュータ時代の「心」と「私」』1984 年、TBS ブリタニカ) に転載されている。それとともに、ホフスタッターの説得力のある反論も掲載されている。

16. S. Aaronson, *Quantum Computing Since Democritus* (Cambridge, U.K.: Cambridge University Press, 2013), 33. (翻訳版はスコット・アーロンソン

『デモクリトスと量子計算』2020 年、森北出版)

17. "Turing Test Transcripts Reveal How Chatbot 'Eugene' Duped the Judges," Coventry University, June 30, 2015, www.coventry.ac.uk/primary-news/turing-test-transcripts-reveal-how-chatbot-eugene-duped-the-judges/.

18. "Turing Test Success Marks Milestone in Computing History," University of Reading, June 8, 2014, www.reading.ac.uk/news-and-events/releases/PR583836.aspx.

19. R. Kurzweil, *The Singularity Is Near: When Humans Transcend Biology* (New York: Viking Press, 2005), 7. (翻訳版はレイ・カーツワイル『ポスト・ヒューマン誕生 コンピュータが人類の知性を超えるとき』2007 年、NHK 出版)

20. Ibid., 22-23.

21. I. J. Good, "Speculations Concerning the First Ultraintelligent Machine," *Advances in Computers* 6 (1966): 31-88.

22. V. Vinge, "First Word," *Omni*, Jan. 1983.

23. Kurzweil, *Singularity Is Near*, 241, 317, 198-99.

24. B. Wang, "Ray Kurzweil Responds to the Issue of Accuracy of His Predictions," *Next Big Future*, Jan. 19, 2010, www.nextbigfuture.com/2010/01/ray-kurzweil-responds-to-issue-of.html.

25. D. Hochman, "Reinvent Yourself: The Playboy Interview with Ray Kurzweil," *Playboy*, April 19, 2016, www.playboy.com/articles/playboy-interview-ray-kurzweil.

26. Kurzweil, *Singularity Is Near*, 136.

27. A. Kreye, "A John Henry Moment," in Brockman, *What to Think About Machines That Think*, 394-96.

28. Kurzweil, *Singularity Is Near*, 494.

29. R. Kurzweil, "A Wager on the Turing Test: Why I Think I Will Win," Kurzweil AI, April 9, 2002, www.kurzweilai.net/a-wager-on-the-turing-test-why-i-think-i-will-win.

30. Ibid.

31. Ibid.

32. Ibid.

33. M. Dowd, "Elon Musk's Billion-Dollar Crusade to Stop the A.I. Apocalypse," *Vanity Fair*, March 26, 2017.

34. L. Grossman, "2045: The Year Man Becomes Immortal," *Time*, Feb. 10, 2011.

35. シンギュラリティ大学ウェブサイトより (2018 年 12 月 4 日閲覧)。https://su.org/about/.

36. Kurzweil, *Singularity Is Near*, 316.

37. R. Kurzweil, *The Age of Spiritual Machines: When Computers Exceed Human Intelligence* (New York: Viking Press, 1999), 170.（翻訳版はレイ・カーツワイル『スピリチュアル・マシーン コンピュータに魂が宿るとき』2001年、翔泳社）

38. D. R. Hofstadter, "Moore's Law, Artificial Evolution, and the Fate of Humanity," in *Perspectives on Adaptation in Natural and Artificial Systems*, ed. L. Booker et al. (New York: Oxford University Press, 2005), 181.

39. Kurzweil, *Age of Spiritual Machines*, 169–70.

40. Hofstadter, "Moore's Law, Artificial Evolution, and the Fate of Humanity," 182.

41. Long Bets website: longbets.org/about.

42. Long Bets website, Bet 1: longbets.org/1/#adjudication terms.

43. Ibid.

44. Ibid.

45. Kurzweil, "Wager on the Turing Test."

46. M. Kapor, "Why I Think I Will Win," Kurzweil AI, April 9, 2002, http://www.kurzweilai.net/why-i-think-i-will-win.

47. Ibid.

48. R. Kurzweil, foreword to *Virtual Humans*, by P. M. Plantec (New York: AMACOM, 2004).

49. Grossman, "2045."

第4章

1. S. A. Papert, "The Summer Vision Project," MIT Artificial Intelligence Group Vision Memo 100 (July 7, 1966), dspace.mit.edu/handle/1721.1/6125.

2. D. Crevier, *AI: The Tumultuous History of the Search for Artificial Intelligence* (New York: Basic Books, 1993), 88.

3. K. Fukushima, "Cognitron: A Self-Organizing Multilayered Neural Network Model," *Biological Cybernetics* 20, no. 3–4 (1975): 121–36; K. Fukushima, "Neocognitron: A Hierarchical Neural Network Capable of Visual Pattern Recognition," *Neural Networks* 1, no. 2 (1988): 119–30.

4. ネットワークに入力される画像は、事前に一定のサイズ（ネットワークの第1層と同じサイズ）に調整されなければならない。

5. 脳があるタスクをこなす方法についての議論には、たいてい多くの反論や指摘がともなう。私がここでざっと行った説明も、例外ではないだろう。私がここで説明したことはほぼ正確ではあるが、脳はとんでもなく複雑なものであり、私が概要を紹介したのは科学者たちにもまだわからない点が多い初期

視覚の分野についてのごく一部にすぎない。

6. 各活性化マップに関連づけられている重みの配列は、「畳み込みフィルター」または「畳み込みカーネル」と呼ばれている。

7. ここではこの「分類モジュール」という用語を、通常「深層畳み込みネットワークの全結合層」と呼ばれているものの省略版として使っている。

8. CNN（ConvNet）についてのここでの説明では、詳細が大幅に省かれている。たとえば活性化を算出する際、畳み込み層のユニットは畳み込みを行ったあとに、実際にはその結果に対して非線形な活性化関数による処理も行っている。また、CNN には通常「プーリング層」といったほかの種類の層も含まれている。さらに詳しく知りたい方は、次を参照のこと。I. Goodfellow, Y. Bengio, and A. Courville, *Deep Learning* (Cambridge, Mass.: MIT Press, 2016). （翻訳版は Ian Goodfellow（イアン・グッドフェロー）、Yoshua Bengio（ヨシュア・ベンジオ）、Aaron Courville（アーロン・カービル）『深層学習』2018 年、ドワンゴ）

9. 本書の執筆時点における Google「画像で検索」エンジンへのアクセス方法は、images.google.com の検索ボックス内の小さなカメラアイコンをクリックすればいいようになっている。

第 5 章

1. たしかに、バックプロパゲーションはいくつかの異なる研究グループで、それぞれ独自に開発されたアルゴリズムだ。それゆえ、（ネットワークのはたらきを正確に評価するアルゴリズムというバックプロパゲーションの性質からすると皮肉なことではあるが）このアルゴリズム開発の一番の功績者は誰かという評価をめぐって、ニューラルネットワーク研究者たちのあいだで長年にわたって激しい議論が続けられてきた。

2. D. Hernandez, "Facebook's Quest to Build an Artificial Brain Depends on This Guy," *Wired*, Aug. 14, 2014, www.wired.com/2014/08/deep-learning-yann-lecun/.

3. この大会では、ほかにも画像内のさまざまなカテゴリーの物体を検出するプログラムを対象にした「検出部門」をはじめとする、各種の専門的な課題に挑戦する場が用意されていたが、ここでは「分類部門」についてのみ取り上げる。

4. D. Gershgorn, "The Data That Transformed AI Research—and Possibly the World," *Quartz*, July 26, 2017, qz.com/1034972/the-data-that-changed-the-direction-of-ai-research-and-possibly-the-world/.

5. "About Amazon Mechanical Turk," www.mturk.com/help.

6. L. Fei-Fei and J. Deng, "ImageNet: Where Have We Been? Where Are We Going?," image-net.org/challenges/talks2017/imagenetilsvrc2017v1.0.pdf.

7. A. Krizhevsky, I. Sutskever, and G. E. Hinton, "ImageNet Classification with Deep Convolutional Neural Networks," *Advances in Neural Information Processing Systems* 25(2012): 1097–105.

8. T. Simonite, "Teaching Machines to Understand Us," *Technology Review*, Aug. 5, 2015, www.technologyreview.com/s/540001/teaching-machines-to-understand-us/.

9. 「ImageNet 広範囲を対象とした視覚認識競技会」（訳注：通称「ILSVRC」）が 2015 年 6 月 2 日に出した声明。www.image-net.org/challenges/LSVRC/announcement-June-2-2015.

10. S. Chen, "Baidu Fires Scientist Responsible for Breaching Rules in High-Profile Supercomputer AI Test," *South China Morning Post*, international edition, June 12, 2015, www.scmp.com/tech/science-research/article/1820649/chinas-baidu-fires-researcher-after-team-cheated-high-profile.

11. Gershgorn, "Data That Transformed AI Research."

12. Hernandez, "Facebook's Quest to Build an Artificial Brain Depends on This Guy."

13. 2016 年 5 月 10 日にオックスフォード大学マーティンスクールで行われた講演のビデオより。B. Aguera y Arcas, "Inside the Machine Mind: Latest Insights on Neuroscience and Computer Science from Google", www.youtube.com/watch?v=vIdW7ViahEc.

14. K. He et al., "Delving Deep into Rectifiers: Surpassing Human-Level Performance on ImageNet Classification," in *Proceedings of the IEEE International Conference on Computer Vision* (2015), 1026–34.

15. A. Linn, "Microsoft Researchers Win ImageNet Computer Vision Challenge," *AI Blog*, Microsoft, Dec. 10, 2015, blogs.microsoft.com/ai/2015/12/10/microsoft-researchers-win-imagenet-computer-vision-challenge.

16. A. Hern, "Computers Now Better than Humans at Recognising and Sorting Images," *Guardian*, May 13, 2015, www.theguardian.com/global/2015/may/13/baidu-minwa-supercomputer-better-than-humans-recognising-images; T. Benson, "Microsoft Has Developed a Computer System That Can Identify Objects Better than Humans," UPI, Feb. 14, 2015, www.upi.com/ScienceNews/2015/02/14/Microsoft-has-developed-a-computer-system-that-can-identify-objects-better-than-humans/1171423959603.

17. A. Karpathy, "What I Learned from Competing Against a ConvNet on ImageNet," Sept. 2, 2014, karpathy.github.io/2014/09/02/what-i-learned-from-competing-against-a-convnet-on-imagenet.

18. S. Lohr, "A Lesson of Tesla Crashes? Computer Vision Can't Do It All Yet," *New York Times*, Sept. 19, 2016.

第 6 章

1. これは 2016 年のアメリカ大統領選の行方を追っていた方にとっては、予備選挙に立候補したバーニー・サンダースの支持者たちがキャッチフレーズとして使ったしゃれ「Feel the Bern（バーニーの熱さを実感せよ）」を思い出させるものではないだろうか。

2. E. Brynjolfsson and A. McAfee, "The Business of Artificial Intelligence," *Harvard Business Review*, July 2017.

3. O. Tanz, "Can Artificial Intelligence Identify Pictures Better than Humans?," *Entrepreneur*, April 1, 2017, www.entrepreneur.com/article/283990.

4. D. Vena, "3 Top AI Stocks to Buy Now," *Motley Fool*, March 27, 2017, www.fool.com/investing/2017/03/27/3-top-ai-stocks-to-buy-now.aspx.

5. C. Metz, "A New Way for Machines to See, Taking Shape in Toronto," *New York Times*, Nov. 28, 2017, www.nytimes.com/2017/11/28/technology/artificial-intelligence-research-toronto.html.

6. J. Tanz, "Soon We Won't Program Computers. We'll Train Them Like Dogs," *Wired*, May 17, 2016.

7. 2017 年 6 月にワシントン州レッドモンドで開催された、Microsoft Faculty Summit（マイクロソフト大学教員向け会議）でのハリー・シャムの講演より。

8. この問題に関する詳しい議論は次を参照のこと。J. Lanier, *Who Owns the Future?* (New York: Simon & Schuster, 2013).

9. テスラの「お客様の個人情報保護に関する方針」より（2018 年 12 月 7 日閲覧）。www.tesla.com/about/legal.

10. T. Bradshaw, "Self-Driving Cars Prove to Be Labour-Intensive for Humans," *Financial Times*, July 8, 2017.

11. マイティ AI ウェブサイトより（2018 年 12 月 7 日閲覧）。"Ground Truth Datasets for Autonomous Vehicles," Mighty AI, mty.ai/adas/.

12. "Deep Learning in Practice: Speech Recognition and Beyond," EmTech Digital video, May 23, 2016, events.technologyreview.com/emtech/digital/16/video/watch/andrew-ng-deep-learning.

13. Y. Bengio, "Machines That Dream," in *The Future of Machine Intelligence: Perspectives from Leading Practitioners*, ed. D. Beyer (Sebastopol, Calif.: O'Reilly Media), 14.

14. W. Landecker et al., "Interpreting Individual Classifications of Hierarchical Networks," in *Proceedings of the 2013 IEEE Symposium on Computational Intelligence and Data Mining* (2013), 32–38.

15. M. R. Loghmani et al., "Recognizing Objects in-the-Wild: Where Do We Stand?," in *IEEE International Conference on Robotics and Automation* (2018), 2170–77.

16. H. Hosseini et al., "On the Limitation of Convolutional Neural Networks in Recognizing Negative Images," in *Proceedings of the 16th IEEE International Conference on Machine Learning and Applications* (2017), 352–58; R. Geirhos et al., "Generalisation in Humans and Deep Neural Networks," *Advances in Neural Information Processing Systems* 31 (2018): 7549–61; M. Alcorn et al., "Strike (with) a Pose: Neural Networks Are Easily Fooled by Strange Poses of Familiar Objects," arXiv:1811.11553(2018).

17. M. Orcutt, "Are Face Recognition Systems Accurate? Depends on Your Race," *Technology Review*, July 6, 2016, www.technologyreview.com/s/601786/are-face-recognition-systems-accurate-depends-on-your-race.

18. J. Zhao et al., "Men Also Like Shopping: Reducing Gender Bias Amplification Using Corpus-Level Constraints," in *Proceedings of the 2017 Conference on Empirical Methods in Natural Language Processing* (2017).

19. W. Knight, "The Dark Secret at the Heart of AI," *Technology Review*, April 11, 2017, www.technologyreview.com/s/604087/the-dark-secret-at-the-heart-of-ai/.

20. C. Szegedy et al., "Intriguing Properties of Neural Networks," in *Proceedings of the International Conference on Learning Representations* (2014).

21. A. Nguyen, J. Yosinski, and J. Clune, "Deep Neural Networks Are Easily Fooled: High Confidence Predictions for Unrecognizable Images," in *Proceedings of the IEEE Conference on Computer Vision and Pattern Recognition* (2015), 427–36.

22. 詳細についてはたとえば次を参照のこと。M. Mitchell, *An Introduction to Genetic Algorithms* (Cambridge, Mass.: MIT Press, 1996). (翻訳版はメラニー・ミッチェル『遺伝的アルゴリズムの方法』1997年、東京電機大学出版局)

23. Nguyen, Yosinski, and Clune, "Deep Neural Networks Are Easily Fooled."

24. M. Sharif et al., "Accessorize to a Crime: Real and Stealthy Attacks on State-of-the-Art Face Recognition," in *Proceedings of the 2016 ACM SIGSAC Conference on Computer and Communications Security* (2016), 1528–40.

25. K. Eykholt et al., "Robust Physical-World Attacks on Deep Learning Visual Classification," in *Proceedings of the IEEE Conference on Computer Vision* *and Pattern Recognition* (2018), 1625–34.

26. S. G. Finlayson et al., "Adversarial Attacks on Medical Machine Learning," *Science*363, no. 6433 (2019): 1287–89.

27. W. Knight, "How Long Before AI Systems Are Hacked in Creative New Ways?," *Technology Review*, Dec. 15, 2016, www.technologyreview.com/s/603116/how-long-before-ai-systems-are-hacked-in-creative-new-ways.

28. 2016 年の講義用スライドより（2018 年 12 月 7 日閲覧）。J. Clune, "How Much Do Deep Neural Networks Understand About the Images They Recognize?," c4dm.eecs.qmul.ac.uk/horse2016/HORSE2016Clune.pdf.

第 7 章

1. D. Palmer, "AI Could Help Solve Humanity's Biggest Issues by Taking Over from Scientists, Says DeepMind CEO," *Computing*, May 26, 2015, www.computing.co.uk/ctg/news/2410022/ai-could-help-solve-humanity-s-biggest-issues-by-taking-over-from-scientists-says-deepmind-ceo.

2. S. Lynch, "Andrew Ng: Why AI Is the New Electricity," *Insights by Stanford Business*, March 11, 2017, www.gsb.stanford.edu/insights/andrew-ng-why-ai-new-electricity.

3. J. Anderson, L. Rainie, and A. Luchsinger, "Artificial Intelligence and the Future of Humans," Pew Research Center, Dec. 10, 2018, www.pewinternet.org/2018/12/10/artificial-intelligence-and-the-future-of-humans.

4. AI とビッグデータにまつわる倫理的な問題を扱った最新の書籍を 2 冊紹介する。C. O'Neil, *Weapons of Math Destruction: How Big Data Increases Inequality and Threatens Democracy* (New York: Crown, 2016)（翻訳版はキャシー・オニール『あなたを支配し、社会を破壊する、AI・ビッグデータの罠』2018 年、インターシフト）. H. Fry, *Hello World: Being Humanin the Age of Algorithms* (New York: W. W. Norton, 2018).

5. C. Domonoske, "Facebook Expands Use of Facial Recognition to ID Users in Photos," National Public Radio, Dec. 19, 2017, www.npr.org/sections/thetwo-way/2017/12/19/571954455/facebook-expands-use-of-facial-recognition-to-id-users-in-photos.

6. H. Hodson, "Face Recognition Row over Right to Identify You in the Street," *New Scientist*, June 19, 2015.

7. J. Snow, "Amazon's Face Recognition Falsely Matched 28 Members of Congress with Mugshots," *Free Future*, ACLU, July 26, 2018, www.aclu.org/blog/privacy-technology/surveillance-technologies/amazons-

face-recognition-falsely-matched-28.

8. B. Brackeen, "Facial Recognition Software Is Not Ready for Use by Law Enforcement," *Tech Crunch*, June 25, 2018, techcrunch.com/2018/06/25/facial-recognition-software-is-not-ready-for-use-by-law-enforcement.

9. B. Smith, "Facial Recognition Technology: The Need for Public Regulation and Corporate Responsibility," *Microsoft on the Issues*, Microsoft, July 13, 2018, blogs.microsoft.com/on-the-issues/2018/07/13/facial-recognition-technology-the-need-for-public-regulation-and-corporate-responsibility.

10. K. Walker, "AI for Social Good in Asia Pacific," *Around the Globe*, Google, Dec. 13,2018, www.blog.google/around-the-globe/google-asia/ai-social-good-asia-pacific.

11. B. Goodman and S. Flaxman, "European Union Regulations on Algorithmic Decision-Making and a 'Right to Explanation,' " *AI Magazine* 38, no. 3 (Fall 2017): 50–57.

12. 「EU 一般データ保護規則（GDPR）第 12 条 データ主体の権利行使のための透明性のある情報提供、連絡及び書式」EU 一般データ保護規則より (2018 年 12 月 7 日閲覧)。www.privacy-regulation.eu/en/article-12-transparent-information-communication-and-modalities-for-the-exercise-of-the-rights-of-the-data-subject-GDPR.htm.

13. 「パートナーシップ・オン・AI」ウェブサイトより (2018 年 12 月 18 日閲覧)。www.partnershiponai.org.

14. このテーマ全体についての概観は次を参照のこと。W. Wallach and C. Allen, *Moral Machines: Teaching Robots Right from Wrong* (New York: Oxford University Press, 2008).（翻訳版はウェンデル・ウォラック、コリン・アレン『ロボットに倫理を教える モラル・マシーン』2019 年、名古屋大学出版会）

15. I. Asimov, *I, Robot* (Bantam Dell, 2004), 37. (First edition: Grove, 1950).（翻訳版はアイザック・アシモフ『わたしはロボット』1976 年、東京創元社。『われはロボット〔決定版〕』2004 年、早川書房など）

16. A. C. Clarke, *2001: A Space Odyssey* (London: Hutchinson & Co, 1968).（翻訳版はアーサー・C・クラーク『2001 年宇宙の旅』1977 年、早川書房）

17. Ibid., 192.

18. N. Wiener, "Some Moral and Technical Consequences of Automation," *Science* 131, no. 3410 (1960): 1355–58.

19. J. J. Thomson, "The Trolley Problem," *Yale Law Journal* 94, no. 6 (1985): 1395–415.

20. 次の例を参照のこと。J. Achenbach, "Driverless Cars Are Colliding with

the Creepy Trolley Problem," *Washington Post*, December 29, 2015.

21. J.-F. Bonnefon, A. Shariff, and I. Rahwan, "The Social Dilemma of Autonomous Vehicles," *Science* 352, no. 6293 (2016): 1573–76.

22. J. D. Greene, "Our Driverless Dilemma," *Science* 352, no. 6293 (2016): 1514–15.

23. 次の例を参照のこと。M. Anderson and S. L. Anderson, "Machine Ethics: Creating an Ethical Intelligent Agent," *AI Magazine* 28, no. 4 (2007): 15.8:

第 8 章

1. A. Sutherland, "What Shamu Taught Me About a Happy Marriage," *New York Times*, June 25, 2006, www.nytimes.com/2006/06/25/fashion/what-shamu-taught-me-about-a-happy-marriage.html.

2. thejetsons.wikia.com/wiki/Rosey.

3. もう少し厳密にいうと、「価値学習」と呼ばれるこの強化学習の手法は唯一の策ではない。「方策学習」と呼ばれる二つ目の手法では、行動の価値を最初に学習せずに、「この状態ではこの行動を取る」を直接学ぶことを目標とする。

4. C. J. Watkins and P. Dayan, "Q-Learning," *Machine Learning* 8, nos. 3–4 (1992): 279–92.

5. 強化学習についてのもう少し専門的で詳しい入門書は次を参照のこと。R. S. Sutton and A. G. Barto, *Reinforcement Learning: An Introduction*, 2nd ed. (Cambridge, Mass.: MIT Press, 2017), incompleteideas.net/book/the-book-2nd.html.（原書は第二版。参考までに第一版の翻訳版は Richard S. Sutton （リチャード・S・サットン）、Andrew G. Barto（アンドリュー・G・バート）『強化学習』2000 年、森北出版）

6. 具体例は次の論文を参照のこと。P. Christiano et al., "Transfer from Simulation to Real World Through Learning Deep Inverse Dynamics Model,"arXiv:1610.03518 (2016); J. P. Hanna and P. Stone, "Grounded Action Transformation for Robot Learning in Simulation," in *Proceedings of the Conference of the American Association for Artificial Intelligence* (2017), 3834–40; A. A. Rusu et al., "Sim-to-Real Robot Learning from Pixels with Progressive Nets," in *Proceedings of the First Annual Conference on Robot Learning, CoRL* (2017); S. James, A. J. Davison, and E. Johns, "Transferring End-to-End Visuomotor Control from Simulation to Real World for a Multi-stage Task," in *Proceedings of the First Annual Conference on Robot Learning, CoRL* (2017); M. Cutler, T. J. Walsh, and J. P. How, "Real-World Reinforcement Learning via Multifidelity Simulators," *IEEE Transactions on Robotics* 31, no. 3 (2015): 655–71.

第 9 章

1. P. Iwaniuk, "A Conversation with Demis Hassabis, the Bullfrog AI Prodigy Now Finding Solutions to the World's Big Problems," *PCGamesN*, www. pcgamesn.com/demis-hassabis-interview.（2018 年 12 月 7 日閲覧）

2. "From Not Working to Neural Networking," *Economist*, June 25, 2016.

3. M. G. Bellemare et al., "The Arcade Learning Environment: An Evaluation Platform for General Agents," *Journal of Artificial Intelligence Research* 47 (2013): 253–79.

4. もう少し詳しく説明すると、ディープマインドのプログラムは各時間ステップで行動を選択するときに「ε（イプシロン）−グリーディ法」と呼ばれる手法を使っていた。この手法では確率が ε のとき、プログラムは無作為に行動を選ぶ。そして、確率が（1 − ε）のときは、プログラムは最も価値が高い行動を選ぶ。ε は 0 から 1 までの値を取る。初期値は 1 に近い値に設定され、訓練のエピソードを重ねるなかでに徐々に減らされていく。

5. R. S. Sutton and A. G. Barto, *Reinforcement Learning: An Introduction*, 2nd ed. (Cambridge, Mass.: MIT Press, 2017), 124, incompleteideas.net/book/the-book-2nd.html.（原書は第二版。参考までに第一版の翻訳版は Richard S. Sutton（リチャード・S・サットン）、Andrew G. Barto（アンドリュー・G・バート）『強化学習』2000 年、森北出版）

6. 詳細は次を参照のこと。V. Mnih et al., "Human-Level Control Through Deep Reinforcement Learning," *Nature* 518, no. 7540 (2015): 529.

7. V. Mnih et al., "Playing Atari with Deep Reinforcement Learning," *Proceedings of the Neural Information Processing Systems (NIPS) Conference, Deep Learning Workshop* (2013).

8. "Arthur Samuel," History of Computers website, history-computer.com/ModernComputer/thinkers/Samuel.html.

9. サミュエルのプログラムは、取ろうとする手によって探索の深さを変えていた。

10. サミュエルのプログラムでは、ゲーム木のなかで評価する必要がないノード（訳注：この例では盤面にあたる）を判別するために、各回で「アルファ・ベータ法」という手法も使われていた。この「アルファ・ベータ法」は、IBM のコンピューターチェスプログラム「ディープ・ブルー」でも極めて重要な役目を担っていた。

11. 詳細は次を参照のこと。A. L. Samuel, "Some Studies in Machine Learning Using the Game of Checkers," *IBM Journal of Research and Development* 3, no. 3 (1959): 210–29.

12. Ibid.

13. J. Schaeffer et al., "CHINOOK: The World Man-Machine Checkers Champion," *AI Magazine* 17, no. 1 (1996): 21.

14. D. Hassabis, "Artificial Intelligence: Chess Match of the Century," *Nature* 544 (2017):413–14.

15. A. Newell, J. Calman Shaw, and H. A. Simon, "Chess-Playing Programs and the Problem of Complexity," *IBM Journal of Research and Development 2*, no. 4 (1958): 320–35.

16. M. Newborn, *Deep Blue: An Artificial Intelligence Milestone* (New York: Springer, 2003), 236.

17. J. Goldsmith, "The Last Human Chess Master," *Wired*, Feb. 1, 1995.

18. M. Y. Vardi, "Artificial Intelligence: Past and Future," *Communications of the Association for Computing Machinery* 55, no. 1 (2012): 5.

19. A. Levinovitz, "The Mystery of Go, the Ancient Game That Computers Still Can't Win," *Wired*, May 12, 2014.

20. G. Johnson, "To Test a Powerful Computer, Play an Ancient Game," *New York Times*, July 29, 1997.

21. "S. Korean Go Player Confident of Beating Google's AI," Yonhap News Agency, Feb. 23, 2016, english.yonhapnews.co.kr/search1/2603000000.html?cid=AEN20160223003651315.

22. M. Zastrow, " 'I'm in Shock!': How an AI Beat the World's Best Human at Go," *New Scientist*, March 9, 2016, www.newscientist.com/article/2079871-im-in-shock-how-an-ai-beat-the-worlds-best-human-at-go.

23. C. Metz, "The Sadness and Beauty of Watching Google's AI Play Go," *Wired*, March 11,2016, www.wired.com/2016/03/sadness-beauty-watching-googles-ai-play-go.

24. "For Artificial Intelligence to Thrive, It Must Explain Itself," *Economist*, Feb. 15, 2018, www.economist.com/news/science-and-technology/21737018-if-it-cannot-who-will-trust-it-artificial-intelligence-thrive-it-must.

25. P. Taylor, "The Concept of 'Cat Face,' " *London Review of Books*, Aug. 11, 2016.

26. S. Byford, "DeepMind Founder Demis Hassabis on How AI Will Shape the Future," *Verge*, March 10, 2016, www.theverge.com/2016/3/10/11192774/demis-hassabis-interview-alphago-google-deepmind-ai.

27. D. Silver et al., "Mastering the Game of Go Without Human Knowledge," *Nature*,550 (2017): 354–59.

28. D. Silver et al., "A General Reinforcement Learning Algorithm That Masters Chess, Shogi, and Go Through Self-Play," *Science* 362, no. 6419 (2018): 1140–44.

第 10 章

1. P. Iwaniuk, "A Conversation with Demis Hassabis, the Bullfrog AI Prodigy Now Finding Solutions to the World's Big Problems," *PCGamesN*, www.pcgamesn.com/demis-hassabis-interview. (2018 年 12 月 7 日閲覧)

2. E. David, "DeepMind's AlphaGo Mastered Chess in Its Spare Time," Silicon Angle, Dec. 6, 2017, siliconangle.com/blog/2017/12/06/deepminds-alphago-mastered-chess-spare-time.

3. 一例を挙げると、まだゲームの領域ではあるが、ディープマインドは彼らが開発した強化学習システムが異なるアタリのゲームをプレイする能力において ある程度の転移学習をこなしたと主張し、それについての論文を 2018 年に発表した。次を参照のこと。L. Espeholtet al., "Impala: Scalable Distributed Deep-RL with Importance Weighted Actor-Learner Architectures," in *Proceedings of the International Conference on Machine Learning* (2018), 1407–16.

4. D. Silver et al., "Mastering the Game of Go Without Human Knowledge," *Nature* 550(2017): 354–59.

5. G. Marcus, "Innateness, AlphaZero, and Artificial Intelligence," arXiv:1801.05667 (2018).

6. F. P. Such et al., "Deep Neuroevolution: Genetic Algorithms Are a Competitive Alternative for Training Deep Neural Networks for Reinforcement Learning," *Proceedings of the Neural Information Processing Systems (NIPS) Conference, Deep Reinforcement Learning Workshop* (2018).

7. M. Mitchell, *An Introduction to Genetic Algorithms* (Cambridge, Mass.: MIT Press,1996). (翻訳版はメラニー・ミッチェル『遺伝的アルゴリズムの方法』1997 年、東京電機大学出版局)

8. Marcus, "Innateness, AlphaZero, and Artificial Intelligence."

9. G. Marcus, "Deep Learning: A Critical Appraisal," arXiv:1801.00631 (2018).

10. K. Kansky et al., "Schema Networks: Zero-Shot Transfer with a Generative Causal Model of Intuitive Physics," in *Proceedings of the International Conference on Machine Learning* (2017), 1809–18.

11. A. A. Rusu et al., "Progressive Neural Networks," arXiv:1606.04671 (2016).

12. Marcus, "Deep Learning."

13. N. Sonnad and D. Gershgorn, "Q&A: Douglas Hofstadter on Why AI Is Far from Intelligent," *Quartz*, Oct. 10, 2017, qz.com/1088714/qa-douglas-hofstadter-on-why-ai-is-far-from-intelligent.

14. 補足すると、食器洗浄機に食器をセットするロボットは、ロボット工学のいくつかの研究グループによってすでに開発されている。だが、私の知るかぎりでは、それらのなかで訓練に強化学習やその他の機械学習が使われている例はひとつもない。そうしたロボットの見事なはたらきが紹介されているビ

デオもある（例 − "Robotic Dog Does Dishes, Plays Fetch,"（汚れた皿を運び、「取ってこい」遊びもするロボット犬）NBC New York, June 23, 2016, www.nbcnewyork.com/news/local/Boston-Dynamics-Dog-Does-Dishes-Brings-Sodas-384140021.html）が、彼らの動きには明らかにまだ制約が多く、我が家で毎晩のように起きている「誰が汚れた食器を運ぶか」論争の解決には役立ちそうにない。

15. A. Karpathy, "AlphaGo, in Context," *Medium*, May 31, 2017, medium.com/@karpathy/alphago-in-context-c47718cb95a5.

第 11 章

1. この「レストラン」の話は、ロジャー・シャンクと同僚の研究者たちが自然言語理解の研究でつくった超短編小説や、ジョン・サールの AI に関する評論から発想を得たものだ。次を参照のこと。R. C. Schank and C. K. Riesbeck, *Inside Computer Understanding: Five Programs Plus Miniatures* (Hillsdale, N.J.: Lawrence Erlbaum Associates, 1981); J. R. Searle, "Minds, Brains, and Programs," *Behavioral and Brain Sciences* 3, no. 3 (1980): 417–24.

2. G. Hinton et al., "Deep Neural Networks for Acoustic Modeling in Speech Recognition: The Shared Views of Four Research Groups," *IEEE Signal ProcessingMagazine*29, no. 6 (2012): 82–97.

3. 2014 年 11 月に開催された「情報・知識管理会議」（CIKM）における基調講演のスライドより（2018 年 12 月 7 日閲覧）。J. Dean, "Large Scale Deep Learning," static.googleusercontent.com/media/research.google.com/en//people/jeff/CIKM-keynote-Nov2014.pdf.

4. S. Levy, "The iBrain Is Here, and It's Already in Your Phone," *Wired*, Aug. 24, 2016, www.wired.com/2016/08/an-exclusive-look-at-how-ai-and-machine-learning-work-at-apple.

5. 音声認識関連の資料で最も一般的に使われる性能測定基準は、膨大な数の短い音声セグメントに対する「ワードエラー率」だ。これらの音声セグメントを使って最先端の音声認識システムを測定すると、「人間レベル」、あるいはそれ以上の結果が出る。だが、より現実的な測定基準（例 − 周囲が騒がしいとき、なまりのある発話、長ったらしくて難解な言葉、多義の言葉）が用いられた場合、機械による音声認識の性能は人間よりもはるかに下だと反論せざるをえない結果がいくつも出てくる。こうした議論全般についての優れた論評は次を参照のこと。A. Hannun, "Speech Recognition Is Not Solved," 2018, awni.github.io/speech-recognition.（2018 年 12 月 7 日閲覧）

6. 次に紹介するのは、今日の音声認識アルゴリズムの仕組み全般に関する論評だ。優れたものだが、専門的だ。J.H.L. Hansen and T. Hasan, "Speaker Recognition by Machines and Humans: A Tutorial Review," *IEEE Signal*

Processing Magazine 32, no. 6 (2015):74–99.

7. これらの感想はすべて Amazon.com に投稿されていたものだ。一部については若干編集している。

8. これを書いている時点のオンラインの世界では、「ケンブリッジ・アナリティカというデータ分析企業がフェイスブックの何千万ものアカウントのデータを利用して、おそらく感情分析も含めたさまざまな手法によって、ターゲットを絞った政治広告配信に手を貸していた」というニュースによる動揺がまだ収まっていない。

9. 第2章を復習すると、ニューラルネットワークのそれぞれのユニットは、入力された各値と重みを掛けたものを足すという計算を行う。これは入力が数値でないかぎりできない作業だ。

10. J. Firth, "A Synopsis of Linguistic Theory, 1930–1955," in *Studies in Linguistic Analysis* (Oxford: Philological Society, 1957), 1–32.

11. A. Lenci, "Distributional Semantics in Linguistic and Cognitive Research," *Italian Journal of Linguistics* 20, no. 1 (2008): 1–31.

12. 物理学におけるベクトルの一般的な定義は、「大きさと向きを持つ量」である。これは本文で示したベクトルの定義と同じだ。どんなベクトルも点の座標として一意的に示すことができ、その大きさは原点とその点を結ぶ線分の長さ、その方向はこの線分と各座標軸がなす角度である。

13. T. Mikolov et al., "Efficient Estimation of Word Representations in Vector Space," in *Proceedings of the International Conference on Learning Representations* (2013).

14. Word2vec, Google Code Archive, code.google.com/archive/p/word2vec/. 単語ベクトルは「単語埋め込み」とも呼ばれている。

15. ここでは次の文献で提唱された二つの手法のうち、「スキップグラム」方法を例にしている。Mikolov et al., "Efficient Estimation of Word Representations in Vector Space."

16. Ibid.

17. この結果は bionlp-www.utu.fi/wv_demo/ で公開されている ("English Google-News Negative300" モデル使った) word2vec システムの試用版から得られたものだ。

18. これはすなわち、ベクトルの計算式 man − woman = king − x で x の値を求めるということだ。二つのベクトルの足し算や引き算では、(3, 2, 4) − (1, 1, 1) = (2, 1, 3) のように、対応している成分同士を足す、または引けばいい。

19. bionlp-www.utu.fi/wv_demo/.

20. R. Kiros et al., "Skip-Thought Vectors," in *Advances in Neural Information Processing Systems* 28 (2015), 3294–302.

21. H. Devlin, "Google a Step Closer to Developing Machines with Human-Like Intelligence," *Guardian*, May 21, 2015, www.theguardian.com/

science/2015/may/21/google-a-step-closer-to-developing-machines-with-human-like-intelligence.

22. 次の講義スライドより（2018年12月14日閲覧）。Y. LeCun, "What's Wrong with Deep Learning?," p. 77, www.pamitc.org/cvpr15/files/lecun-20150610-cvpr-keynote.pdf.

23. 例については次を参照のこと。T. Bolukbasi et al., "Man Is to Computer Programmer as Woman Is to Homemaker? Debiasing Word Embeddings," in *Advances in Neural Information Processing Systems* 29 (2016), 4349–57.

24. 例については次を参照のこと。J. Zhao et al., "Learning Gender-Neutral Word Embeddings," in *Proceedings of the 2018 Conference on Empirical Methods in Natural Language Processing* (2018),4847–53; A. Sutton, T. Lansdall-Welfare, and N. Cristianini, "Biased Embeddings from Wild Data: Measuring, Understanding, and Removing," in *Proceedings of the International Symposium on Intelligent Data Analysis* (2018), 328–39.

第12章

1. Q. V. Le and M. Schuster, "A Neural Network for Machine Translation, at Production Scale," *AI Blog*, Google, Sept. 27, 2016, ai.googleblog.com/2016/09/a-neural-network-for-machine.html.

2. W. Weaver, "Translation," in *Machine Translation of Languages*, ed. W. N. Locke and A. D. Booth (New York: Technology Press and John Wiley & Sons, 1955), 15–23.

3. これはGoogle 翻訳でほぼすべての言語に対して使われている方法だ。これを書いている時点では、比較的まれな言語の一部については、Google 翻訳はニューラルネットワークにまだ切り替わっていない。

4. 詳細については次を参照のこと。Y. Wu et al., "Google's Neural Machine Translation System: Bridging the Gap Between Human and Machine Translation," arXiv:1609.08144(2016).

5. グーグルのニューラル機械翻訳システムでは、単語ベクトルはネットワーク全体の訓練のなかの一部として学習される。

6. もう少し詳しくいえば、デコーダーネットワークの出力はネットワークの語彙（この例ではフランス語）のなかの候補となる各単語が、訳語として正しいと思われる確率を示したものだ。詳細は次を参照のこと。Wu et al., "Google's Neural Machine Translation System."

7. これを書いている時点では、Google 翻訳をはじめとする翻訳システムはみな一文ずつ訳す仕組みになっている。それ以上の単位でまとめて翻訳する研究例は、次を参照のこと。L. M. Werlen and A. Popescu-Belis, "Using Coreference Links to Improve Spanish-to-English Machine Translation," *Proceedings of the 2nd Workshop on Coreference Resolution Beyond Onto*

Notes (2017), 30–40.

8. S. Hochreiter and J. Schmidhuber, "Long Short-Term Memory," *Neural Computation* 9, no. 8 (1997): 1735–80.

9. Wu et al., "Google's Neural Machine Translation System."

10. Ibid.

11. T. Simonite, "Google's New Service Translates Languages Almost as Well as Humans Can," *Technology Review*, Sept. 27, 2016, www.technologyreview.com/s/602480/googles-new-service-translates-languages-almost-as-well-as-humans-can.

12. A. Linn, "Microsoft Reaches a Historic Milestone, Using AI to Match Human Performance in Translating News from Chinese to English," *AI Blog*, Microsoft, March 14, 2018, blogs.microsoft.com/ai/machine-translation-news-test-set-human-parity.

13. "IBM Watson Is Now Fluent in Nine Languages (and Counting)," *Wired*, Oct. 6, 2016, www.wired.co.uk/article/connecting-the-cognitive-world.

14. 2016年5月23日に行われたビデオ講演より。A. Packer, "Understanding the Language of Facebook," EmTech Digital video lecture, events.technologyreview.com/video/watch/alan-packer-understanding-language.

15. 2018年3月20日のディープエルの報道発表より。www.deepl.com/press.html.

16. K. Papineni et al., "BLEU: A Method for Automatic Evaluation of Machine Translation," in *Proceedings of the 40th Annual Meeting of the Association for Computational Linguistics* (2002), 311–18.

17. Wu et al., "Google's Neural Machine Translation System"; H. Hassan et al., "Achieving Human Parity on Automatic Chinese to English News Translation," arXiv:1803.05567 (2018).

18. Google翻訳による、『レストラン』のフランス語訳。Un homme est entré dans un restaurant et a commandé un hamburger, cuit rare. Quand il est arrivé, il a été brûlé à un croustillant. La serveuse s'arrêta devant la table de l'homme. "Estce que le hamburger va bien?" Demanda-t-elle. "Oh, c'est génial," dit l'homme en repoussant sa chaise et en sortant du restaurant sans payer. La serveuse a crié après lui, "Hé, et le projet de loi?" Elle haussa les épaules, marmonnant dans son souffle, "Pourquoi est-il si déformé?"

19. Google翻訳による、『レストラン』のイタリア語訳。Un uomo andò in un ristorante e ordinò un hamburger, cucinato raro. Quando è arrivato, è stato bruciato per un croccante. La cameriera si fermò accanto al tavolo dell'uomo. "L'hamburger va bene?" Chiese lei. "Oh, è semplicemente fantastico," disse l'uomo, spingendo indietro la sedia e uscendo dal ristorante senza pagare. La cameriera gli urlò dietro, "Ehi, e il conto?" Lei scrollò le spalle, mormorando sottovoce, "Perché è così piegato?"

20. Google 翻訳による、『レストラン』の中国語訳。一名男子走进一家餐厅，点了一个罕见的汉堡包．当它到达时，它被烧得脆脆．女服务员停在男人的桌子旁边．"汉堡好吗" 她问．"哦，这太好了，"那男人说，推开椅子，没有付钱就冲出餐厅．女服务员大声喊道："嘿，账单呢?" 她耸了耸，低声嘀咕道，"他为什么这么弯腰?"

21. Google 翻訳の文章の理解不足に関連した問題についてのより詳しい議論は次を参照のこと。D. R. Hofstadter, "The Shallowness of Google Translate," *The Atlantic*, Jan. 30, 2018.

22. D. R. Hofstadter, *Gödel, Escher, Bach: an Eternal Golden Braid* (New York: Basic Books,1979), 603.（翻訳版はダグラス・ホフスタッター『ゲーデル、エッシャー、バッハ あるいは不思議の環』1985 年、白揚社）

23. E. Davis and G. Marcus, "Commonsense Reasoning and Commonsense Knowledge in Artificial Intelligence," *Communications of the ACM* 58, no. 9 (2015): 92–103.

24. O. Vinyals et al., "Show and Tell: A Neural Image Caption Generator," in *Proceedings of the IEEE Conference on Computer Vision and Pattern Recognition* (2015), 3156–64; A. Karpathy and L. Fei-Fei, "Deep Visual-Semantic Alignments for Generating Image Descriptions," in *Proceedings of the IEEE Conference on Computer Vision and Pattern Recognition* (2015), 3128–37.

25. 図 39 は次の文献で説明されているシステムを簡略化したもの。Vinyals et al., "Show and Tell."

26. J. Markoff, "Researchers Announce Advance in Image-Recognition Software," *New York Times*, Nov. 17, 2014.

27. J. Walker, "Google's AI Can Now Caption Images Almost as Well as Humans," *Digital Journal*, Sept. 23, 2016, www.digitaljournal.com/tech-and-science/technology/google-s-ai-now-captions-images-with-94-accuracy/article/475547.

28. A. Linn, "Picture This: Microsoft Research Project Can Interpret, Caption Photos," *AI Blog*, May 28, 2015, blogs.microsoft.com/ai/picture-this-microsoft-research-project-can-interpret-caption-photos.

29. Microsoft CaptionBot, www.captionbot.ai.

第 13 章

1. 台本は次のサイトより。www.chakoteya.net/NextGen/130.htm.

2. F. Manjoo, "Where No Search Engine Has Gone Before," *Slate*, April 11, 2013, www.slate.com/articles/technology/technology/2013/04/google_has_a_single_towering_obsession_it_wants_to_build_the_star_trek_computer.html.

3. C. Thompson, "What Is I.B.M.'s Watson?," *New York Times Magazine*, June 16, 2010.

4. K. Johnson, "How 'Star Trek' Inspired Amazon's Alexa," *Venture Beat*, June 7, 2017, venturebeat.com/2017/06/07/how-star-trek-inspired-amazons-alexa.

5. *Wikipedia*, s.v. "Watson (computer)," en.wikipedia.org/wiki/Watson(computer). (2018 年 12 月 16 日閲覧)

6. Thompson, "What Is I.B.M.'s Watson?"

7. テレビアニメ『ザ・シンプソンズ』で有名になったせりふがもとになっている。

8. K. Jennings, "The Go Champion, the Grandmaster, and Me," *Slate*, March 15, 2016, www.slate.com/articles/technology/technology/2016/03/google_s_alphago_defeated_go_champion_lee_sedol_ken_jennings_explains_what.html.

9. D. Kawamoto, "Watson Wasn't Perfect: IBM Explains the 'Jeopardy!' Errors," Aol, www.aol.com/2011/02/17/the-watson-supercomputer-isnt-always-perfect-you-say-tomato. (2018 年 12 月 16 日閲覧)

10. J. C. Dvorak, "Was IBM's Watson a Publicity Stunt from the Start?," *PC Magazine*, Oct. 30, 2013, www.pcmag.com/article2/0,2817,2426521,00.asp.

11. IBM 開発者のウェブサイトより。M. J. Yuan, "Watson and Healthcare," April 12, 2011, www.ibm.com/developerworks/library/os-ind-watson/index.html.

12. "Artificial Intelligence Positioned to Be a Game-Changer," *60 Minutes*, Oct. 9, 2016, www.cbsnews.com/news/60-minutes-artificial-intelligence-charlie-rose-robot-sophia.

13. C. Ross and I. Swetlitz, "IBM Pitched Its Watson Supercomputer as a Revolution in Cancer Care. It's Nowhere Close," *Stat News*, Sept. 5, 2017, www.statnews.com/2017/09/05/watson-ibm-cancer.

14. P. Rajpurkar et al., "SQuAD: 100,000+ Questions for Machine Comprehension of Text," in *Proceedings of the 2016 Conference on Empirical Methods in Natural Language Processing* (2016), 2383–92.

15. Ibid.

16. A. Linn, "Microsoft Creates AI That Can Read a Document and Answer Questions About It as Well as a Person," *AI Blog*, Microsoft, Jan. 15, 2018,

blogs.microsoft.com/ai/microsoft-creates-ai-can-read-document-answer-questions-well-person.

17. "AI Beats Humans at Reading Comprehension for the First Time," Technology.org, Jan. 17, 2018, www.technology.org/2018/01/17/ai-beats-humans-at-reading-comprehension-for-the-first-time.

18. D. Harwell, "AI Models Beat Humans at Reading Comprehension, but They've Still Got a Ways to Go," *Washington Post*, Jan. 16, 2018.

19. P. Clark et al., "Think You Have Solved Question Answering? Try ARC, the AI2 Reasoning Challenge," arXiv:1803.05457 (2018).

20. Ibid.

21. アレン人工知能研究所の ARC データセットスコアボードより（2018年12月17日閲覧）。leaderboard.allenai.org/arc/submissions/public.

22. これらの例はすべて次のウェブサイトに掲載されていたものだ（2018年12月17日閲覧）。E. Davis, L. Morgenstern, and C. Ortiz, "The Winograd Schema Challenge," cs.nyu.edu/faculty/davise/papers/WS.html.

23. T. Winograd, *Understanding Natural Language* (New York: Academic Press, 1972).

24. H. J. Levesque, E. Davis, and L. Morgenstern, "The Winograd Schema Challenge," in *AAAI Spring Symposium: Logical Formalizations of Commonsense Reasoning* (American Association for Artificial Intelligence, 2011), 47.

25. T. H. Trinh and Q. V. Le, "A Simple Method for Commonsense Reasoning," arXiv:1806.02847 (2018).

26. K. Bailey, "Conversational AI and the Road Ahead," *Tech Crunch*, Feb. 25, 2017, techcrunch.com/2017/02/25/conversational-ai-and-the-road-ahead.

27. H. Chen et al., "Attacking Visual Language Grounding with Adversarial Examples: A Case Study on Neural Image Captioning," in *Proceedings of the 56th Annual Meeting of the Association for Computational Linguistics*, vol. 1, *Long Papers* (2018), 2587-97.

28. N. Carlini and D. Wagner, "Audio Adversarial Examples: Targeted Attacks on Speech-to-Text," in *Proceedings of the First Deep Learning and Security Workshop* (2018).

29. R. Jia and P. Liang, "Adversarial Examples for Evaluating Reading Comprehension Systems," in *Proceedings of the 2017 Conference on Empirical Methods in Natural Language Processing* (2017).

30. C. D. Manning, "Last Words: Computational Linguistics and Deep Learning," *Nautilus*, April 2017.

第 14 章

1. G.-C. Rota, "In Memoriam of Stan Ulam: The Barrier of Meaning," *Physica D Nonlinear Phenomena* 22 (1986): 1–3.

2. このテーマでの講義中、「なぜ AI システムに人間のような理解が必要なんでしょうか？ 私たちはなぜ、異なる種類の理解を持つ AI を受け入れられないのでしょうか？」と学生から質問された。「異なる種類の理解」とは何を意味するのか私には見当もつかないことはさておき、私が言いたいのは、もし社会において AI システムが人間とやりとりするのならば、そうしたシステム自身が遭遇した状況に対する理解のしかたは、基本的に人間と同じものでなければならないということだ。

3. この「コア知識」という用語が使われている最も有名な研究は、心理学者エリザベス・スペルキと彼女の共同研究者たちによるものだ。例として次の文献を参照のこと。E. S. Spelke and K. D. Kinzler, "Core Knowledge," *Developmental Science* 10, no. 1 (2007): 89–96. ほかの多くの認知科学者たちも、同様の考えを論じている。

4. 心理学者たちが「直観的」という言葉を使うのは、この基礎知識が早い段階から私たちの精神にあまりに深く刻み込まれるからだ。そしてこの知識は私たちにとってわかりきったものとなり、大抵の場合潜在意識に隠れていることになる。また、物理学、確率といった分野についての人間の典型的な直観的思考が実際には間違っている場合があることを、多くの心理学者が示している。次の文献を参照のこと。A. Tversky and D. Kahneman, "Judgment Under Uncertainty: Heuristics and Biases," *Science* 185, no. 4157 (1974):1124–31; B. Shanon, "Aristotelianism, Newtonianism, and the Physics of the Layman," *Perception* 5, no. 2 (1976): 241–43.

5. こうしたメンタルシミュレーションについて、ローレンス・バーサローが次の文献で詳細な議論を展開している。L. W. Barsalou, "Perceptual Symbol Systems," *Behavioral and Brain Sciences* 22 (1999): 577–660.

6. ダグラス・ホフスタッターは、人間が状況に遭遇（または状況を思い出す、あるいは状況について読む、想像する）するとき、その人の頭のなかでのそうした状況の表現には、その状況の起こりうるさまざまな変化形の「光輪」も含まれていると指摘している。ホフスタッターはそれを「暗黙の反実仮想的な領域」と呼んでいて、そのなかには「決して存在していなかったが、それでも私たちがどうしても見てしまうもの」も含まれている。D. R. Hofstadter, *Metamagical Themas* (New York: Basic Books, 1985), 247.（翻訳版はダグラス・ホフスタッター『メタマジック・ゲーム 科学と芸術のジグソーパズル』2005 年（新装版）、白揚社）

7. L. W. Barsalou, "Grounded Cognition," *Annual Review of Psychology* 59 (2008): 617–45.

8. L. W. Barsalou, "Situated Simulation in the Human Conceptual System,"

*Language and Cognitive Processes*18, no. 5-6 (2003): 513-62.

9. A.E.M. Underwood, "Metaphors," *Grammarly*, www.grammarly.com/blog/metaphor.（2018 年 12 月 17 日閲覧）

10. G. Lakoff and M. Johnson, *Metaphors We Live By* (Chicago: University of Chicago Press, 1980).（翻訳版はジョージ・レイコフ、マーク・ジョンソン『レトリックと人生』1986 年、大修館書店）

11. L. E. Williams and J. A. Bargh, "Experiencing Physical Warmth Promotes Interpersonal Warmth," *Science* 322, no. 5901 (2008): 606-607.

12. C. B. Zhong and G. J. Leonardelli, "Cold and Lonely: Does Social Exclusion Literally Feel Cold?," *Psychological Science* 19, no. 9 (2008): 838-42.

13. D. R. Hofstadter, *I Am a Strange Loop* (New York: Basic Books, 2007).（翻訳版はダグラス・ホフスタッター『わたしは不思議の環』2018 年、白揚社）。引用した箇所は同書の前袖の記載部分から。私の説明は、哲学者ダニエル・デネットが次の著書で提唱した理論も反映している。Daniel Dennett, *Consciousness Explained* (New York: Little, Brown, 1991).（翻訳版はダニエル・デネット『解明される意識』1997 年、青土社）

14. こうした「言語の生産性」についての詳しい議論は次を参照のこと。D. Hofstadter and E. Sander, *Surfaces and Essences: Analogy as the Fuel and Fire of Thinking* (New York: Basic Books, 2013), 129; A. M. Zwicky and G. K. Pullum, "Plain Morphology and Expressive Morphology," *Annual Meeting of the Berkeley Linguistics Society* (1987), 13:330-40.

15. この裁判の話は、実際の訴訟事例から使わせてもらったものだ。次を参照のこと。 "Blogs as Graffiti? Using Analogy and Metaphor in Case Law," *IdeaBlawg*, March 17, 2012, www.ideablawg.ca/blog/2012/3/17/blogs-as-graffiti-using-analogy-and-metaphor-in-case-law.html.

16. スタンフォード大学の講義の動画より（2018 年 12 月 18 日閲覧）。D. R. Hofstadter, "Analogy as the Core of Cognition," Presidential Lecture, Stanford University (2009), www.youtube.com/watch?v=n8m71FQ3njk.

17. Hofstadter and Sander, *Surfaces and Essences*, 3.

18. M. Minsky, "Decentralized Minds," *Behavioral and Brain Sciences* 3, no. 3 (1980): 439-40.

第 15 章

1. D. B. Lenat and J. S. Brown, "Why AM and EURISKO Appear to Work," *Artificial Intelligence* 23, no. 3 (1984): 269-94.

2. これらの例は次の資料から使わせてもらっている。C. Metz, "One Genius' Lonely Crusade to Teach a Computer Common Sense," *Wired*, March 24, 2016, www.wired.com/2016/03/doug-lenat-artificial-intelligence-common-sense-engine; D. Lenat, "Computers Versus Common Sense,"

Google Talks Archive, www.youtube.com/watch?v=gAtn-4fhuWA.（2018年12月18日閲覧）

3. レナートによると、同社は新しいアサーションを入手する過程を大幅に自動化したそうだ（おそらくウェブマイニングによって）。次を参照のこと。D. Lenat, "50 Shades of Symbolic Representation and Reasoning," CMU Distinguished Lecture Series, www.youtube.com/watch?v=4mvOnCS2mik.（2018年12月18日閲覧）

4. Ibid.

5. 専門知識がなくてもわかりやすい、サイクプロジェクトについての詳しい説明は、次の著作の第4章を参照のこと。H. R. Ekbia, *Artificial Dreams: The Quest for Non-biological Intelligence* (Cambridge, U.K.: Cambridge University Press, 2008).

6. ルーシッドのウェブサイトより。lucid.ai.

7. P. Domingos, *The Master Algorithm* (New York: Basic Books, 2015), 35.

8. "The Myth of AI: A Conversation with Jaron Lanier," *Edge*, Nov. 14, 2014, www.edge.org/conversation/jaronlanier-the-myth-of-ai.

9. 具体例は次の文献を参照のこと。N. Watters et al., "Visual Interaction Networks," *Advances in Neural Information Processing Systems* 30 (2017): 4539–47; T. D. Ullman et al., "Mind Games: Game Engines as an Architecture for Intuitive Physics," *Trends in Cognitive Sciences* 21, no. 9 (2017): 649–65; K. Kansky et al., "Schema Networks: Zero-Shot Transfer with a Generative Causal Model of Intuitive Physics," *Proceedings of the International Conference on Machine Learning* (2017), 1809–18.

10. J. Pearl, "Theoretical Impediments to Machine Learning with Seven Sparks from the Causal Revolution," in *Proceedings of the Eleventh ACM International Conference on Web Search and Data Mining* (2018), 3. AIにおける因果的推論に関するさらに詳しい議論については、次を参照のこと。J. Pearl and D. Mackenzie, *The Book of Why: The New Science of Cause and Effect* (New York: Basic Books, 2018).

11. 次の文献では、深層学習に欠けているものについての洞察に満ちた議論がなされている。G. Marcus, "Deep Learning: A Critical Appraisal," arXiv:1801.00631 (2018).

12. DARPA Fiscal Year 2019 Budget Estimates, Feb. 2018, www.darpa.mil/attachments/DARPAFY19PresidentsBudgetRequest.pdf.（2018年12月18日閲覧）

13. 英語版は次を参照のこと。M. Bongard, *Pattern Recognition* (New York: Spartan Books, 1970).

14. ここで紹介しているすべてのボンガード問題は、ハリー・ファウンダリスのウェブサイトのものを使わせてもらっている。このウェブサイトにはボンガ

ードの100題以外に、ほかの人が作成した問題も数多く掲載されている。Index of Bongard Problems website, www.foundalis.com/res/bps/bpidx.htm.

15. R. M. French, *The Subtlety of Sameness* (Cambridge, Mass.: MIT Press, 1995).

16. ボンガード問題を解くためのプログラムのなかでとりわけ興味深かったのは、ハリー・ファウンダリスが作成したものだ。当時のファウンダリスは、インディアナ大学でダグラス・ホフスタッターの研究グループに所属する大学院生だった。ファウンダリスは、自身は「ボンガード問題解決器」ではなく「ボンガード問題に発想を得た認知論理構造」をつくっているとはっきり宣言した。そのプログラムは、低次の視覚から最高次の抽象化とアナロジーにいたるあらゆるレベルにおいて、人間のような知覚から刺激を受けた。ファウンダリスのプログラムはごくわずかな数のボンガード問題しか解けなかったが、その精神はボンガードの意図に沿ったものだった。詳細は次を参照のこと。H. E. Foundalis, "Phaeaco: A Cognitive Architecture Inspired by Bongard's Problems" (PhD diss., Indiana University, 2006), www.foundalis.com/res/Foundalisdissertation.pdf. なお、ファウンダリスはボンガード問題に関する自身の研究についての詳細なウェブサイトも管理している。www.foundalis.com/res/diss_research.html.

17. S. Stabinger, A. Rodriguez-Sanchez, and J. Piater, "25 Years of CNNs: Can We Compare to Human Abstraction Capabilities?," in *Proceedings of the International Conference on Artificial Neural Networks* (2016), 380–87. 関連している次の研究でも、同様の結果が報告されている。 J. Kim, M. Ricci, and T. Serre, "Not-So-CLEVR: Visual Relations Strain Feedforward Neural Networks," *Interface Focus* 8, no. 4 (2018): 2018.0011.

18. ここでの「大半の人」とは、学位論文作成のために私が被験者に行った調査の結果に基づいたものだ。次を参照のこと。M. Mitchell, *Analogy-Making as Perception* (Cambridge, Mass.: MIT Press, 1993).

19. ホフスタッターは『ゲーデル、エッシャー、バッハ』第19章でのボンガード問題の議論で、「概念の横滑り」という自身がつくった言葉を用いている。D. R. Hofstadter, *Gödel, Escher, Bach: an Eternal Golden Braid* (New York: Basic Books, 1979). (翻訳版はダグラス・ホフスタッター『ゲーデル、エッシャー、バッハ あるいは不思議の環』1985年、白揚社)

20. Ibid., 349–51.

21. コピーキャットの詳細な説明については次の文献の第5章を参照のこと。D. R. Hofstadter and the Fluid Analogies Research Group, *Fluid Concepts and Creative Analogies: Computer Models of the Fundamental Mechanisms of Thought* (New York: Basic Books, 1995). さらに詳しい解説については、私が自身の学位論文に基づいて執筆した次の文献を参照のこと。Mitchell,

Analogy-Making as Perception.

22. J. Marshall, "A Self-Watching Model of Analogy-Making and Perception," *Journal of Experimental and Theoretical Artificial Intelligence* 18, no. 3 (2006): 267–307.

23. こうしたプログラムの例は次を参照のこと。Hofstadter and the Fluid Analogies Research Group, *Fluid Concepts and Creative Analogies.*

24. A. Karpathy, "The State of Computer Vision and AI: We Are Really, Really Far Away," Andrej Karpathy blog, Oct. 22, 2012, karpathy.github. io/2012/10/22/state-of-computer-vision.

25. 次を参照のこと。*Stanford Encyclopedia of Philosophy*, s.v. "Dualism," plato.stanford.edu/entries/dualism/.

26. 認知科学における身体性の仮説についての当を得た哲学的な議論は次を参照のこと。A. Clark, *Being There: Putting Brain, Body, and World Together Again* (Cambridge, Mass.: MIT Press, 1996).（翻訳版はアンディ・クラーク『現れる存在 脳と身体と世界の再統合』2012年、NTT出版）

第16章

1. 国家幹線道路交通安全局のウェブサイトより。"Automated Vehicles for Safety," National Highway Traffic Safety Administration, www.nhtsa.gov/ technology-innovation/automated-vehicles-safety#issue-road-self-driving.

2. "Vehicle Cybersecurity: DOT and Industry Have Efforts Under Way, but DOT Needs to Define Its Role in Responding to a Real-World Attack," General Accounting Office, March 2016, www.gao.gov/ assets/680/676064.pdf.（2018年12月18日閲覧）

3. J. Crosbie, "Ford's Self-Driving Cars Will Live Inside Urban 'Geofences,'" *Inverse*, March 13, 2017, www.inverse.com/article/28876-ford-self-driving-cars-geofences-ride-sharing.

4. J. Kahn, "To Get Ready for Robot Driving, Some Want to Reprogram Pedestrians," *Bloomberg*, Aug. 16, 2018, www.bloomberg.com/news/ articles/2018-08-16/to-get-ready-for-robot-driving-some-want-to-reprogram-pedestrians.

5. "Artificial Intelligence, Automation, and the Economy," Executive Office of the President, Dec. 2016, www.whitehouse.gov/sites/whitehouse.gov/ files/images/EMBARGOED%20AI%20Economy%20Report .pdf.

6. これはアラン・チューリングが「レディ・ラブレスの反論」と呼んだ一件を思い起こさせる。レディ・エイダ・ラブレスはイギリスの数学者であり作家で、19世紀におけるプログラム可能なコンピューターの提言といえる「解析エンジン」の開発にチャールズ・バベッジと共同で取り組んだ（未完に終

わった）。チューリングは「『解析エンジン』は、何かを『生み出す』ふりを
するつもりはありません。それは『私たちがどう命じればいいかわかってい
ることをすべて』行うのです」というレディ・ラブレスの記述を引用してい
る。A. M. Turing, "Computing Machinery and Intelligence," *Mind* 59, no.
236 (1950): 433–60.

7. カール・シムズのウェブサイトより。www.karlsims.com. (2018 年 12 月 18
日閲覧)

8. D. Cope, *Virtual Music: Computer Synthesis of Musical Style* (Cambridge,
Mass.: MIT Press, 2004).

9. G. Johnson, "Undiscovered Bach? No, a Computer Wrote It," *New York
Times*, Nov. 11, 1997.

10. M. A. Boden, "Computer Models of Creativity," *AI Magazine* 30, no. 3 (2009):
23–34.

11. J. Gottschall, "The Rise of Storytelling Machines," in *What to Think About
Machines That Think*, ed. J. Brockman (New York: Harper Perennial, 2015),
179–80.

12. 次のビデオ講義より。"Creating Human-Level AI: How and When?," Future
of Life Institute, Feb. 9, 2017, www.youtube.com/watch?v=V0aXMTpZTfc.

13. A. Karpathy, "The State of Computer Vision and AI: We Are Really, Really
Far Away," Andrej Karpathy blog, Oct. 22, 2012, karpathy.github.
io/2012/10/22/state-of-computer-vision.

14. C. L. Evans, *Broad Band: The Untold Story of the Women Who Made the
Internet* (New York: Portfolio/Penguin, 2018), 24.

15. M. Campbell-Kelly et al., *Computer: A History of the Information Machine*,
3rd ed. (New York: Routledge, 2018), 80.

16. K. Anderson, "Enthusiasts and Skeptics Debate Artificial Intelligence,"
Vanity Fair, Nov. 26, 2014.

17. 次を参照のこと。O. Etzioni, "No, the Experts Don't Think Superintelligent
AI Is a Threat to Humanity," *Technology Review*, Sept. 20, 2016, www.
technologyreview.com/s/602410/no-the-experts-dont-think-
superintelligent-ai-is-a-threat-to-humanity; V. C. Muller and N.
Bostrom, "Future Progress in Artificial Intelligence: A Survey of Expert
Opinion," *Fundamental Issues of Artificial Intelligence* (Basel, Switzerland:
Springer, 2016), 555–72.

18. N. Bostrom, "How Long Before Superintelligence?," *International Journal of
Future Studies* 2 (1998).

19. D. R. Hofstadter, *Gödel, Escher, Bach: an Eternal Golden Braid* (New
York: Basic Books,1979), 677–78.（翻訳版はダグラス・ホフスタッター『ゲ
ーデル、エッシャー、バッハ あるいは不思議の環』1985 年、白揚社）

20. "The Myth of AI: A Conversation with Jaron Lanier," *Edge*, Nov. 14, 2014, www.edge.org/conversation/jaronlanier-the-myth-of-ai.

21. P. Domingos, *The Master Algorithm* (New York: Basic Books, 2015), 285–86.

22. 次のビデオより。"Panel: Progress in AI: Myths, Realities, and Aspirations," Microsoft Research video, www.youtube.com/watch?v=1wPFEj1ZHRQ&feature=youtu.be.（2018年12月18日閲覧）

23. R. Brooks, "The Origins of 'Artificial Intelligence,'" Rodney Brooks's blog, April 27,2018, rodneybrooks.com/forai-the-origins-of-artificial-intelligence.

画像出典（ILLUSTRATION CREDITS）（数字はページ数）

43. Figure 1: Drawing of neuron adapted from C. Ling, M. L. Hendrickson, and R. E. Kalil, "Resolving the Detailed Structure of Cortical and Thalamic Neurons in the Adult Rat Brain with Refined Biotinylated Dextran Amine Labeling," PLOS ONE 7, no. 11 (2012), e45886. Image licensed under Creative Commons Attribution 4.0 International license (creativecommons.org/licenses/by/4.0/).

45. Figure 2: Handwritten characters image by Josef Steppan, commons.wikimedia.org/wiki/File:MnistExamples.png. Image licensed under Creative Commons Attribution-ShareAlike 4.0 International license (creativecommons.org/licenses/by-sa/4.0/deed.en).

46. Figure 3: Author.

58. Figure 4: Author.

87. Figure 5: Author.

100. Figure 6: media.defense.gov/2015/May/15/2001047923/-1/-1/0/150506-F-BD468-053.JPG, accessed Dec. 4, 2018 (public domain).

103. Figure 7: Author.

107. Figure 8: Author.

108. Figure 9: Author.

109. Figure 10: Author.

111. Figure 11: Author.

112. Figure 12: Author.

152. Figure 13: Author.

154. Figure 14: From twitter.com/amywebb/status/841292068488118273, accessed Dec. 7, 2018. Reprinted by permission of Amy Webb.

157. Figure 15: www.nps.gov/yell/learn/nature/osprey.htm(public domain); www.fs.usda.gov/Internet/FSEMEDIA/stelprdb5371680.jpg(public domain).

159. Figure 16: From twitter.com/jackyalcine/

status/615329515909156865, accessed Dec. 7, 2018. Reprinted by permission of Jacky Alcine.

160. Figure 17: From www.flickr.com/photos/jozjozjoz/352910684, accessed Dec. 7, 2018. Reprinted by permission of Joz Wang of jozjozjoz. com.

166. Figure 18: From C. Szegedy et al., "Intriguing Properties of Neural Networks," in Proceedings of the International Conference on Learning Representations(2014). Reprinted by permission of Christian Szegedy.

168. Figure 19: From A. Nguyen, J. Yosinski, and J. Clune, "Deep Neural Networks Are Easily Fooled: High Confidence Predictions for Unrecognizable Images," in Proceedings of the IEEE Conference on Computer Vision and Pattern Recognition (2015), 427.36. Reprinted by permission of the authors.

169. Figure 20: Figure adapted from M. Sharif et al., "Accessorize to a Crime: Real and Stealthy Attacks on State-of-the-ArtFace Recognition," in Proceedings of the 2016 ACM SIGSAC Conference on Computer and Communications Security (2016), 1528. 40. Reprinted by permission of the authors. Milla Jovovich photograph is from commons.wikimedia.org/wiki/File:Milla_Jovovich.png, by Georges Biard, licensed under Creative Commons Attribution-Share Alike 3.0 Unported license (creativecommons.org/licenses/by-sa/3.0/deed.en).

172. Figure 21: Author.

198. Figure 22: From www.cs.cmu.edu/~robosoccer/image-gallery/legged/2003/aibo-with-ball112.jpg. Reprinted by permission of Manuela Veloso.

201. Figure 23: Author.

204. Figure 24: Author.

206. Figure 25: Author.

207. Figure 26: Author.

215. Figure 27: Author.

217. Figure 28: Author.

222. Figure 29: Author.

224. Figure 30: Author.

237. Figure 31: Author.

272. Figure 32: Author.

273. Figure 33: Author.

277. Figure 34: Author.

281. Figure 35: Author.

283. Figure 36: Author.

285. Figure 37: From T. Mikolov et al., "Distributed Representations of Words and Phrases and Their Compositionality," in Advances in Neural Information Processing Systems (2013), 3111.19. Reprinted by permission of Tomas Mikolov.

293. Figure 38: Author.

308. Figure 39: Author. Photograph is from the Microsoft COCO data set: cocodataset.org.

309. Figure 40: Photograph and captions are from the Microsoft COCO data set: cocodataset.org.

310. Figure 41: Photographs and captions are from nic.droppages.com. Reprinted by permission of Oriol Vinyals.

312. Figure 42: Top row: Photographs and captions from O. Vinyals et al., "Show and Tell: A Neural Image Caption Generator," in Proceedings of the IEEE Conference on Computer Vision and Pattern Recognition (2015), 3156.64. Reprinted by permission of Oriol Vinyals. Bottom row, left: Road-Tech Safety Services. Reprinted by permission of Ben Jeffrey. Bottom row, right: Nikoretro, https://www.flickr.com/photos/bellatrix6/4727507323/in/album-72057594083648059. Licensed under Creative Commons Attribution-ShareAlike 2.0 Generic license: https://creativecommons.org/licenses/by-sa/2.0/. Bottom row captions are from captionbot.ai.

341. Figure 43: Photographs and captions from H. Chen et al., "Attacking Visual Language Grounding with Adversarial Examples: A Case Study on Neural Image Captioning," in Proceedings of the 56th Annual Meeting of the Association for Computational Linguistics, vol. 1, Long Papers (2018), 2587.97. Reprinted with permission of Hongge Chen and the Association for Computational Linguistics.

349. Figure 44: Dorothy Alexander / Alamy Stock Photo.

373. Figure 45: From www.foundalis.com/res/bps/bpidx.htm. Original images are from M. Bongard, Pattern Recognition (New York: Spartan Books, 1970).

374. Figure 46: From www.foundalis.com/res/bps/bpidx.htm. Original images are from M. Bongard, Pattern Recognition (New York: Spartan Books, 1970).

377. Figure 47: Author.

386. Figure 48: Photographs taken by author.

388. Figure 49: www.nps.gov/dena/planyourvisit/pets.htm(public domain); pxhere.com/en/photo/1394259(public domain); Peter Titmuss / Alamy Stock Photo; Thang Nguyen, www.flickr.com/photos/70209763@

N00/399996115, licensed under Creative Commons Attribution-ShareAlike 2.0 Generic license (creativecommons.org/licenses/by-sa/2.0/).

389. Figure 50: P. Souza, Obama: An Intimate Portrait (New York: Little, Brown, 2018), 102 (public domain).

謝辞

　この本を世に出せたのは、ダグラス・ホフスタッターのおかげだ。そもそも、私がAIの分野に惹かれたのはダグの著書を読んだからであり、その後、ダグの豊かな発想力と指導によって博士課程の研究を続けることができた。しかも、この本を書くきっかけとなったのは、少し前にダグが同行させてくれたグーグルでの会議だ。さらに直近では、ダグは本書の原稿をすべて読んで、どの章についても洞察力あふれる意見をくれた。そのおかげで内容を大幅に改善して、完成版の質を高めることができたのは言うまでもない。私はダグに彼の発想、著書や論文、私の研究への協力、そして友情に対して、ただひたすら感謝している。

　ほかにも、親切にもこの本を読んで、各章について的を射た指摘をくれた次の友人や家族にも感謝したい。ジム・レベニック、ジム・マーシャル、ラス・マクブライド、ジャック・ミッチェル、ノーマ・ミッチェル、ケンドール・スプリンガー、クリス・ウッド。次のみなさんには、質問に答えてもらったり文章を翻訳してもらったりといった、さまざまなかたちで協力していただいた。深くお礼申し上げる。ジェフ・クルーン、リチャード・ダンツィグ、ボブ・フレンチ、ギャレット・ケニオン、ジェフ・ケファート、ブレイク・ルバロン、シェン・ルンドキスト、ダナ・モーザー、デイヴィッド・モーザー、フランチェスカ・パルメジャーニ。

　このプロジェクトのあらゆる面でいつも私を励まし、鋭い判断力で助けてくれた、出版社ファラー・ストラウス＆ジルーのエリック・チンスキー。荒削りな原稿を一冊の本に仕上げるた

めに、的確なアドバイスをくれたレアード・ギャラガー。そして、ファラー・ストラウス＆ジルーのチームのほかのメンバー、とりわけジュリア・リンゴ、イングリッド・スターナー、レベッカ・ケイン、リチャード・オリオーロ、デボラ・ギム、ブライアン・ジティスをはじめとするみなさんのすばらしい仕事ぶり。すべての方々に深く感謝する。さらに、この本の実現に奔走してくれた、私のエージェントであるエスター・ニューバーグにも感謝を捧げたい。

　絶え間ない愛情で熱心に支えてくれ、私のクレイジーな仕事のやり方を辛抱強く見守ってくれる、夫のケンドール・スプリンガーには感謝してもしつくせない。息子のジェイコブとニコラス・スプリンガーは、どちらも驚くような質問、好奇心、独自の「常識」で、すてきなひらめきを私に与え続けてくれた。そして、私が生まれたときから今日までずっと、限りない愛情と励ましをくれた両親、ジャックとノーマ・ミッチェルにこの本を捧げたい。こんなにも多くの機械にあふれたこの世の中で、こんなにも多くの思慮深く経験に富んだ愛情あふれる人間たちに囲まれている自分は、本当に幸せ者だと思っている。

解説　人工知能はどこから来てどこまで行くのか

松原　仁

　メラニー・ミッチェルによる『教養としての AI 講義』（原題は "Artificial Intelligence: A Guide for Thinking Humans"、以下本書）の位置づけを明らかにするためには、まず彼女の師匠であるダグラス・ホフスタッターについて説明することが必要であろう。ダグラス・ホフスタッターは 1945 年生まれで大学や大学院では数学や物理学を学び（彼の父親ロバート・ホフスタッターはノーベル賞を取った物理学者である）、人工知能の研究者となった。彼を有名にしたのは 1979 年に出した "Gödel, Escher, Bach: An Eternal Golden Braid"（『ゲーデル、エッシャー、バッハ　あるいは不思議の輪』野崎昭弘・はやしはじめ・柳瀬尚紀訳　1985 年）という本である（英語では GEB と略される。日本ではゲーバー本と呼ばれる）。数学者のゲーデル、だまし絵のエッシャー、作曲家のバッハという分野の異なる 3 人の名前が並ぶ変わった題名であるが、彼らの仕事には自己参照という共通点があり、その自己参照こそが知能の本質に関わっていることをゲーバー本は語っている。

　ホフスタッターが 30 代の前半という若さで書いたゲーバー本は大きな話題となり 1980 年のピューリッツァー賞を受賞し、（言葉遊びがたくさんあって翻訳が難しいにもかかわらず）世界中の多くの言語に翻訳された。これまでに出版された人工知能関係の本でベストと言って間違いないので、まだ読んでいない方は本書を読んだ後でぜひゲーバー本も読んでほしい（ただし分厚い本なので読み通すにはそれなりの覚悟をしておく必要

がある）。本書はゲーバー本を読んでいなくても問題なく読めるが、読んでから読み直すとさらに味わい深いはずである。世界中でゲーバー本を読んで人工知能研究者を目指した人がたくさんいると言われている（解説者はゲーバー本を読んだときにすでに人工知能研究者を目指していたが、読むことで自分の判断が正しいと確信して前に進むことができた）が、メラニー・ミッチェルもその一人である。ちなみにホフスタッターの弟子としては心の哲学を専門とする（「哲学的ゾンビ」という概念を提唱した）デイヴィッド・チャーマーズも有名である。

　ホフスタッターのゲーバー本以外の本としては彼がデネットと編集した "The Mind's I"（邦訳『マインズ・アイ』）も素晴らしい。心や知能にまつわるさまざまな著者の論文、エッセイ、小説などを集めたアンソロジーで、人工知能を考える上で参考になる論点がちりばめられている。ゲーバー本よりもこちら（マンザイ本と呼ばれる）の方がとっつきやすいかもしれない。この解説を書いている時点で邦訳が絶版になっているのが残念である。

　ミッチェルはホフスタッターの下で学んで彼といっしょにCopycat という類推のモデルの研究を行い、その専門書も出している。師匠のホフスタッターがそうだが、弟子のミッチェルも本を書くことが得意でこれまでにも複雑系や遺伝的アルゴリズムの優れた本を書いている（邦訳『ガイドツアー　複雑系の世界：サンタフェ研究所講義ノートから』、『遺伝的アルゴリズムの方法』）。ミッチェルは類推というホフスタッターの興味の中心にある研究テーマをいっしょに手掛けたこと、人工知能にまつわる優れた本をホフスタッター同様に何冊も出している

ことから、解説者としては彼女がホフスタッターという師匠の思いをもっともよく継いだ一番弟子と見なしている。

　本書は人工知能がどういう経緯を経て現在の3回目のブームを迎えたのか、進歩した現在の人工知能をどう捉えればいいのかをとてもわかりやすく述べている。さすがホフスタッターの一番弟子の面目躍如というところだが、もっとも思いを継いでいるとはいえ、当然のことながらミッチェルは師匠とすべての見方が同じではなく、たとえば現在の人工知能をどう受け入れるかのスタンスはかなり異なっている（ミッチェルはホフスタッターよりも素直に受け入れているように読める）。

　本書は2014年にミッチェルがホフスタッターのお供としてグーグルを訪問したところから始まっている。グーグルは人工知能の研究開発で世界の最先端を走っていて、膨大な金額の予算を人工知能にかけており（一企業で日本政府の予算をはるかに超えている）、世界中の優秀な人工知能研究者を集めている。集まっている研究者は学生のころにゲーバー本を読んだ（そして人工知能研究者を目指した）人が多いので、彼らにとってホフスタッターは可能なら一度会ってみたいスーパースターのような存在である。

　現在の人工知能は3回目のブームを迎えており、そのブームは本書で仕組みが明快に説明されている深層学習がもとになっている。グーグルの人工知能研究者のほとんどはこの深層学習の専門家である。深層学習は人間の神経回路を模倣するところから始まったとはいえ人間の思考方法とはまったく異なる仕組みで動いている。

　ホフスタッターの関心は人間の思考方法を理解することにあ

る。しかしホフスタッターも深層学習が強力でありそれまでの
人工知能ができなかったことをかなりうまくできるようになっ
たことを認めざるをえない。ホフスタッターは音楽の素養があ
る（ゲーバー本はバッハをはじめとして音楽的な内容が豊富で
ある）ので、特に音楽で人工知能が彼の予想をはるかに超えた
スピードで進歩していることに衝撃を受けているのがわかる。
目標である人間の（偉大な能力である）知能に人工知能が部分
的にではあれ迫りつつあることを人工知能の研究者として喜び
つつも、人間の知能はもっと近寄りがたい目標であってほしい
（永遠にとは言わなくてもまだしばらくは不可侵の存在であっ
てほしい）と願う複雑な心境なのであろう。ミッチェルはグー
グルの研究者との対話で戸惑う師匠を見て混乱したと正直に書
いている（師匠がなぜ受け入れられないかわからなかったので
ある）。

　人工知能が３回目のブームになって人工知能に関する本は山
のように出ているが、本書の記述の正確さとわかりやすさは群
を抜いている。解説者が何百冊以上の本を読んで得た人工知能
の知識を、本書１冊を読むだけで得ることができる。人工知能
の現状を正しく評価することはとても難しい。ブームのときは
過大評価され、冬の時代は過少評価される。今は３回目のブー
ムなので過大評価されている。深層学習を代表とする機械学習
の技術がこの調子で進歩すれば近い将来に人間のような汎用人
工知能が実現するだろうという楽観論である（いわゆるシンギ
ュラリティが実現するということである）。
　ミッチェルは深層学習によって画像認識やゲーム情報学や自
然言語処理が劇的に進歩したことを素直に認めつつ、それを延

長すれば人間のような汎用人工知能が実現するという楽観論を明確に否定している。彼女が人工知能に困難な問題として取り上げたのが意味の理解である。深層学習は意味を理解せずに答を出している。そのために意味を理解している人間なら決して騙されないことに騙されてしまう。人工知能は疑わないという危うさがある。本書を読めば人工知能の凄さと脆さがわかる。「私たちはまだ、はるか、はるか遠くにいる」のである。

　最後の章は師匠がゲーバー本で取り上げた質問にミッチェルが回答している。彼女が書いているように師匠へのいいオマージュになっている。ミッチェルはこの回答の詳しい説明としてそれまでの文章を書いてきたのではないかと思われる。その意味で本書はミッチェルとホフスタッターの共著なのであろう。

索引

A-Z

著者

メラニー・ミッチェル

コンピューター科学研究者。コンピューター科学の博士号を取得したミシガン大学
大学院では、認知科学者で作家のダグラス・ホフスタッターの指導のもとで研究を
続け、理想化された環境において創造的なアナロジーを生成する「Copycat」プロ
グラムを共同開発した。その後、6冊の著書と多数の論文の執筆と編集にも携わ
り、現在はポートランド州立大学教授とサンタフェ研究所客員教授を兼任している。

解説

松原仁（まつばらひとし）

コンピューター科学研究者。人工知能、ゲーム情報学を専門とし、2014-2016年
には第15代人工知能学会会長を務める。東大理学部情報科学科卒業、同大学院
工学系研究科情報工学専攻博士課程修了。電子技術総合研究所（現産業技術総
合研究所）を経て、2000年より公立はこだて未来大学システム情報科学部教授。
2020年より東京大学次世代知能科学研究センター（AIセンター）教授。著書に
『鉄腕アトムは実現できるか』（河出書房新社）、『AIに心は宿るのか』（集英社イン
ターナショナル）など多数。

訳者

尼丁千津子（あまちょうちづこ）

英語翻訳者。神戸大学理学部数学科卒。訳書に『パワー・オブ・クリエイティビテ
ィ』（日経BP）、『「ユーザーフレンドリー」全史』（双葉社）、『アジアの世紀』（原
書房）などがある。

教養としての AI 講義

2021 年 2 月 15 日　第 1 版第 1 刷発行
2024 年 8 月 23 日　第 1 版第 4 刷発行

著　者	メラニー・ミッチェル
訳　者	尼丁 千津子
解　説	松原 仁
発行者	中川 ヒロミ
発　行	日経 BP
発　売	日経 BP マーケティング 〒 105-8308　東京都港区虎ノ門 4-3-12
装　丁	小口 翔平＋三沢 稜（tobufune）
制　作	岩井 康子（アーティザンカンパニー）
翻訳協力	株式会社リベル
編　集	田島 篤
印刷・製本	TOPPAN クロレ株式会社

ISBN978-4-296-00012-8
Printed in Japan

教養としての
コンピューター
サイエンス講義 第2版

プリンストン大学の一般人向け
「コンピューターサイエンス」の
講義が1冊に。伝説の計算機科学
者ブライアン・カーニハン先生が、
デジタル社会の土台となるコンピ
ューターサイエンス全般について、
徹底的にやさしく教えます。

A5判／540ページ ISBN：978-4-2960-0045-6

教養としての
デジタル講義

すべての人を覆う「デジタル化」
の波を乗り越えるために、MIT
（マサチューセッツ工科大学）、ハ
ーバードの有名教授らが、デジタ
ルの可能性と潜在的な危険を知る
ための基礎知識をわかりやすく伝
えます。

A5版／500ページ ISBN：978-4-296-00024-1